Anne C. Voorhoeve

Einundzwanzigster Juli

Anne Charlotte Voorhoeve, geboren 1963, studierte Politologie, Amerikanistik, Alte Geschichte und Komparatistik in Mainz und Maryland/USA. Sie arbeitete als Redakteurin und Lektorin in Zeitschriften- und Buchverlagen sowie in der Öffentlichkeitsarbeit. Seit Juli 2000 ist sie freiberuflich tätig. Für ihre Romane wurde sie bereits mehrfach ausgezeichnet.

Anne C. Voorhoeve

Einundzwanzigster Juli

Ravensburger Buchverlag

Für Pia, geboren am einundzwanzigsten Juli

MIX
Papier aus verantwortungsvollen Quellen
FSC® C006701
FSC www.fsc.org

Als Ravensburger Taschenbuch
Band 58379
erschienen 2011

Die Erstausgabe erschien 2008
im Ravensburger Buchverlag

Umschlaggestaltung: Constanze Spengler
unter Verwendung eines Fotos aus dem
Bildarchiv Preußischer Kulturbesitz

Printed in Germany

1 2 3 13 12 11

ISBN 978-3-58379-9

www.ravensburger.de

I

Das Furchtbarste ist zu wissen, dass es nicht gelingen kann
und dass man es dennoch für unser Land
und unsere Kinder tun muss.

Berthold Schenk Graf von Stauffenberg (1905–1944)

II

Und wie dir gebührte das einsame ende der helden.

Alexander Schenk Graf von Stauffenberg
an seine Frau Litta (1903–1945)

Eins

Ich bin lange fort gewesen. In der schmal gewordenen, übernächtigten Gestalt, die mir am Bahnsteig entgegentritt, erkenne ich meine Mutter erst auf den zweiten Blick – aber spüre sofort, wie sie es merkt, wie ihre Augen streng und vorwurfsvoll werden. Was weißt du Landei schon vom Krieg …?, sehe ich sie denken. Und höre sie sagen: »Du bist verrückt geworden, Philippa. Ich kann dich hier wahrlich nicht gebrauchen!«

Das sind ihre Worte zu meiner Begrüßung, nach fast zwei Jahren. Und Philippa! So nennt sie mich nur, wenn ich im Begriff bin, sie ernsthaft zu verärgern. Philippa heißt letzte Warnung, ich bin im Allgemeinen nur Fritzi. Hat sie das vergessen?

Ich muss meine Blicke im Zaum halten. Auf der Straße merkt man mir schon nichts mehr an. Nur dass da, streng genommen, gar keine Straße mehr ist. Die schwarzen Ruinen, die Trümmerberge, nein: das riesige Trümmerfeld der Stadt aus dem Zug heraus schon kilometerweit zu sehen, ist eine Sache – es zu betreten, zu riechen, zu atmen, darauf kann kein Blick aus dem Fenster vorbereiten.

»Ich habe das Fahrrad dabei!«, verkündet Mutter. Noch eine Überraschung. Ich kenne sie nur Auto fahrend, mit Lederhandschuhen und Hut, wusste nicht einmal, dass sie radeln kann. Kann sie? Erst einmal schieben wir mein altes Rad nur zwischen uns her und balancieren auf dem Gepäckträger meinen Koffer. Die Stofftasche mit ihren Einkäufen hat Mutter an den Lenker gehängt. Sie beult sich kaum, es ist fast nichts darin.

Wir sind nicht die Einzigen, die schieben. Das Schieben gepäcküberladener Fahrräder und Kinderwagen scheint in Berlin gerade Mode zu sein. Die Ausgebombten der letzten Nacht retten, was zu retten ist, ins nächste Mauseloch. Ein einzelner Kastenwagen mit Rotkreuzaufschrift bahnt sich mühsam den Weg durch Krater, Schuttberge und Menschen, und wir treten beiseite, um ihn vorbeizulassen. Aus dem Trümmerhaufen neben uns, noch von Mauerresten umgeben wie ein ausgekippter Karton, läutet lange und vergeblich ein Telefon. Jemand hat eine Nachricht an die Eckwand gepinselt: »Erna, Frieder, Moni – wir leben!«

Ich habe mich extra feingemacht: das Haar vor dem Zubettgehen in Wickler gedreht, die Sonntagsschuhe geputzt, den langen Mantel angezogen, der so herausfordernd um die Waden schwingt. Ich hatte gehofft, Mutter eine Freude zu bereiten, hat sie doch immer beklagt, wie wenig ich mir aus meinem Äußeren mache. Im Zug hatte ich mir Worte ausgemalt: *Wie hübsch du aussiehst, Fritzi, ich erkenne meine kleine Tochter kaum wieder …!*

Pustekuchen, würde Onkel Ypsilon sagen. Fünf Minuten nach meiner Ankunft lässt sich nicht mehr feststellen, welches die größere Dummheit war – Locken, Mantel, Schuhe oder die Erwartung, dass Mutter stolz auf mich ist. In meiner aufgebauschten Haarpracht fangen sich Ascheblättchen und kleine Partikel von etwas, worüber man lieber nicht nachsinnt, die guten Schuhe stoßen sich Schrammen an Scherben und Geröll, und, meine Güte, waren die Sommer in Berlin immer schon so heiß? Unter dem Mantel klebt mir das Kleid am Leib und flüchtet alles Blut hinauf in den Kopf. Ich rede mir ein, dass die Hitze schuld ist und nicht die Enttäuschung über meine Mutter. Dass sie nicht froh ist, mich zu sehen, war zu erwarten, aber muss sie es so offen zeigen?

Vielleicht hat ihr jemand erzählt, was passiert ist.

Doch wer? Es gibt Geschichten, bei denen die Frage, wer sie erzählt, entscheidender sein kann als die, ob überhaupt jemand davon erfährt.

Vielleicht hat Mutters Schweigen aber gar nichts mit mir zu tun. Die anderen Fußgänger reden schließlich auch nicht! Ich höre Schritte vor und hinter mir, schleppend, schlurfend oder auch ungeduldig, und das trockene Rascheln zerfetzten Verdunkelungspapiers in leeren Fensterhöhlen. Ein Konzert rhythmischen Hämmerns und Klopfens liegt über der Stadt: *kling-kling, tock-tock, kling-kling*. Unterkünfte werden emsig wieder brauchbar gemacht, die Betten aus zerstörten Schlafzimmern in vielleicht noch vorhandene Küchen, Flure und Badezimmer geschleppt – Hauptsache, ein Dach über dem Kopf.

Links und rechts von uns ist alles, wirklich alles dahin. Als sei ein Windstoß durch eine Kartenhausreihe gefegt: Mauersteine, Dachziegel, Fensterrahmen, zerbrochen, zermahlen und mit allem verbrannt, was die Charlottenburger vor Kurzem noch »zu Hause« nannten. Nicht reden … den Atem flach halten … viele haben Tücher vors Gesicht gebunden, um sich vor der gelblichen Dunstglocke zu schützen, die unbeweglich über Berlin hängt.

Wir passen uns dem Rhythmus des Klopfens und Hämmerns an. Unmöglich auszubrechen, auch nicht, als es vorbeigeht an der evangelischen Kirche, deren offenes, letztes Seitenschiff sich wie eine Hand um staubige Kleiderbündel wölbt, die in einer Reihe auf dem Boden liegen. Ich ahne, was sie sind, sehe ausgestreckte Beine, Füße mit und ohne Schuhe. Erst die nächste Kreuzung befreit uns in eine Querstraße, in der Leben herrscht.

Mehr Leben, als jemals sichtbar war! Vor aller Augen wird gekocht, gegessen, geschlafen, Klavier geübt. Seitenwände stehen noch, Nachbarhäuser stützen sich gegenseitig. Vorn ist nur noch Panorama.

»Starr den Leuten nicht in die Stube!«, murmelt meine Mutter.

»Aber was machen sie bloß, wenn der Winter kommt?«

Über unseren Köpfen legt eine andere Mutter ihr Baby ins Bett, prüft kritisch den Stand der Sonne und justiert die Wolldecke an der aufgespannten Wäscheleine. Uns, die sie fast anfassen könnten, nimmt sie gar nicht wahr; sie lupft und zupft und überdenkt mit langem Blick zum Himmel die voraussichtliche Wanderung der Elemente in den nächsten zwei Stunden. Wann die Flieger wiederkehren, liegt nicht in ihrer Hand, aber kein unkontrollierter Sonnenstrahl darf ihr Kleines treffen.

»Der Winter?« Mutter lacht kurz auf. »Der Winter ist noch lange hin.«

Sie überlässt es mir, aus diesen Worte herauszulesen, was sie denkt. Variante eins: Bis zum Winter ist die Wunderwaffe im Einsatz und der Krieg gewonnen. Variante zwei: Bis zum Winter sind wir tot, umgekommen in den Terrorangriffen der Briten und Amerikaner.

Mit Unbehagen stelle ich fest, dass ich meine Mutter nicht einzuschätzen weiß. Welcher Variante neigt sie zu? Und ich?

Vor vier Wochen hätte ich noch eine Antwort gehabt. Jetzt wäre ich gern bereit, die ihre zu übernehmen, egal welche. Ich brauche dringend wieder eine Antwort! Aber sie sagt nichts. Also erdenke ich Variante drei: Was schert uns der Winter? Jetzt haben wir andere Sorgen!

Das stimmt auf jeden Fall, man braucht sich nur umzusehen.

In Oschgau bringen sie jetzt den ersten Schnitt ein. Die Heuernte wird gut; seit der Mahd vergangene Woche hat es nicht geregnet. Den Duft von frischem Heu kann ich augenblicklich wachrufen, und wie es kratzt und pikt, wenn es unter die Kleidung gerät. Komisch, dass man leibhaftig in Berlin in seinem Zimmer stehen kann, und alles Fühlen ist noch in Oschgau.

»Die meisten deiner Sachen haben wir aufs Schloss gebracht«, erklärt Mutter, »da sind sie sicherer, und, nun ja, wir brauchten auch Platz …«

Das sehe ich: In meinem Bett, korrigiere: meinem *ehemaligen* Bett, schläft bereits jemand und die Packung Beruhigungstabletten auf dem Nachttisch ist sicher auch nicht für mich. Den Haarschopf unter der Decke wird Mutter mir wohl später vorstellen.

Ich sehe mich um. Schrank, Bett und Regal erkenne ich wieder, aber all die Kleinigkeiten, die hier einmal lagen und standen und den Raum zu *meinem Zimmer* machten, sind verschwunden. »Onkel Yps hat alles mitgenommen. Auch von mir. Siehst du?«

Es stimmt. Bis auf die Möbel ist fast alles weg. Gemälde,

Fotos, Teppiche, die Kissen von Großmutter und die Zeichnungen von Fabian. Drei Stockwerke unseres Hauses stehen noch, aber Mutter hat die Wohnung verloren gegeben.

»Wieso Onkel Yps? Was macht denn der in Berlin?«

»Er hat Georg und Eckhardt geholfen. Irgendwas Wichtiges, hatte nicht einmal Zeit, zum Abendessen zu kommen. Aber offenbar sind sie fertig. Vor vier Wochen rief er an, er ginge zurück, er habe einen Lastwagen organisiert und noch Platz für ein paar Sachen von uns …«

Retten, was zu retten ist!, geht mir durch den Kopf. Als könne sie meine Gedanken lesen, fragt Mutter: »Philippa, warum bist du zurückgekommen?«, und nur der pfeifende Wasserkessel bewahrt mich vor einer Antwort.

Als wir ankamen, brannte überall in der Wohnung Licht und im Spiegel gegenüber der Eingangstür trafen sich ihr und mein überraschter Blick. Zwei Jahre nur? Es scheint, als sei viel mehr Zeit vergangen. Wir sind jetzt gleich groß, gleich ernst, gleich braunhaarig, mit breitem Mund und dichten Augenbrauen. Aber verbindet uns das? Es ist die Lautlitzer Familienähnlichkeit, mehr nicht, und nach einem flüchtigen, halb verlegenen Tätscheln meiner Wange eilte Mutter mit den Worten: »Strom, das müssen wir ausnutzen!«, unverzüglich in die Küche, um Töpfe und Kessel aufzusetzen.

Nun bollert Wasser auf sämtlichen Herdplatten: für Kaffee, einen Kohlkopf und die sechs Kartoffeln, die aus ihrer Einkaufstasche gerollt sind, zum Waschen und zum Befüllen der Thermoskanne, die wir später brauchen werden, im Keller. Abendlich ist es schon jetzt, obwohl draußen die Sonne scheint. Vor den Fenstern klebt Verdunkelungspapier, Licht kommt nur von zwei Stehlampen, die auch tagsüber brennen.

Mit dem Gefühl, überall im Weg zu sein, setze ich mich an den Tisch. »Den Koffer schiebst du am besten unter die Bank«, meint Mutter.

»Und dann? Irgendwo werde ich schlafen müssen. Hast du da zufällig auch einen Plan?«

Die Worte fallen spitzer aus, als ich beabsichtigt hatte. Mutter knallt die Kanne auf den Tisch. »Jetzt hör mir mal zu, Philippa. Du hast mir einen halben Tag Vorlauf gelassen! Rufst aus heiterem Himmel an und sagst: Morgen komme ich zurück!«

»Warum nicht? Du bist meine Mutter! Ich dachte, du freust dich!«

»… freust dich? Sieh dich doch um! Sieh dich doch nur mal um!« Ihre Stimme kippt. »Ich hoffe, du hast eine Menge Schlaf auf Vorrat mitgebracht. Hier wirst du nicht dazu kommen, und das hat nichts damit zu tun, dass Olesia in deinem Bett liegt.«

»Wer ist sie?«

»Meine Haushaltshilfe. Ukrainerin. Frau Wahl ist in der Fabrik dienstverpflichtet.«

»Du hast …« Ich muss schlucken. »Du hast eine Fremdarbeiterin?«

Wieder die falschen Worte. Mutter funkelt mich an. »Jawohl! Ich habe eine Fremdarbeiterin! Sie haben sie in Kiew aus dem Bus geholt, als sie ihre kleinen Brüder zur Schule brachte. Sie ist siebzehn und stirbt vor Heimweh.«

»Ich will doch nur sagen … wir hatten in Oschgau auch Fremdarbeiter«, antworte ich hastig und füge, weil das keine Erklärung ist, leiser hinzu: »Das ist doch ganz normal.«

»Ganz normal?« Sie sieht mich lange an – so kommt es mir

zumindest vor. Zwei Sekunden reichen, um ein unbedeutendes Häuflein Staub aus mir zu machen. »Das Einzige, was ich tun kann, damit Olesia nicht völlig durchdreht, ist ihr regelmäßig zu essen, ein sauberes Bett und ein paar kleine Aufgaben zu geben. Sei nett zu ihr, Fritzi. Sie spricht schon ein paar Worte Deutsch.«

Ich war immer nett zu Fremdarbeitern.

Nein, das sage ich natürlich nicht. Antonia hat das gesagt, gestern in Oschgau. Ich wünschte, ich müsste nicht gerade jetzt daran denken, wo mich ohnehin Tränen in der Nase kitzeln. Weil meine Mutter enttäuscht von mir ist, weil ein anderes Mädchen in meinem Bett liegt, weil ich noch keine Viertelstunde zu Hause bin und schon wieder hinausrennen möchte. Weil mir das Tageslicht fehlt. Weil Mutter mich endlich Fritzi genannt hat.

Sie gießt uns Muckefuck in die Tassen und setzt sich mir gegenüber. »Wann machst du denn den Laden auf?« Ich frage das erstbeste Ungefährliche, das mir einfällt.

»Gar nicht. Ich arbeite nur noch auf Bestellung. Wenn ich Stoffe bekomme, mache ich einen Rundruf, aber weiter als bis zur vierten Position im Adressbuch komme ich nie.«

»Weil du gut bist«, stelle ich fest.

»Nein. Weil der Bedarf von Emmy Göring und Magda Goebbels an immer neuen Roben naturgemäß Vorrang hat. Stell dir vor, die Ehefrau irgendeines kleinen Gauleiters leuchtet auf einem Empfang heller als die erste Dame im Reich!«

»Und welche von beiden ist das jetzt?«

Ein kleines Lächeln tritt in Mutters Augen. »Am Auftragsstand gemessen, die Goebbels. Sie war zeitweise in Ungnade wegen lästerlicher Bemerkungen über Fräulein Braun, darf aber inzwischen wieder beim Führer tafeln. Mir persönlich ist die Göring ja sympathischer.«

»Mir auch. Weißt du noch, wie sie mir angeboten hat, sie Tante Emmy zu nennen? Ich hätte es schrecklich gern ausprobiert, heimlich natürlich, aber du wolltest und wolltest ja nicht nach nebenan gehen …!«

Mutter lacht zum ersten Mal und ich erlebe es wie einen kleinen Triumph. Seine Früchte zu ernten ist mir allerdings nicht vergönnt, denn kaum verspricht es zwischen uns gemütlicher zu werden, klingelt auch schon das Telefon.

Mutter steht auf. Mist! Wieso funktioniert ausgerechnet das Telefon noch, während auf Wasser und Strom und alle *notwendigen* Dinge keinerlei Verlass mehr ist?

Aber ich werde keine Gelegenheit auslassen, Punkte zu machen. Ich nehme ihre Kaffeetasse und folge Mutter ins Wohnzimmer, will ihr die Tasse mit einer selbstverständlichen Geste ans Telefon reichen und mich anschließend – aufmerksam und unaufdringlich zugleich – zurückziehen. *So eine angenehme Gesellschaft, meine Fritzi. Vielleicht sollte ich nicht so viel fragen. Vielleicht sollte ich einfach froh sein, dass sie wieder zu Hause ist …*

Mutter steht mit dem Rücken zu mir, hat den Telefonhörer in der rechten und etwas anderes, das sie gegen ihre Brust drückt, in der linken Hand. Ihre Schultern sind nach vorn gezogen, sie schirmt sich ab, und noch bevor ich sie leise und schnell sprechen höre, wird mir klar, dass etwas sie beunruhigt.

»Ich habe gerade ein Paket bekommen, von meiner Tochter aus Oschgau …«

Ein Paket? Wenn das ein Code sein soll, dann ist es so ziemlich der ungeschickteste, von dem ich je gehört habe. Ein Paket! Jeder weiß, was das bedeutet. Und was sie an sich presst, ist ein dickes Sofakissen. Sie glaubt allen Ernstes, wenn sie ihr Telefon mit einem Kissen bedeckt, könnten Gespräche im Zimmer nicht abgehört werden!

Jetzt sieht sie mich und erschrickt so sehr, dass sie den Hörer grußlos auflegt. Herrje. Als Geheimnisträgerin wäre Mutter eine Gefahr für alle Beteiligten.

»Das freut mich aber, dass mein Paket schon da ist!«, rufe ich pflichtschuldigst. »Ich wollte gerade danach fragen … die Marmelade habe ich nämlich selbst eingekocht!«

Sie stopft das Telefon so hastig unter das Kissen, dass der Hörer hinters Tischchen fällt. Mit rotem Kopf geht sie mir voran in die Küche. Stoffe vom Schwarzmarkt, vermute ich, und dass sie soeben dem Verkäufer abgesagt hat, weil ihre Tochter – das Paket! – überraschend aus der Evakuierung zurückgekehrt ist. Warum sie glaubt, mich nicht einweihen zu können, verstehe ich zwar nicht. Doch wenn ich nicht frage, wird auch sie mich in Ruhe lassen.

Mutter nimmt mir die Tasse aus der Hand und sieht mich verlegen an, was ich genau zwei Sekunden auskoste. Dann frage ich, weshalb sie mir von Olesia, dem Laden und unserer ausgeräumten Wohnung nicht geschrieben hat.

»Ach, Fritzi. Man müsste so viel erklären. Du hast ja keine Ahnung, wie müde man wird …« Mutters Erleichterung, dass ich nicht auf das Paket zu sprechen komme, ist unübersehbar.

»Jetzt bin ich ja da«, erinnere ich sie. »Ich kann helfen! Einkaufen, kochen, waschen …«

»Sicher nicht. Schule gibt es nicht mehr, die Hitlerjugend wird vor der Tür stehen, sobald wir dich für Marken anmelden. Was hast du dir bloß gedacht?«, murmelt sie. »Wenigstens musst du mit vierzehn noch nicht zur Flak.«

Ich sage nichts. Mein Bruder Fabian hatte als Flakhelfer angefangen …

Und mit diesem Gedanken, der natürlich auch Mutter sofort gekommen ist, ist das Gespräch schon wieder beendet. Sie legt den Schalter um: fröhlich, laut, hell, geradezu munter. »Bringst du Oma Luchterhand heißes Wasser nach oben? Sie wird sich freuen, ein frisches junges Gesicht zu sehen.«

Oben. Oben ist jetzt zweiter Stock. Der Dachstuhl ist in die vierte Etage gestürzt und hat Teile der dritten gleich mitgenommen. Wir wohnen in einem Gebäude, das jeder Regenguss in eine Tropfsteinhöhle verwandelt. Bis ins Erdgeschoss, wo zur Straße hin Mutters Laden und zum Hof unsere Dreizimmerwohnung liegt, ist das Treppenhaus feucht und verschimmelt, die Flurfenster zerklirrt, ziehen sich tiefe Risse durchs Mauerwerk. Ein schwarzer Gitterkäfig hängt schief an nur noch zwei Stahlseilen, gefangen zwischen drittem und viertem Stock. Unten stehen Warnschilder: »Vorsicht – Lift kann stürzen!«

Oma Luchterhand verschmilzt im Dämmerlicht mit dem Muster ihrer Polstermöbel. In ihrer stickigen, ungelüfteten Wohnung ist es so heiß, dass Feuchtigkeit an den Wänden perlt. »Sehnsucht nach mir jehabt, wa?«, ruft sie mir entgegen.

Mehr als dreißig Kilo kann sie nicht mehr wiegen. Zwei davon entfallen auf die wuchtige Perücke, die auf ihrem Vogelkopf sitzt. »Lass ma kieken!«, kommandiert sie. »Biste wirklich so jroß und hübsch jeworden oder sieht dit nur so aus?«

»Es sieht nur so aus«, bestätige ich. Oma Luchterhand macht niemand etwas vor, obwohl sie seit bald elf Jahren keinen Schritt vor die Tür getan hat. »Ick jeh erst wieda raus, wenn dit Pack vaschwundn ist!«, hat sie verkündet. Als Kind dachte ich, ein »Pack« sei ein Rückenleiden.

Bis eines Tages die Aufforderung zur Beflaggung erging. Auf der Brüstung des Balkons im ersten Stock schwankend, versuchte der Hausmeister ein bescheidenes Fähnlein an Oma Luchterhands Blumenkasten festzumachen, während sie verbissen mit dem Besenstiel von oben nach ihm hackte. »Seinse vernünftig, Frau Luchterhand«, flehte er. »Machense keen Uffstand. Wollense, dit die mit Ihnen wegfahrn?«

Fortan hatte ich ein entschlossenes siebzigjähriges Gesicht vor Augen, wenn in der Schule von feindseligen Elementen die Rede war, von »Schädlingen« und »Wehrkraftzersetzern«, die Volk, Vaterland und geliebtem Führer in den Rücken fielen. Ich konnte mir lebhaft vorstellen, dass der Führer Oma Luchterhand, ihren Besenstiel und ihre Perücke fürchten musste.

Ich erinnere mich nicht, wie die Geschichte mit der Flagge ausgegangen ist. Aber jetzt sitzt Oma Luchterhand in ihrem großen Ohrensessel und heult. »Nu hamses doch jeschafft, Fritzi. Ick steh hier nich mehr uff.«

»Wenn du wolltest, könntest du, Oma Luchterhand.«

»Dit war mal. Nu isset wirklich dit Kreuz. Die Frau Jräfin hievt mir jede Nacht ins Bett.«

Oma Luchterhand ist die Einzige, die noch »Frau Gräfin« zu Mutter sagt, obwohl die seit über zwanzig Jahren keine mehr ist. »Sei so jut und jib ma de Tasse rüba«, ächzt sie.

Was Oma Luchterhand zum Leben braucht, steht auf einem Teewagen in Reichweite: Thermoskanne, Essgeschirr, Volksempfänger und ein Sortiment bunter Pillen. Ihre Tagesration Brot – zwei Scheiben und ein Eckchen Fett – hat sie noch gar nicht angerührt. Das Brot wellt sich schon an den Seiten.

Oma Luchterhand heulend, das ist etwas, womit ich nicht gerechnet hatte.

»Soll ich mal die Fenster aufmachen?«, schlage ich betreten vor. »Ein bisschen frische Luft?«

»Watt'n für Fensta? Dit sind nur noch Pappen, Kindchen. Un frische Luft hamwa seit dreiunddreißig nich jehabt.« Ihr Kinn zittert, voll Wut und Trauer rührt sie Kaffeeersatz ins heiße Wasser und schlürft. »Kaputt. Allet kaputt. Dit hamse nu von der janzen Heil-Schreierei. Von mir aus hätt dit viel schnella jehn können.«

»Pass bloß auf, dass dich niemand hört, Oma Luchterhand.«

»Wieso? Du hörst mir doch! Oder biste ooch blind und taub jewordn?«

Wie auf Stichwort macht es »Klick« und die Lampen gehen aus. Oma Luchterhand und ich sitzen im Dunkeln. »Vorwürfe mach ick dir keene«, sagt sie. »Ick jehör ja ooch zu denen, die Schuld ham. Ick hätt mir nich eenfach so vadrückn dürfn.«

Irgendwo draußen erhebt sich ein heiserer, klagender Ton, verstummt einen Augenblick und setzt von Neuem ein. Oma Luchterhand streckt sich nach dem Volksempfänger. Der knistert nur, der Drahtfunk holt noch Luft. »Nu läufste besser«, sagt sie. »Voralarm.«

Ich weiß. Ich erinnere mich. Vor der Kinderlandverschickung habe ich so viel Fliegeralarm erlebt, dass es schon lästig wurde; irgendwann drehte ich mich nachts im Bett nur noch um und dachte: Ihr traut euch ja doch nicht!

Jetzt trauen sie sich, und wie! Sobald Oma Luchterhand aufsteht, werden wir in weniger als drei Sekunden an der Treppe sein.

»Keller? Wat soll ick da?«, meint Oma Luchterhand. »Sterben kann ick ooch hier, wo ick mir auskenne.«

Das Radio knackt und sagt jetzt doch etwas. »Von Westen ein Feindverband, rund hundertzwanzig Jäger und Bomber, Kurs Nordost …«

»Jetzt jeht als Erstet die Kleene runta«, bemerkt Oma Luchterhand und bekommt einen Fernblick, als wären die Fensterpappen mit einem Mal durchsichtig geworden. »Olesia. Unter 'ne Decke, damit se keena sieht. Is ja jejen die Vorschrift, und uffe olle Bechtolf muss ma uffpassen. Aber die Frau Jräfin lässt keene vabrennen, die Frau Jräfin doch nich.«

»Oma Luchterhand, steh auf!«, beschwöre ich sie.

»Komm morjen mal erzähln, wie dit war«, brummt sie. »Inner Verschickung. Tät mir interessiern, ob ick dir übahaupt noch kenne.«

»Na gut. Wenn du nicht gehst, dann bleibe ich eben auch.«

Ich setze mich wieder. Nur meine Stimme muss hinausgerannt sein; das hohe Piepsen, das aus meinem Mund kommt, kann unmöglich meins sein.

Dabei fängt es an, meine Geschichte zu erzählen: »Ich war in Oschgau, Ostpreußen. Zuerst einquartiert in einer ehemaligen Schule, jeweils zu sechst auf einem Zimmer und nicht alle aus Berlin, obwohl wir ursprünglich als Gruppe ankamen, aber sie mischen ja bei der Ankunft neu, wegen der Volksgemeinschaft …«

»Nu jeh schon, Kindchen. Wat sein soll, soll sein.«

»Auf dem Bett über mir lag Antonia. Wenn ich jemand

Freundin nennen kann, dann sie. Antonia aus Rudow. Obwohl man anfangs kaum Zeit zu zweit hatte ... Wecken, Waschen, Bettenmachen, danach Stubendienst, Gesundheitsappell, Fahnenappell, Frühsport, Unterricht und nachmittags das Kulturprogramm der Lagermannschaftsführer. Heimnachmittag, politischer Wochenbericht, Werkarbeit, Musik, Spiele, Filmvorführungen, Ausflüge in die Umgebung ... im zweiten Jahr wohnten Antonia und ich dann beim Bauern und halfen im Stall und auf dem Feld.«

Die Tür fliegt auf und ein Schatten auf mich zu. »Fritzi, du kommst augenblicklich ...«

»Ick hab's ihr schon jesacht, Frau Jräfin, aber se will ja nich hörn.«

»Wir kreuzen die Arme!«, rufe ich. »Wir kreuzen die Arme und Oma Luchterhand setzt sich drauf. Zusammen schaffen wir das! Sie wiegt doch fast nichts.«

Die Sirene ändert den Ton, jetzt schwillt sie auf und ab. Vollalarm! Oma Luchterhand schlägt meine Hände weg, die nach ihr greifen, und kreischt, was die Lungen hergeben: »Kommt! Kommt! Kommt alle her und macht ein Ende!«

»Oma Luchterhand will nicht in den Keller, Fritzi«, sagt Mutter ganz ruhig.

»Aber ... du kannst ... auf dich hört sie doch!«

»Es ist ihre Entscheidung. Komm jetzt.«

»Come here, Amis!« brüllt Oma Luchterhand. »Hier sind wir!«

»Sie spinnt, merkst du das nicht?«, rufe ich entsetzt. »Sie weiß nicht mehr, was sie sagt!«

»Ich glaube, sie weiß das sehr gut, Fritzi«, antwortet Mutter leise und nimmt mich am Arm.

Fassungslos lasse ich mich mitziehen. Oma Luchterhands Stimme verklingt, noch bevor wir an der Treppe angekommen sind.

Durch die Öffnung, wo einmal unsere Haustür war, fällt mein Blick auf verlassene Fahrzeuge kreuz und quer auf der Straße und Menschen, die, vom Alarm überrascht, in umliegende Keller drängen. Der Luftschutzwart vom Haus gegenüber steht wie ein Fels: »Hier ist voll!«

Man hastet weiter, noch ist Zeit, einen Unterschlupf zu finden. Vollalarm beginnt, wenn die Flugzeuge rund hundert Kilometer von uns entfernt sind. Meine Tante Lexi könnte jetzt auf die Sekunde genau berechnen, wann sie über uns auftauchen.

Mein Koffer, vor nicht einmal einer Stunde mit mir angekommen und noch mit dem Geruch unserer warmen Stube in Oschgau, wartet bereits neben Mutters eigenem kleinen Notgepäck an der Wohnungstür. Sie reicht mir Handtücher aus dem Schrank, die ich tief ins Waschbecken tauche; die nassen Tücher nehmen wir in den Keller mit. Mutter wirkt nicht ängstlich, höchstens ein wenig resigniert: Der Alarm beginnt, bevor sie alles erledigt hat, was für heute anstand. Ich und die Amerikaner sind ihr dazwischengekommen.

»Nimm dir zu lesen mit, das kann Stunden dauern. Manchmal werfen sie die Ladung erst auf dem Rückweg ab. Kennst du das schon? Und das?« In aller scheinbaren Ruhe nimmt sie Bücher aus dem Regal und hält sie mir fragend hin.

Was soll das? Wenn Oma Luchterhand etwas passiert, ist das Mutters Schuld!

Plötzlich vibriert der Boden. Eine unsichtbare Hand greift nach meiner Kehle – aber es ist nur die Straßenbahn, die heranpoltert, mitten auf der Strecke stehen bleibt und einen weiteren Schwall Menschen ausspuckt. Als Letztes rennt die Schaffnerin. Sie ist noch ziemlich jung, zwanzig vielleicht, hat ein munteres rundes Gesicht und ein Grübchenlächeln ohne Angst. Ein wenig außer Atem steht sie da, als wir eben aus der Wohnungstür treten.

»Ist bei Ihnen noch Platz?«

»Natürlich. Kommen Sie!«

Wir laufen die Kellertreppe hinunter. Wir sind die Letzten, die eingelassen werden. Der Herr Geheimrat i. R. Becker, unser Luftschutzwart, prüft die Papiere der Schaffnerin und verriegelt hinter uns die Tür.

Zwei

Die alte Bechtolf sitzt natürlich neben dem Stützbalken. Giftig und herausfordernd schaut sie mich an, mich, den Neuankömmling: *Mein Platz, dass du's weißt!*

Was ich weiß ist, dass man sich in anderen Häusern zu zehnt, elft, zwölft um den Stützbalken drängt. Aber hier gibt es eine Bannmeile um Frau Bechtolf herum. Da sitzt niemand freiwillig. Am dichtesten noch die Beckers, der Geheimrat und seine Frau, aber die haben eine Barriere aus Koffern und Kisten errichtet.

Feuchte Hitze schlägt mir entgegen, in der wie Nebelschwaden ein beißender Gestank nach Schweiß und Urin hängt; am liebsten würde ich die nassen Handtücher noch im Eingang aus der Tasche zerren und vor die Nase pressen. »Geh weiter, Fritzi, unser Platz ist hinten!«, weist mich Mutter an.

Durch die Zähne atmend, steige ich über Beine, Koffer, Sandsäcke. Der schlechteste Platz, der unter dem Kellerfenster, ist der jungen Frau Koch, ihrem Söhnchen und einem Teil ihres Hausrats vorbehalten. Sie hat riesige Augen, Flecken im Gesicht, dünne, in alle Richtungen abstehende Locken – ein erschrockenes Äffchen, das auf der äußersten Pritschenkante kauert. Der kleine Jörg-Alfred, noch ein Baby, als ich fortging, klemmt zwischen ihren Knien, wo er sich stumm und verbissen windet wie ein aufgespießter Regenwurm.

In der Mitte des Raums steht ein schwerer Tisch, den ich

sofort erkenne, schließlich habe ich oft genug daran zu Mittag gegessen. Der Tisch gehört Frau Wahl, unserer ehemaligen Köchin und Zugehfrau, die jetzt in der Munitionsfabrik arbeitet. Sie spielt Karten und braucht eine große freie Fläche.

Jetzt sitzen Leute am Tisch, die ich noch nie gesehen habe, zufällige Passanten von der Straße vermutlich. Es sind zwei Frauen mit zerzaustem Haar und müden Gesichtern, die ebenso gut vierzig wie sechzig sein können, und, jawohl, sie sind Passanten! Zwischen ihnen steht eine einzelne Tasche, die so prall gefüllt ist, dass sie kaum noch schließt. Die Blicke der alten Bechtolf haben sie schon bemerkt und schieben die Tasche verstohlen noch ein bisschen weiter unter den Tisch. Die nette Schaffnerin kapiert sofort und setzt sich direkt davor.

Die beiden Frauen können einem leidtun. Da sind sie stunden-, vielleicht tagelang gefahren und gewandert, haben im Stroh übernachtet und an den Türen unwilliger Bauern geklopft, da haben sie Tischwäsche und Schmuck getauscht gegen Brot, Gemüse und Eier, die Kontrollen an den Bahnsteigen und im Zug überstanden, waren schon fast zu Hause … und nun sind sie eingesperrt mit den Blicken der alten Bechtolf!

Aber auch unsere Ecke birgt ein kleines Geheimnis. Die Ukrainerin Olesia, der das Aufsuchen des Luftschutzkellers unter Strafe verboten ist, bekommt wenig Luft in ihrem Versteck, doch weich hat sie es allemal. Hinter unserem Bettgestell hat Mutter zur Wand hin einen guten halben Meter Zwischenraum gelassen, der mit Kissen und Decken ausgestopft ist.

Ich setze mich neben sie aufs Bett und wünschte, ich hätte im Rücken ein zweites Paar Augen. Ob Olesia die Decken beiseiteschiebt, jetzt wo Mutter und ich den Blick auf sie versperren? Langsam würde ich sie gern einmal sehen, diese seltsame Fremdarbeiterin, die man dauernd liegend antrifft. Die Polinnen in Oschgau würden ihr Beine machen!

Wir sitzen wie ein Bild. Niemand rührt sich, jeder horcht, der Herr Geheimrat bewegt seinen halb offenen Mund, als ob er Sekunden zählte. Oder betet er …? Nein, dafür ist sein Blick nach oben zu angespannt.

Die Sirene ist entnervend. Kann man die nicht abschalten? Es müsste doch nun wirklich jeder mitbekommen haben, dass Alarm ist.

Das hatten wir uns anders vorgestellt, meine Freundinnen und ich! Hatten im Hinterhof den ganzen ersten Kriegssommer »Heimkehr des siegreichen Soldaten« gespielt, hatten Helgas Bruder Wolfi die kleinen Blechorden an die Heldenbrust gesteckt, die es am Kiosk zu kaufen gab, und die richtige Haltung mit ihm geübt: *Aufrecht, Wolfi, du hast gesiegt!*

Noch heute sehe ich ihn aus dem Schatten des Vorderhauses treten und strahlend die Faust recken, während wir Mädchen unter Freudenschreien auf ihn zustürzten. Zwischen den Birken im Hof hatten wir das Festmahl schon vorbereitet, meine und Julianes Mutter hatten Kekse gespendet. Wir kannten niemanden, der mit etwas anderem rechnete als einem Fest.

Und nun? Die Birken sind abgeholzt, im Hinterhof liegen die Trümmer des Hausdachs und ich habe keine Ahnung, was aus Helga, Juliane und Wolfi geworden ist, die im eingestürzten dritten und vierten Stock gewohnt haben. Hätte uns damals jemand gesagt, wie lange es dauern würde, und dass vor dem Sieg der Krieg zu uns käme, wir hätten ihn glatt ausgelacht.

Da. Nun kracht die Flak, und das tiefe, immer lautere Dröhnen am Himmel wird mit einem Mal begleitet von einem metallischen Klappern direkt über Frau Kochs Kopf. Das Gitter des Kellerfensters zittert und bebt. Mit einem Klagelaut, der so atemlos hervorspringt, als habe er seit Stunden in ihrer Kehle gesteckt, wirft sich Frau Koch über Jörg-Alfred.

»Sind viele!«, verkündet Herr Becker für alle, die es noch nicht ahnten. Die Petroleumlampen flackern, als sei ein Windstoß hindurchgefahren, der vielfache Atem der Angst.

»Heilige Maria, Mutter Gottes, bitte für uns Sünder ...«

Die rauen Stimmen der Frauen mit der Hamstertasche füllen den Raum, Frau Koch wimmert undeutlich mit. Ich starre auf die rudernden Arme von Jörg-Alfred; hoffentlich drückt sie ihm nicht vor unser aller Augen die Luft ab!

»... jetzt und in der Stunde unseres Todes«, leiern die Frauen.

»Was soll das heißen: Sünder?«, fragt Frau Bechtolf ärgerlich.

Die Frauen schlagen die Augen nieder und beten etwas leiser weiter.

»Ich hab Sie was gefragt!«, keift die Bechtolf.

»Herrje, Frau Bechtolf, es ist ein Gebet!«, ruft Mutter ungeduldig.

»Aber nicht in meinem Keller! Sünder, so eine Unverschämtheit! Beten Sie etwas anderes!«

 Plötzlich ist es ganz still. Das Dröhnen ist noch da, die Sirene auch, aber beides in den Hintergrund gedrängt von der Gefahr bei uns im Raum. »Eine Sache haben selbst *die* uns nie verbieten können«, sagt die größere der Frauen kampflustig, »und das ist das Gebet.«

Oh weh. Die zwei kennen Frau Bechtolf nicht. Es war keine Zeit, ihnen zu sagen, dass man, wenn sie loslegt, besser den Mund hält. »Lasst sie nur reden«, hat Vater uns angewiesen. »In Deutschland gibt es zu viele Leute wie die Bechtolf, da muss man nicht auch noch zuhören.«

Frau Geheimrat Becker macht eine leichte Kopfbewegung zu den Frauen hin, die irgendwo zwischen Kopfschütteln und Nicken liegt – Warnung und Zustimmung zugleich.

»Das hab ich jetzt aber gesehen, Frau Geheimrat!«, schreit die Bechtolf.

Da tut die Frau Geheimrat etwas Ungeheuerliches. Sie sagt: »Und wenn schon. Wir wissen doch alle, wer den Hausmeister Schmidt auf dem Gewissen hat.«

Peng! Die erste Bombe, die an diesem Nachmittag in Berlin einschlägt, kommt nicht aus einem Flugzeug. Die Bechtolf schnappt nach Luft. »Gewissen …?«, spuckt sie. »Ich habe einen Sohn im Feld verloren!«

»Dafür konnte Herr Schmidt aber nichts!«, kommt es wie aus der Pistole geschossen. Frau Becker kennt jetzt kein Halten mehr.

»Putzi!«, raunt Herr Geheimrat und zupft seine Frau am Ärmel. Irgendwo draußen donnert es.

Frau Bechtolfs Stimme zittert. »Mein Friedrich«, sagt sie, »mein Friedrich ist nicht gestorben, damit unser heiliges Deutschland in den Schmutz gezogen wird.«

»Von unserem heiligen Deutschland ist nicht mehr viel ü…«, erklärt Frau Becker, unterbrochen von einem kräftigen Hustenanfall ihres Mannes. Frau Bechtolf hat trotzdem genug gehört, sie schreit: »Herr Geheimrat, Sie als unser Luftschutzwart werden die Anwesenden jetzt zur Ordnung rufen, sonst muss ich Meldung machen!«

»Das tun Sie doch sowieso«, hetzt Frau Becker.

»Ruhe jetzt!«, bestimmt Herr Becker mit letzter Kraft, und die Frauen im Keller scheinen sich daran halten zu wollen, denn mit einem Mal hört man wieder das böse Krachen der Flakgeschütze und das unbeirrte Dröhnen der Bomber, die uns auf dem Weg zu einem hoffentlich weit entfernten Ziel überfliegen. Auch unsere Jagdflieger müssen da oben sein; mit leisem Klirren fallen Geschosshülsen auf die Straße.

Das ist er also: mein erster wirklicher Fliegerangriff. Müsste ich nicht Angst empfinden? Vielleicht kommt das noch. Im Augenblick denke ich nur: Und deswegen schickt man die Kinder aufs Land, wo noch Schlimmeres passieren kann ...!

Eine Stimme neben mir sagt: »Ich habe auch einen Sohn im Feld verloren.«

Ich vergesse zu atmen. Starre vor mich auf den Boden, wo mal wieder gefegt werden müsste.

»Ich bin nicht sicher, ob mein Fabian überhaupt wusste, wofür er gestorben ist.«

Nein. Nein, das ist nicht Mutter, bitte nicht! Ich hatte so sehr gehofft, das wäre vorbei ...

»Wovon ich aber überzeugt bin«, sagt sie, »ist, dass wir uns alle werden rechtfertigen müssen. Das Wort Sünder beleidigt weder mich noch meinen Sohn.«

»Rechtfertigen für was?«, kontert Frau Bechtolf. Aber sie

schreit nicht mehr; sie klingt so dumpf, als spräche sie in eine Höhle hinein.

»Für alles, was durch uns Deutsche in die Welt gekommen

ist. Ich bin sicher, jedem von uns fällt dazu etwas Eigenes ein«, erwidert Mutter.

Einen Moment ist es ganz still. Dann sagt die Bechtolf schneidend: »Wenn ich Sie nicht melde, Frau Bredemer, dann einzig Ihrem Mann zuliebe, der im Feld steht. Ihr Sohn würde sich im Grabe umdrehen, wenn er hören könnte, wie Sie sein Andenken besudeln! Pfui!«

Sie wendet sich ab, dreht das Gesicht zur Wand. Auch die Beckers, selbst Frau Koch, vermeiden es jetzt, in unsere Richtung zu schauen. Nur die fremden Frauen am Tisch suchen den Blick meiner Mutter und ich wundere mich, dass sie so kühn ist zurückzulächeln.

Das erste Mal, dass ich Mutter Fabians Namen sagen höre, ist also in unserem Luftschutzkeller. Und sie spricht nicht mit mir, sondern mit der alten Bechtolf.

Wäre mein Bruder in Russland gewesen, hätte ich vielleicht etwas geahnt. Im Sommer 42 redeten ja alle über den Kaukasus und die bevorstehende Sommeroffensive, und Vater und Onkel Yps waren diejenigen, um die man sich Sorgen machen musste.

Mein Bruder Fabian schrieb Briefe, die sich um Käse, Leberpastete und Burgunder drehten. Er schickte Pakete mit Tee und Spitzendeckchen; keine Woche verging, ohne dass wir eine Überraschung von ihm erhielten. Er schaffte es sogar, Mutter einige Meter reiner Seide zu organisieren, die sie für sich selbst verwendete und nicht für den Laden. Fabian war beseelt davon, seine Familie an den Schätzen teilhaben zu lassen, die sich ihm in Frankreich wie auf einem Tablett darzubieten schienen.

Mir hatte er einen bunten Rock gekauft, dem Mutter ein Stück schwarzen Stoff ansetzen musste, bevor ich ihn tragen konnte, denn natürlich hatte Fabian mich kleiner in Erinnerung. Einen schöneren Rock habe ich nie besessen. Es gab in ganz Berlin keinen zweiten, und offenbar auch in Würzburg nicht, denn als ich dort aus dem Zug stieg, war es praktisch das Erste, was Lexi und Max an mir auffiel: »Sieh doch, so ein fröhlicher bunter Rock!«

Selbstverständlich waren sie an diesem Nachmittag für mich noch *Tante* Lexi und *Onkel* Max und ich hatte keinerlei Vorstellung, was mich bei ihnen erwartete. Sie hatten keine Kinder, obwohl sie nicht mehr jung und schon etliche Jahre verheiratet waren, und ich wunderte mich, dass sie mich so spontan eingeladen hatten, die erste Ferienwoche mit ihnen zu verbringen. Erst am Abend zuvor hatte Mutter es erfahren, und morgens wachte ich davon auf, dass sie an meinem Fußende hastig den Koffer packte.

»Aber ich kenne die doch gar nicht!«, wandte ich ein.

Das stimmte, zumindest beinahe. Ich war ein Blumenkind auf ihrer Hochzeit gewesen, woran ich mich aber kaum erinnerte, und hatte Mutters Vetter und seine Frau danach nur beim jährlichen Familientreffen wiedergesehen, wo sich die von Lautlitz in wachsender Zahl auf die Füße traten.

»Dann wird es aber Zeit. Du wirst begeistert von ihnen sein!«, erklärte Mutter.

Damit war die Sache entschieden. Ich war gerade zwölf geworden, zog bei unseren Auseinandersetzungen regelmäßig den Kürzeren und war zu der Erkenntnis gelangt, dass man sich die Luft zum Streiten sparen konnte. Außerdem ging es ja nur um eine Woche.

Weder Tante Lexi noch Onkel Max wussten, wie man mit Kindern umgeht; zwangsläufig blieb ihnen nichts anderes übrig, als mich wie einen normalen Menschen zu behandeln. Ich bekam die Stadtführung, die jeder ihrer Besucher bekam, und danach wanderten wir in die Umgebung, schwammen, besuchten Museen und kehrten in Gaststätten ein. Es war auch ihr Urlaub, normalerweise verbrachten sie, wenn überhaupt, nur die Wochenenden zusammen. Während Onkel Max, der sich als Reserveoffizier bereithalten musste, dichtete und an der Würzburger Universität Alte Geschichte lehrte, entwickelte Tante Lexi in Berlin Bordinstrumente für Flugzeuge.

Und sie entwickelte sie nicht nur, sie testete sie auch! Meine Tante war schon damals die einzige Frau in Deutschland, die die Erlaubnis zum Fliegen sämtlicher Flugzeugtypen besaß. Ihre Spezialität bestand darin, sich mit Sturzkampfbombern in die Tiefe fallen zu lassen und dabei irgendwelche Messungen anzustellen – ein gutes Dutzend Mal am Tag, was ihr inzwischen eine gewisse Berühmtheit eingetragen hat.

In der Woche, die ich mit ihnen verbrachte, machte Tante Lexi allerdings keinen halsbrecherischen Eindruck auf mich. Sie war klein, zierlich und hübsch, mit braunen Locken und einer weichen Stimme, malte und bildhauerte in ihrer Freizeit und hörte dabei Sinfonien auf einem heiseren alten Grammofon. Onkel Max prahlte zwar, im Fliegeranzug käme sie daher wie der Erzengel Michael persönlich, aber in meinen Augen unterstrich das nur, wie sehr er zur Übertreibung neigte.

Mein Onkel, Maximilian von Lautlitz, erinnerte an einen zu groß geratenen Jungen: schlaksig, laut, vergnügt, ein Riese mit freundlichen, überraschend hellblauen Augen, der auf unseren Wanderungen den Kopf einziehen musste, wenn er durch die Tür einer Landgaststätte trat. Lachte er, und das tat er ausgiebig, schaute man auf eine winzige Lücke zwischen seinen Vorderzähnen, die ihm etwas zusätzlich Lausbubenhaftes verlieh.

Im Gegensatz zu ihm wirkte Tante Lexi zurückhaltend und besonnen, ein Eindruck, an dem sie mir nur ein einziges Mal Anlass gab zu zweifeln. Wir waren mit dem Auto unterwegs gewesen zu einer Wanderstrecke im Steigerwald und als Onkel Max nach längerer Fahrt in einen Parkplatz einbog, wähnte ich uns am Ziel und wollte meinen kleinen Rucksack mit hinausnehmen.

»Nein, nein«, sagte Onkel Max mit einem nachsichtigen Seitenblick auf seine Frau, »wir lassen hier nur deine Tante heraus, sie muss sich ein wenig austoben.«

Verwundert folgte ich ihnen durch den Wald, bis wir zu einer großen Holzbrücke gelangten. Ich liebe Brücken! Begeistert lief ich ein Stück voraus, lehnte mich über das Geländer und schaute zu dem kleinen Fluss hinunter, der sich etliche Meter unter uns durchs Gebirge wand. Als ich wieder aufschaute, stand meine Tante im Badeanzug da.

»Bis nachher dann«, sagte sie und kletterte auf das Geländer.

Ich war vom Donner gerührt. Ich konnte spüren, wie mir der Mund aufklappte und hängen blieb. Ich sah meine Tante die Arme ausstrecken, tief atmen, alle Sehnen und Muskeln sich anspannen … und im nächsten Moment flog sie einfach davon.

Es gab kaum einen Spritzer. Es war der anmutigste, vollkommenste Kopfsprung, den ich je gesehen hatte. Als sie wieder auftauchte, stieß sie einen Triumphschrei aus.

Onkel Max warf ihr eine Kusshand zu und begann das Häuflein Kleider und Schuhe aufzulesen, das auf der Brücke lag. »Wollen wir?«, fragte er.

Aber ich merkte gleich, dass ich noch ein wenig am Geländer würde hängen müssen. Meine Knie waren butterweich. Flussabwärts kraulte meine Tante mit kraftvollen Schlägen davon.

Zu der Stelle, wo wir sie wieder einsammelten, fuhren wir bestimmt zwanzig Minuten. Sie saß auf einem Stein und wartete auf uns, einen stillvergnügten, vollkommen entspannten Ausdruck im Gesicht. Ich versuchte, kein Spaßverderber zu sein und sie nicht merken zu lassen, wie sehr sie mich erschreckt hatte, aber von Stund an ahnte ich, dass in meiner so unauffällig daherkommenden Tante Lexi etwas Wildes und Unvermutetes schlummerte.

Ab dem zweiten Tag mit den beiden dachte ich beim Zubettgehen: nur noch fünf Tage … nur noch vier … oh nein, jetzt nur noch drei!, und begann Pläne zu schmieden, wie ich sie dazu bringen konnte, mich eine weitere Woche zu behalten.

Ich mochte das herzliche Lachen meines Onkels. Ich mochte die freundliche, zugewandte Art, in der Tante Lexi mit mir sprach. Ich mochte, wie sie mir zuhörten.

Ich mochte es, abends mit ihnen im Wohnzimmer zu sitzen – ich in einem großen weichen Sessel mit Fußbänkchen, Tante Lexi und Onkel Max zusammen auf beiden Seiten des Sofas, die Beine zum anderen hin ausgestreckt, jeder ein Buch in der Hand aus den bis zur Zimmerdecke reichenden Regalen hinter ihnen. Ich mochte die Stille, mit der sie sich am Ende des Tages umgaben, und die wechselnden Namen, die sie füreinander erfanden.

»Bei euch kriegt man richtig Lust zu heiraten«, meinte ich, wonach sie auch von mir restlos entzückt waren. Wir tranken Bruderschaft und Max brachte mir das Schachspielen bei.

Und dann, am vorletzten Tag, erzählten sie mir endlich von Fabian.

Das Dröhnen am Himmel hat aufgehört. Ob Charlottenburg diesmal davonkommt? Aber die Entwarnung bleibt aus, noch heißt es warten. Die Bomber haben auch einen Rückweg, und für den könnten sie sich etwas aufgehoben haben.

Herr Becker steht auf und zieht sich in einen Winkel zurück, der mit einer Decke verhängt ist; noch auf dem Weg nestelt er zu meiner Empörung am Hosenschlitz. Der vornehme Herr Becker! Hinter dem Vorhang hören wir es hell und laut klimpern, der Kloeimer ist aus Metall.

Ich würde mich am liebsten schütteln. Auf den Eimer gehe ich jedenfalls nicht! Ich kann lange einhalten, einen ganzen Tag, wenn es sein muss. Bei den Orientierungswanderungen in Oschgau haben Antonia und ich als zusätzliche Schwierigkeit einen Wettbewerb im »Nichtpinkeln« ausgetragen. Gewonnen habe fast immer ich.

Mein Bruder Fabian ist mit zwei Kameraden auf eine Mine gefahren. Sie hatte in der Einfahrt zu einem Bauernhof gelegen, wo die drei gern und oft Pasteten kauften. Eigentlich hätten sie wissen müssen, dass man nicht regelmäßig zu denselben Bauern geht. Eigentlich hätte ihnen bekannt sein müssen, dass es in Frankreich Partisanen gibt, Soldaten einer selbst erklärten Armee, die auf solche Gelegenheiten nur warten. Eigentlich, eigentlich. Und der sie an die Partisanen verraten hat, hätte wissen müssen, dass für jeden toten deutschen Soldaten zehn Franzosen sterben würden und dass die SS wahr macht, was sie androht.

Fabians Kameraden waren auf der Stelle tot. Zwanzig Männer aus dem Ort, auch der Bauer und sein Sohn, wurden aus ihren Häusern geholt und an der Schulmauer erschossen.

Mein Bruder lebte noch drei Tage. Während ich mit Lexi und Max in die Berge wanderte, fuhr Mutter nach Trier in das Lazarett, in das sie ihn gebracht hatten. Sie fuhr allein, ich ahnte nichts, meinen Vater erreichte die Nachricht erst Tage später. Außer Lexi und Max wusste nur Großtante Josefine davon, die als Rotkreuzoberin die Einzige war, die man zu Fabian ins Krankenzimmer ließ. Meine Mutter saß währenddessen auf einer Bank vor dem Haus und verhandelte mit Gott.

Dass sie nicht allein um Fabian zitterte, ahnte sie nicht. Mit ihr bangten und beteten zehn Familien in einem kleinen Dorf in Frankreich, deren Söhne, Väter und Großväter als Geiseln für das Leben meines Bruders genommen worden waren.

Als der Lazarettarzt Mutter mitteilte, man habe nichts mehr für Fabian tun können, tröstete er sie damit, dass mein Bruder Genugtuung erfahren habe, denn sein Tod sei bereits gesühnt. Meine Mutter verstand nicht, was das bedeutete. Fabians vorgesetzter Offizier, der das wohl ahnte, ging in seinem Kondolenzschreiben deshalb noch einmal ausführlich darauf ein.

»Du kannst uns jederzeit anrufen, wenn ihr Hilfe braucht!«, hatte Lexi mir eingeschärft, als sie mich in Würzburg in den Zug nach Hause setzte. »Bitte ruf an, Klexchen, ja? Ich bin nächste Woche wieder in Berlin.«

Klexchen war ihr Kosename für mich, wegen meiner Vorliebe für einen ganz kleinen, sparsamen Klecks Honig auf dem Butterbrot.

Beim ersten Mal, als ich sie anrief, klingelte das Telefon minutenlang; es war die Nummer ihres Büros in der Luftwaffenakademie und es meldete sich schließlich das Fräulein vom Amt mit dem Rat, es später zu versuchen.

Beim zweiten Mal, diesmal mit der Nummer ihrer Wohnung in Gatow, war die Verbindung so schlecht, dass es nur rauschte und knackte und sie nicht einmal erkannte, dass ich es war.

Beim dritten Mal hatte ich sie endlich am Apparat, aber es dauerte zwei weitere Tage, ehe sie bei uns auftauchte.

»Dreiunddreißig Tote wegen einer Pastete!«, schrie meine Mutter sie an. »Und du hilfst ihnen noch, diesen Krieg zu gewinnen!«

Lexi zuckte zusammen. »Du weißt, warum«, sagte sie leise.

»Ich weiß. Ich weiß, ich weiß! Wir haben alle irgendeinen Grund, nicht wahr?«, erwiderte Mutter verbittert.

»Du hast jedes Recht, wütend zu sein, Almut. Auch auf mich.«

»Hör auf damit, bitte! Tu mir den Gefallen und sei jetzt einfach still!«

Nachher standen wir auf der Straße, Lexi und ich, an die Hauswand gelehnt, gleich neben dem Schild in Mutters Schaufenster: *Wegen Trauerfall vorübergehend geschlossen.* Lexi rauchte und war ganz blass, und plötzlich entfuhr ihr: »Ich wollte auch lieber Sanitätsflugzeuge fliegen!«

»Tut mir leid, dass ich angerufen habe«, murmelte ich.

»Ach, Klexchen, das war doch ganz richtig. Ich komme morgen wieder, vielleicht redet sie dann mit mir.«

Aber so lange musste sie dann doch nicht warten, denn spät an diesem Abend rief Mutter sie an, brach am Telefon in Tränen aus und sagte: »Entschuldige, Lexi, ich hab's nicht so gemeint. Ich weiß doch, dass gerade dir nichts anderes übrig blieb ...«

Sie schloss sofort die Wohnzimmertür, als sie merkte, dass ich zuhörte, und ich wartete in der Küche, wo ich meiner Ratlosigkeit zum ersten Mal erlaubte, sich in Wut zu verwandeln.

War das noch normal? Konnte sie nicht einfach trauern, wie jede andere Mutter auch? Da hätte ich mitmachen können, auf der Stelle, ich konnte Fabians Tod gar nicht fassen. Aber sein Name war noch kein einziges Mal gefallen. Meine Mutter war wie besessen von den »dreißig Franzosen«.

Eine Woche zuvor waren wir bei der *Deutschen Allgemeinen* gewesen, um die Anzeige aufzugeben. Mit einem ernsten, feierlichen Gefühl trug ich meine noch ungewohnte schwarze Bluse; beinahe hatte ich von Neuem weinen müssen, als ich mich im Spiegel sah.

Für die Anzeige gab es mehrere Formate und alle endeten mit dem Zusatz: *In stolzer Trauer*. »Den Zusatz will ich nicht«, sagte meine Mutter. »Ich bin nicht stolz.«

Der Setzer schaute kurz nach rechts und links, beugte sich vor und sagte leise: »Meine Dame, seien Sie still. Um Ihrer anderen Kinder willen ...«

»Ich habe nur noch meine Tochter«, antwortete Mutter, »und die ist alt genug zu erfahren, was Recht und Unrecht ist. Mein Sohn war unvorsichtig und unschuldige Menschen mussten dafür büßen. Schreiben Sie: *Wir sind sehr traurig.*«

»Das geht wirklich nicht«, erwiderte der Setzer nervös. Ein zweiter Mann kam hinzu. Man roch den Nazi auf zehn Meter, sagte Mutter später. »Gibt's Probleme?«, fragte er.

»Nein, nein, alles in Ordnung.« Der Setzer sah Mutter flehend an. »Nicht wahr, meine Dame?«

Die Lippen meiner Mutter begannen zu zittern. Sie schaute von einem zum anderen, auch auf mich, die vor Angst weinte, und im letzten Augenblick kam sie endlich zur Besinnung.

»Ach, machen Sie doch, was Sie wollen!«, rief sie und zerrte mich hinaus auf die Straße. Draußen schüttelte sie mich: »Hör auf zu heulen! Stell dich nicht so an!«

Dabei heulte sie selbst. Ich war entsetzt. Was war bloß in sie gefahren?

Nachts, wenn ich keinen Schlaf fand, hörte ich die Stimme unseres ehemaligen Hausmeisters: »Wollen Sie, dass die mit Ihnen wegfahren …?«

Der arme Herr Schmidt war wie ein Geist, der immer noch durch die Wohnungen schwebte und warnte und mahnte, sobald man vom Pfad der Vorschriften abwich. Dabei waren »sie« selbst mit ihm eines Tages weggefahren, obwohl er sich immer bemüht hatte, alles richtig zu machen. Man raunte sich zu, er habe das Hausmädchen der alten Bechtolf mit einem Kohleeimer im Keller der Beckers ertappt und zur Rede gestellt, worauf die Bechtolf ihn unverzüglich angezeigt habe wegen »wehrkraftzersetzender Äußerungen«. Wir haben nie wieder von ihm gehört.

Wollte meine Mutter, dass man mit ihr wegfuhr wegen dreißig Franzosen, die wir nicht einmal gekannt hatten?

Ich konnte nur hoffen, dass Lexi sie zur Vernunft brachte. Doch als Mutter nach ihrem Telefonat aus dem Wohnzimmer kam, sah ich gleich, dass sich nichts geändert hatte und sie sich mit ihrem neu gefundenen Nein jetzt für etwas Besseres hielt.

»Man muss die Nazis nicht mögen«, hatte mein Vater gesagt, »aber ohne sie ist der Krieg nun mal nicht zu gewinnen.« Und er hatte mir erklärt, dass sich die Völker der Welt in einem Kampf um Lebensraum befänden und wir diesen Lebensraum für Deutschland gewinnen müssten, wenn wir als Volk überleben wollten. Gerade noch rechtzeitig hätten wir uns gegen den Schandvertrag von Versailles erhoben, mit dem die Sieger von 1918 unser Land hatten ausbluten lassen wollen.

Dachte meine Mutter, man könne den Krieg jetzt einfach anhalten und rufen: *Ich mache nicht mehr mit!?* Hatte sie nicht gejubelt und geflaggt, als Warschau fiel, und Paris? Für den Sieg musste man Opfer bringen, nun auch wir. Hatte sie das vergessen, sobald es auf uns ankam?

Ich war nicht froh, dass Fabian dieses Opfer war, ganz gewiss nicht. Aber stolz war ich doch. Ich stand nun auf derselben Stufe wie Angelika, Bettina, Juliane, eine ganze Reihe meiner Kameradinnen, die einen toten Kriegshelden in der Familie hatten. Es gab sogar eine Nadel, die man sich dafür anstecken durfte. So würde wenigstens ich Fabian Ehre erweisen! Das war das Letzte, was ich für ihn tun konnte.

Was meine Mutter betraf, versuchte ich von da an wegzuhören – nicht nur, weil ich ihr Verhalten nicht verstand, sondern weil es mich zusehends kränkte. Ich war nun ihr einziges Kind und spürte bereits die Pflicht auf mir lasten, in allem, was ich tat, in Zukunft sehr vorsichtig zu sein, um mich ihr zu erhalten. Mein Wert, aber auch meine Verantwortung hatten sich durch Fabians Tod gewissermaßen verdoppelt.

Aber das erkannte offenbar nur ich alleine. Meiner Mutter schien nicht bewusst zu sein, dass ich von Bedeutung war. Was ich sagte, tat oder dachte, berührte sie kaum. Nicht nur Fabians, sondern auch mein Leben schien sie mit einem Mal abzuwiegen gegen das der dreißig Franzosen, und deren Übermacht drückte mir die Luft ab.

Kurz nach Beginn des neuen Schuljahrs brachte ich wieder einmal einen Aufruf zur Kinderlandverschickung mit nach Hause. Die beiden vorherigen Aufforderungen hatte Mutter ärgerlich weggeworfen, diesmal fragte sie, ob ich gehen wolle.

Ich lehnte auf der Stelle ab. Aus dem Kopf ging mir die Frage aber nicht, und nach einigen Tagen wurde mir plötzlich klar, welche Chance darin lag. Selbstverständlich würde ich Mutter fehlen, wenn ich erst einmal fort war! Bis ich im Frühjahr nach sechs langen Monaten zurückkehrte, würde sich mein Wert für sie gänzlich neu bemessen haben!

Ihre Briefe waren liebevoll, ich konnte hoffen. Doch in meine Zeit in Oschgau fielen die ersten schweren Bombenangriffe auf Berlin, aus den geplanten sechs Monaten wurde das erste, dann das zweite Jahr. Und wenn Piotr nicht gestohlen und ich mich nicht eigenmächtig in den Zug nach Hause gesetzt hätte, dann wäre ich immer noch dort, satt, zufrieden und fern von Zweifeln, denn Mutter war mehr und mehr an den Rand meines Lebens gerückt. Sie hatte anderen Platz gemacht: Antonia, meiner Freundin, Ellen, der Lagermannschaftsführerin.

Und nun? Antonia und Ellen kann ich nicht mehr ins Gesicht sehen. Berlin ist zerstört, die Streitmacht der Alliierten in der Normandie und der Russe schon fast an der Weichsel. In unserem Keller will niemand in der Nähe der alten Bechtolf sitzen, mit der man sich früher gutstellen musste, es wird gestritten, Oma Luchterhand wird verrückt und Frau Geheimrat traut sich was.

Die Einzige, die dieselbe geblieben ist, ist meine Mutter. Sie redet sich um Kopf und Kragen in ihrem Hass auf die Nazis, schmuggelt eine Fremdarbeiterin in den Luftschutzkeller und kann sich nicht freuen, dass ich da bin.

Die Sonne ist schon hinter den Häusern verschwunden, als die Entwarnung uns aus dem stinkenden Keller entlässt, und im Gegenlicht erinnern die zerbombten Ruinen auf der anderen Straßenseite an einen Mund voll schwarzer, abgebrochener Zähne. Kartoffeln und Kohl hatten im Kochtopf auf dem Herd Zeit, weich zu werden, obwohl der Strom nicht lange eingeschaltet war. Auch das Wasser ist jetzt abgestellt, aber in weiser Voraussicht hat Mutter vor dem Alarm Kanister gefüllt.

Ich nehme einen davon mit ins Bad, kann mich endlich waschen und das zerknitterte, verstaubte Reisekleid wechseln. Mit sauberem Gesicht und gekämmten Haaren trete ich ins Leben zurück, erfrischt auch in der Zuversicht, dass nun, da ich wieder zivilisiert aussehe, alles andere auch irgendwie zu meistern sein wird.

Von wegen. Schon im halbdunklen Flur ereilt mich ein neues Hindernis: Die Wohnungstür geht blitzschnell auf und wieder zu, in meine Arme stolpert ein Gespenst, und wenn ich nicht sofort zurückgesprungen wäre, hätte es mich glatt gebissen! Mit einem blutrünstigen Knall höre ich seine Zähne ins Leere schlagen.

Wir starren uns an. Olesia ist einen halben Kopf kleiner als ich, mit knochigen Schultern, die aus einem meiner alten Trägerkleider ragen, und einem spitzen Mäusegesicht. Ihre Augen sind hellblau und stehen derart voll Wasser, dass der kleine Stups von dem Zusammenstoß mit mir reicht, um es zum

Überlaufen zu bringen. Olesia sieht mich und heult, Mutter kommt aus der Küche gehetzt und schon stehen beide da, als ob hier irgendetwas meine Schuld wäre.

»Wenn sie klopfen würde, bevor sie die Tür aufmacht, würde auch niemand mit ihr zusammenstoßen!«, verteidige ich mich und merke noch im Reden, wie hochmütig das klingt. Dabei bin ich selbst erschrocken. Siebzehn soll sie sein? Sie sieht nicht älter aus als ich.

»Warum sollte sie klopfen?«, erwidert Mutter kühl. »Sie wohnt hier. Komm, Olesia.« Tröstend legt sie der Maus den Arm um die Schulter und führt sie in die Küche, und ich merke, dass ich mir genau dies gewünscht habe, seit ich vor etwas mehr als sieben Stunden hier angekommen bin.

Unser Abendessen besteht aus Stampfkartoffeln und wässrigem Kohl, bestreut mit Sojapulver, dazu gibt es eine halbe Scheibe Graubrot. (Mir ist klar, dass Mutter und Olesia eine ganze Scheibe bekämen, wenn ich nicht wäre.) Das Anrichten auf den Tellern besorgt Mutter selbst; ihre Haushaltshilfe sitzt währenddessen zusammengesunken auf dem Stuhl und starrt auf ihre kleinen weißen Finger. Nur in der einen Sekunde, als Mutter sich von hinten über sie beugt, um ihr den Teller hinzustellen, blickt sie auf und wirft mir einen hasserfüllten Blick zu, den ich nach Kräften erwidere.

Das war dumm. Leider hat Mutter nämlich nur mein Gesicht gesehen und nicht das von Olesia. »Du kannst nachher essen, Philippa«, sagt sie scharf. »Du bringst zuerst Oma Luchterhand ihre Portion.«

»Ich weiß noch was Besseres! Ich esse bei Oma Luchterhand«, entgegne ich verletzt.

»Warum eigentlich nicht?«

Ungerührt löffelt Mutter Kohl und Kartoffeln auf zwei Teller und stellt sie auf ein Tablett. Sie kommt sogar mit in den Flur, um mir die Tür aufzuhalten.

»Olesia hat mich zuerst angeblitzt!«, petze ich, um meiner Dummheit noch eins draufzusetzen. »Es reicht, Philippa!«, sagt sie böse.

Mir auch. Wütend und den Tränen nahe stapfe ich die Treppe hinauf zu der einzigen Person im Haus, der ich willkommen bin.

Oma Luchterhand sitzt mit geschlossenen Augen im Sessel und meditiert. Ich stelle uns die Teller auf den Couchtisch, mache mich auf die vergebliche Suche nach frischem Trinkwasser, entscheide, dass der Kohl wässrig genug ist, und komme zurück ins Wohnzimmer.

»Abendessen, Oma Luchterhand!«, rufe ich, um sie zu wecken, und zünde die dickbauchige Kerze an, die auf dem Tisch steht. »Lass es dir schmecken!«

Ich nehme die Gabel und merke erst jetzt, wie hungrig ich bin – seit der Butterstulle im Zug habe ich nichts mehr gegessen. Der Kohl schmeckt schon leicht säuerlich, zusammen mit dem Brot ist es aber auszuhalten. »Isst du die alten Schnitten noch? Wenn nicht, würde ich …!«

Aber Oma Luchterhand ist offenbar der Ansicht, dass es sich nicht lohnt, für ein bisschen Kartoffeln und Kohl die Augen aufzumachen. »Kalt schmeckt es nicht besser!«, wende ich ein und greife nach einer der halb vertrockneten Brotscheiben auf ihrem Teewagen.

Und da erst sehe ich die kleine braune Pfütze auf dem Boden, und die Scherben der Kaffeetasse, und die verkrümmte, von blauen Adern durchzogene Hand. Und ich sehe das alles wie Bilder, die ein Projektor an die Wand wirft, blitzlichtartig und ganz ohne die Augenblicke dazwischen, in denen ich Mut fasse, von einem Bild zum anderen zu sehen. Als Letztes den dünnen, eingetrockneten Spuckefaden vom Mundwinkel zum Kinn.

»Kannst du bitte mit hinaufkommen, Mutter?«

Das klingt recht beherrscht. Es ist ja auch nicht so, als ob ich noch nie einen toten Menschen gesehen hätte, nicht wahr?

Auch Mutter ist gefasst. Sie steht einige Sekunden stumm, dann lächelt sie, streicht über die struppige Perücke und sagt: »Gute Reise, Oma Luchterhand.«

Spricht's, geht mit der Kerze hinüber zu Oma Luchterhands Schrank, nimmt Ausweise und Lebensmittelmarken heraus und lässt sie in ihrer Rocktasche verschwinden!

Ich starre mit offenem Mund. »Die braucht sie jetzt nicht mehr, Fritzi«, sagt Mutter mit einem Anflug von Nervosität.

Aha. Plötzlich bin ich also wieder Fritzi! »Versteckst du jemanden?«, frage ich ungläubig.

»Nein. Dazu fehlt mir der Mut.« Zum ersten Mal an diesem Tag sieht sie mir direkt in die Augen. »Ich versuche auf andere Weise zu helfen. Mit Kleidung, Marken …«

»Wem?«

»Tauchern. U-Booten. Bestimmt hast du das Wort schon gehört. Diese Leute werden weitergereicht, schlafen mal hier, mal dort. Die Papiere von Oma Luchterhand können Leben retten. Ich bin sicher, sie hätte das so gewollt.«

»Aber das sind doch Juden, Mutter!«, flüstere ich entsetzt.

»Juden, Kommunisten, Deserteure … was heißt das schon? Es sind Freunde von früher oder Freunde von Freunden.«

»Das kann uns vor Gericht bringen, weißt du das nicht?«

»Ach was. Dazu ist mein Beitrag viel zu gering.«

»Darum ging es also am Telefon ...«

Sie nickt. »Ich habe jemandem ein altes Paar Schuhe abgeschwatzt, angeblich für Ausgebombte. Aber ich möchte nicht, dass sie abgeholt werden, solange du hier bist, verstehst du?«

Ja!, möchte ich spontan sagen. Denn was ich in dieser Sekunde verstehe, ist die knappe Begrüßung, ihr kühles Verhalten, dieser ganze seltsame Tag. Mir will ein Stein vom Herzen fallen: Mutter hat Angst um mich, das ist alles!

Da fügt sie etwas Unverzeihliches hinzu. Sie sagt: »Du kannst hier nicht bleiben, Fritzi.«

»... hier nicht bleiben? Das ist mein Zuhause!«

»Es geht einfach nicht! Die Fliegerangriffe, der ständige Kampf um die paar jämmerlichen Lebensmittel, meine anderen ... Aktivitäten. Und jetzt auch noch du? Das schaffe ich nicht!« Sie hebt resigniert die Hände und lässt sie wieder fallen.

»Aufhören willst du also nicht. Mit den Aktivitäten, meine ich. Denen sagen, du hast eine Tochter, die du nicht in Gefahr bringen willst ...«

Gern hätte ich das hart und ärgerlich gesagt, aber meine Stimme entscheidet sich ganz gegen meinen Willen fürs Betteln. Mutter antwortet nicht. Oma Luchterhand sitzt zwischen uns und muss sich das alles anhören.

»Es sind noch keine dreißig, die du gerettet hast, stimmt's?«, höre ich mich sagen. »Es fehlen noch ein paar!«

Sie zischt: »Diese Bemerkung werde ich deinem Vater berichten!« Schlägt auf dem Weg hinaus voll Zorn nach der Sofalehne.

Mein Vater! Als ob sie es wagen könnte, ihm von dieser Bemerkung zu erzählen!

Mein Vater mal wieder! In mehreren Tausend Kilometern Entfernung ist er eine große Stütze, und das schon seit fast fünf Jahren. Briefe an Vater sind *das* Druckmittel schlechthin, besser noch, als wenn er persönlich zu Hause wäre. Wenn Mutter ihm nur die Hälfte all dessen geschrieben hat, was sie Fabian und mir angedroht hat, dann bezweifle ich, dass er überhaupt noch Lust hat zurückzukommen.

Das Ehepaar mit dem Brief fällt mir ein. Ellen hat uns davon erzählt, zur vorbeugenden Warnung: Die Eltern hatten dem Sohn an die Front geschrieben, er solle sein Blasenleiden kultivieren, damit sie ihn nach Hause entlassen. Aber der Brief wurde geöffnet und gelesen wie alle Feldpost, das Ehepaar verhaftet und zum Tode verurteilt und der Sohn dieser Idioten ist immer noch in Russland.

Drei

Nächtliche Fliegerangriffe haben einen unschätzbaren Vorteil: Man kommt nicht ins Grübeln. Gemessen an den zermürbenden Nächten der vergangenen Wochen kommt mir diese Art der Schlaflosigkeit nahezu friedlich vor, denn ihre Ursachen haben nichts mit mir zu tun. Nachts kommen nur die Briten, die am Tag Angst haben vor unseren Jagdfliegern. Die Ersten setzen »Christbäume«, helle Lichtteppiche zur Markierung in den Himmel, und wenn keiner davon über dem eigenen Stadtteil schwebt, kann man einigermaßen beruhigt den nächsten Stunden entgegensehen. Vorausgesetzt, die folgenden Piloten verlieren nicht die Nerven und klinken ihre Bomben zu früh oder zu spät los, was häufig genug vorkommt. Ob sie sich die Panik und Todesangst ausmalen, die sie mit einem einzigen Knopfdruck auslösen?

Von dort oben muss die brennende, explodierende Stadt ein beeindruckendes Schauspiel bieten. Manch eine Bomberbesatzung schreibt vor dem Start liebe Grüße an uns auf ihre Ladung. Wahrscheinlich fühlen sie sich wie Gott in diesen Augenblicken, wenn sich Zigtausende im Lichtermeer am Boden zusammenkrümmen, die Ohren zuhalten und die Münder gegen den Luftdruck aufreißen; Augenblicke, in denen es allein in ihrer Hand liegt, zu zerstören oder zu verschonen. Aber ob das ein angenehmes Gefühl ist …? Wenn ich Gott wäre, würde ich mich fernhalten von allen, die auch nur eine Sekunde glauben, wie er zu sein, und ich würde dafür sorgen, dass sie es wissen.

Ich wundere mich selbst, wie wenig Angst ich habe. Interessiert beobachte ich die anderen: Frau Kochs Wimmern, Frau Wahls Fluchen, Mutters und Frau Beckers stummes Zittern. Herr Becker kommentiert zackig mit: »Peng!«, »Uff!« und »Hui! Habt ihr das gehört?«, und rennt alle zehn Minuten auf den Eimer.

Die Ungerührtesten in unserem Keller sind Olesia, Jörg-Alfred, die Bechtolf und ich: Olesia, weil sie sich im Deckenversteck gar nicht rühren kann, Jörg-Alfred, weil er nichts anderes kennt als Bomben und Keller, ich, weil ich schon Schlimmeres erlebt habe, und die Bechtolf, weil sie fest daran glaubt, dass sie den Endsieg sehen wird. Unbeirrt sitzt sie unter ihrer Petroleumfunzel und liest Groschenromane.

Alle halbe Stunde, ich könnte die Uhr danach stellen, unterbricht Mutter ihr Kartenspiel mit Frau Wahl und sagt ohne viel Nachdruck: »Leg dich hin, Fritzi.«

Aber ich sitze lieber auf dem Bettrand und tue, als ob ich lese. In regelmäßigen Abständen blättere ich Seiten um, damit mir niemand auf die Schliche kommt. In Wahrheit ist es mir zuwider, mich neben Olesia auszustrecken. Kaum habe ich die Augen geschlossen, male ich mir auch schon aus, wie sich ihre kalte dürre Hand aus dem Deckenbündel arbeitet und wie ein Schraubstock um meinen Hals legt. Die Vorstellung reicht, um mir den Schweiß auf die Stirn zu treiben. Eine kleine Abwechslung nach all den Bildern von Piotr, immerhin.

Olesias Hass auf uns ist abgrundtief und es ist mir ein Rätsel, wie Mutter darüber hinwegsehen kann. Denn der Hass trifft auch sie, davon bin ich überzeugt. Wenn der Feind *mich* aus dem Bus gezerrt und verschleppt hätte, ohne dass ich meiner Familie auch nur ein Lebenszeichen hätte zukommen lassen können, würde ich dasselbe empfinden, da könnte der Feind noch so fürsorglich um mich herumspringen.

Olesia tarnt ihren Hass mit einer wechselnden Folge von Tränen und Ohnmachtsanfällen, Bauch- oder Kopfschmerzen. Mutter hätschelt und bedauert sie und steckt ihr sogar das Fieberthermometer in den Mund, aber hat sie ihr je dabei in die Augen gesehen? Wahrscheinlich nicht, denn Olesia meidet ihren Blick. Nur bei mir gibt sie sich keine Mühe, weil sie gleich gemerkt hat, dass ich Bescheid weiß.

Ich wünschte, ich könnte Olesia mit gleicher Inbrunst zurückhassen – dass mir das nicht gelingt, verleiht ihr eine gewisse Macht über mich. »Vorsicht! Mitleid macht schwach!«, pflegte Ellen zu sagen, womit sie zweifelsfrei Recht hat.

»Hui!«, macht Herr Becker wieder. »Uff, habt ihr das gehört?«

»Unter den Tisch, Fritzi!«, bestimmt Mutter in verändertem Ton, Widerrede brauche ich gar nicht zu versuchen. Zu Füßen der beiden Frauen sitze ich ergeben auf dem Boden und passe auf, dass mich ihre Knie nicht treffen, wenn sie bei jedem Krachen erschrocken in die Höhe schnellen. Zum Zeitvertreib kann man an der Art ihres Zusammenzuckens abzulesen versuchen, welche von ihnen es als Erste nicht mehr aushält und zu mir unter den Tisch kriecht.

Nachts kommt der Alarm oft zwischen zehn und elf und trifft Mutter und mich wohlvorbereitet, nämlich mit gepackten Koffern und vollständig angezogen auf ihrem Bett. Nur Sekunden nach Beginn des Voralarms geht die Wohnungstür und Olesia huscht mäuseschnell hinaus, etwas später hört man die gedämpften Schritte und Stimmen der Nachbarn. Im Rhythmus von Tag und Nacht schläft niemand mehr; man lebt zwischen Tagangriff und Nachtangriff und entscheidet sich in den unvorhersehbaren Pausen entweder fürs Schlafen oder fürs Einkaufen.

»Wir können Ihnen nicht schon wieder etwas abgeben, Frau Koch«, schimpft Frau Becker. »Wir anderen würden auch lieber schlafen als um Lebensmittel anstehen, glauben Sie mir!«

»Es ist einfach über mich gekommen!«, weint Frau Koch. »Bitte geben Sie Jörg-Alfred ein Stück Brot, er kann doch nichts dafür!«

»Ich hab ihm gestern schon gegeben«, erklärt Frau Becker und wendet sich ab, und Mutter wird sich jetzt auf die Lippen beißen, aber es hilft nichts, wir haben selbst nichts mehr. Mutter hat den ganzen bombenfreien Vormittag an einem Kleid für Emmy Göring geschneidert, dessen Stoff von einem Chauffeur gebracht wurde. Mich wollte sie aus Furcht vor Angriffen oder plötzlich einstürzenden Ruinen am Wegesrand nicht einkaufen schicken und Olesia darf ohne Begleitung gar nicht auf die Straße.

»Siehst du jetzt, warum du nicht bleiben kannst?«

Mutter ist aufgewühlt. Längst hätte sie mich für Lebensmittel- und Kleidermarken anmelden sollen, aber schiebt es vor sich her aus Sorge, die Hitlerjugend stünde sofort vor der Tür und nähme mich zu irgendwelchen gefährlichen Diensten mit. Nach Lautlitz soll ich! Der einzige Grund, weshalb ich noch hier bin, ist ihre noch größere Angst, dass der Zug, mit dem sie mich zu den Verwandten schicken will, unterwegs von Tieffliegern beschossen wird.

Am Ende ist es die Bechtolf, die wortlos aufsteht und nicht

nur Jörg-Alfred, sondern auch seiner Mutter etwas zu essen zusteckt.

Die Einschläge sind jetzt weiter entfernt. Ich strecke probehalber den Kopf unter dem Tisch hervor und krabble, da Mutter nicht protestiert, auf allen vieren zurück zum Bett. Das Klo wäre mir jetzt lieber! Ich hoffe, ich muss nicht mehr allzu lange warten.

Zwei Nächte und einen Tag hat Oma Luchterhand allein in ihrer Wohnung sitzen müssen, bis endlich ein Bestatter kam – ein Bestatter, der keine Fragen nach Papieren stellte und sich das gut bezahlen ließ. Auch an Juden, die im Versteck gestorben sind, verdient er sich eine goldene Nase, denn deren Helfer müssen die Leichen um jeden Preis loswerden. Das hat Mutter mir verraten, ohne dass ich auch nur gefragt hätte. Bin ich ihre Komplizin geworden allein dadurch, dass ich über sie Bescheid weiß?

Das gesamte Haus, selbst die Bechtolf, wollte zur Beerdigung, doch wir kamen nicht mal bis zur Tram. Ein Fehlalarm diesmal, der eine halbe Stunde später wieder aufgehoben wurde und unter den Frauen einen Zornesausbruch auslöste, als wäre ihnen ein Angriff lieber gewesen.

»Da müssen sie uns in den paar Stunden, wo der Feind uns in Ruhe lässt, auch noch in den Keller hetzen!«, schrie Frau Wahl. »Unter Strafe stellen sollte man das!«

Ausnahmsweise widersprach die Bechtolf nicht. Doch um zur Beerdigung zu fahren, war es zu spät. »Immerhin wird sie beerdigt«, murmelte Mutter. »So viele werden nicht einmal gefunden.«

Was wohl mit Oma Luchterhands Marken und Ausweisen passiert ist? Einen Tag lagen sie noch im Wohnzimmerschrank, dann waren sie auf einmal verschwunden, genau wie das verdächtige Päckchen mit den Schuhen. Es könnte der Postbote gewesen sein, der ganz kurz in der Wohnung war, oder Mutter hat die Papiere beim Bäcker zwischen die Geldscheine gesteckt. Sie ist geschickter, als ich dachte. Ich habe nicht das Geringste bemerkt, obwohl ich höllisch aufgepasst habe.

Nun sind wir also nur noch neun im Haus – neun von vierundzwanzig, die hier gewohnt haben, als ich fortging. »In jeder Gruppe«, teilte uns Ellen gleich bei der Ankunft mit, »kann man mit ein wenig Erfahrung sofort erkennen, welche von euch es schafft und welche nicht. Also seid auf der Hut – ich habe euch durchschaut!«

Und hier? Mein Blick schweift in die Runde, beginnend bei Frau Bechtolf, doch ich weiß von Anbeginn, an wem er hängen bleiben wird. Es ist Frau Koch mit ihren irren Augen, ihrem Stammeln und Weinen. Um sich und ihr Kind zu versorgen, zu waschen oder ab und zu die Kleider zu wechseln, fehlt ihr bereits die Kraft, beide stinken erbärmlich. In Jörg-Alfreds ständigem, verzweifelten Versuch, sich ihrem Griff zu entwinden, liegt vielleicht schon die Ahnung, dass er von ihr nichts mehr zu erwarten hat.

Frau Koch wird den Keller nicht überleben. Plötzlich sehe ich das mit solch unbarmherziger Klarheit, dass mir eiskalt wird und ich beschämt den Blick abwenden muss.

Und gleichzeitig weiß: nicht ich. Nicht hier. Nicht mit diesen Menschen.

In diesem Keller werde ich nicht sterben. Das ist noch nicht der Ort. So einfach ist das.

Die Prominentengucker sind schon da. Ein kleines Grüppchen von mal fünf, mal sechs Frauen wechselt sich neugierig in der Nähe des Wagens ab, neben dem der Chauffeur seine Zigaretten raucht. Sie wissen, wer im Laden ist, und dass die Dame Autogramme gibt. Ich habe auch eins, schon vor Jahren bekommen: ein Foto von ihr und ihrer kleinen Tochter, das gesamte untere Drittel bedeckt von einer großen, schwungvollen Handschrift. *Für Philippa. Alles Liebe, Emmy Göring und Edda.*

Groß und schwungvoll – so ist auch »Tante Emmy«, wie sich nie die Gelegenheit ergeben hat, sie zu nennen. Offiziell ist sie fünfzig geworden, wahrscheinlich etwas älter, auf jeden Fall aber schwerer und Mutter muss sich etwas einfallen lassen, um dies mit raffinierten Kniffen und Abnähern zu verbergen. Stecknadeln zwischen den Lippen, liegt sie vor der Frau des Reichsmarschalls auf den Knien und steckt den Saum ab. Früher haben das ihre Näherinnen erledigt, aber die Näherinnen stanzen jetzt in der Fabrik Patronenhülsen und Mutter wäre mit Sicherheit auch dort, wenn sie nicht unabkömmlich wäre für die Repräsentationspflichten der beiden »Ersten Damen des Reichs«.

Normalerweise schleppt sie Stoffe und Schneiderköfferchen zur Anprobe in deren Residenzen, aber heute war Frau Göring ohnehin in Berlin und hat uns am späten Vormittag kurzerhand in ihre Route eingeschoben.

Wie sie das eigentlich vereinbart, habe ich Mutter etwas hinterhältig gefragt: ihre Wut auf die Nazis und die Aufgabe, deren Frauen schöner zu machen. Aber Mutter wich mir aus und behauptete, Emmy Göring sei eine nette, mütterliche Person, die sich schützend vor jüdische Kollegen aus ihrer Zeit als

Bühnenschauspielerin stelle. Hitler habe sich persönlich erbost über ihre »Judenretterei« und den Reichsmarschall wegen seiner Frau zurechtgewiesen.

Welch ein Glück!, dachte ich. Judenretterei! Da kannst du ja glatt ein reines Gewissen haben.

Worauf Mutter, die wohl merkte, dass sie mich nicht überzeugt hatte, bekräftigte: »Die Göring ist naiv und unpolitisch. Sie will niemandem Böses. Ihre große Schwäche ist der Luxus, und dass sie nicht fragt, woher der kommt.«

»Hinreißend wird das wieder, Frau Bredemer, wirklich hinreißend!«, murmelt ihre prominente Kundin und macht Anstalten, sich vor dem Spiegel zu drehen, wobei sie Mutter den Saum aus der Hand reißt und eine der eben gesteckten Nadeln in die Finger rammt. »Oooh … wie ungeschickt! Entschuldigen Sie!«

Sie ist ehrlich zerknirscht. »Bleiben Sie bitte stehen, Hohe Frau«, zuzzelt Mutter an den Nadeln zwischen den Lippen vorbei; ein Wunder, dass sie keine verschluckt hat. Oder doch? Sie blickt ein wenig starr, wie ich meine, aber das kann auch an »gebückter Haltung auf leeren Magen« liegen oder daran, dass sie, eine geborene Gräfin von Lautlitz, das geborene Fräulein Emmy Sonnemann mit »Hohe Frau« anzureden hat. In solchen Momenten wird es ihr leidtun, meinen bürgerlichen Vater geheiratet zu haben.

Ich wäre auch eine Gräfin, wenn sie das nicht getan hätte! Einige Sekunden bewege ich, auf dem Stuhl zwischen Schaufenster und den beiden verhüllten Ankleidepuppen sitzend, zierlich mein Bein und sonne mich in der Vorstellung, aber vergebens, weder das Bein noch ich noch die Vorstellung machen etwas her. Ich kenne zu viele Gräfinnen, um nicht den

Verdacht zu hegen, es wird überschätzt. Mit Sicherheit lebt keine von ihnen wie Emmy Göring in einem Palast mit Löwenbabys, eigenem Kino, russischem Dampfbad und einer Empfangshalle von der Größe eines Kirchenschiffs!

Ein Palast allerdings, der nach Carin, der verstorbenen ersten Frau ihres Mannes benannt ist – *Emmyhall* heißt nur ein kleines Jagdhaus. Nein, ich glaube nicht, dass eine meiner gräflichen Tanten mit »Tante Emmy Göring« würde tauschen wollen …

Die Tante, die just in diesem Augenblick draußen vorfährt, blickt sogar recht beklommen drein, als sie die Limousine erkennt. Dabei ist auch ihr Auftritt eine Schau: Sie kommt im Motorrad mit Beiwagen. Nichts, was einen Motor hat, könnte Lexi nicht fahren, und in den Beiwagen soll in wenigen Minuten – ich! Die rettende Idee ist Mutter endlich gekommen: Wir haben kein Auto, Zugreisen sind lebensgefährlich, aber wozu haben wir eine Tante, die fliegt? Die *schon am Wochenende* nach Lautlitz fliegt, wie sich am Telefon herausstellte, da sie ihren Mann vermisst und wenigstens in der Nähe seiner Familie sein will.

Nach Max' schwerer Verwundung an der Ostfront im letzten Winter mag Lexi gehofft haben, der Krieg sei für ihn zu Ende, aber selbst Onkel Georg, Max' jüngerer Bruder, hat sich zum Dienst zurückgemeldet. Mit nur noch einem Auge und einer Hand ist er Stabschef im Allgemeinen Heeresamt in Berlin. Wie sollte Max da zurückstehen, mit nichts als einem Granatsplitter im Rücken? In Griechenland ist er jetzt, immerhin. Weit weniger gefährlich als die Ostfront, obwohl man sich da erwiesenermaßen täuschen kann.

»Sie ist da!«, melde ich. Eine halbe Stunde sitze ich schon

auf dem Stuhl in der Nähe des Fensters, von dem Mutter anlässlich der Anprobe das Verdunkelungspapier entfernt hat, und spähe erwartungsvoll auf die Straße. Unter den neugierigen Blicken der Autogrammjägerinnen steigt meine Tante vom Motorrad, nimmt das Tuch ab, das sie zum Schutz gegen Qualm und Gestank vors Gesicht gebunden hatte, löst das Kinnband ihrer Lederkappe. Dann hebt sie eine Tasche aus dem Beiwagen und eilt mit gesenktem Kopf auf den Ladeneingang zu.

Die Frauen starren auf Lexis Jackenaufschlag und eine macht Anstalten, vor dem Band des Eisernen Kreuzes in den Deutschen Gruß auszubrechen, aber meine Tante hat die Absicht entweder nicht gesehen oder tut so, als ob. Mit einem letzten großen Schritt springt sie über die Schwelle, steht lächelnd mitten im Raum und fragt mit ihrer leisen, immer etwas atemlos klingenden Stimme: »Hallo Almut, kannst du ein totes Karnickel brauchen?«

Mich in meiner Ecke hat sie noch gar nicht gesehen und das ist auch besser so, denn erst einmal muss ich dasselbe Erschrecken verbergen wie beim Anblick meiner Mutter vor knapp drei Wochen. Wie alt die beiden geworden sind! Schmal und grau, mit hohlen Wangen und müden Augen.

»Nicht doch! Die Gräfin Lautlitz!« Die rosige Emmy Göring hält es nicht länger auf ihrem Anpassbänkchen. »Ich hatte doch glatt vergessen, dass Sie verwandt sind mit meiner lieben Frau Bredemer …! Ich war nämlich dabei, Frau Bredemer, als mein Mann Ihrer Kusine das EKII verliehen hat! Im ganz privaten Kreis in unserer Villa in der Leipziger Straße, mit anschließendem Mittagessen und, herrje, ein paar Tage vor meiner schrecklichen Kieferoperation!«

Lexi nimmt freundlich Frau Görings rechte Hand, während sie die Linke gleichzeitig Mutter zum Aufstehen reicht, damit diese nicht vor ihnen beiden am Boden knien muss. Und mein Herz weiß wieder ganz genau, warum ich meine Tante in einer einzigen kurzen Woche so lieb gewonnen hatte: Sie ist klug und aufmerksam wie nur wenige Menschen, die ich kenne.

Sie ist diejenige! Ihr kann ich es erzählen!

Natürlich werde ich es nicht tun. Aber für den Bruchteil eines Augenblicks erscheint mir die Möglichkeit zum Greifen nahe, und die Erleichterung darüber ist erschreckend. Fast muss ich den Kopf schütteln, um den Gedanken loszuwerden.

»Woher in aller Welt«, fragt Mutter und blickt verdutzt in die Tasche, »hast du ein ganzes, frisches, totes Kaninchen?«

»Ich hab's geschossen«, gesteht Lexi. »Vorhin auf dem Flugplatz. Sie hoppeln dort in Scharen herum und fühlen sich sicher. Ich wollte es dir eigentlich ausnehmen und braten, bin aber nicht mehr dazu …«

Mutter zieht Lexi wortlos am Riemen der Lederkappe zu sich heran und gibt ihr einen Kuss.

»Das muss ich meinem Mann erzählen!« Emmy Göring besichtigt zufrieden und auf Strümpfen den Inhalt der Tasche. »Als Reichsjägermeister wird er begeistert sein!«

»Vielleicht gibt das ja wieder einen Orden!«, rutscht mir zu meinem Entsetzen heraus.

Ich ernte – neben dem strafenden Blick von Mutter – zum Glück nur ein glockenhelles Lachen von Frau Göring, und auch Lexi nimmt es nicht übel und kommt erfreut auf mich zu. »Da ist ja mein Knöpfchen!«, begrüßt sie mich.

»Klexchen!«, stoße ich erschrocken hervor und mir wird ganz warm vor Enttäuschung.

Lexi lacht mich an. »Ich hab's nicht vergessen«, sagt sie. »Aber deine Knopfaugen sprechen Bände. Ich sehe schrecklich aus, nicht wahr? Sturzflüge sind eine Katastrophe für die Gesundheit. Der Blutkreislauf dreht durch, die Gesichtshaut flattert dir um die Ohren und der Magen wickelt sich um die Wirbelsäule.«

Ich gebe ihr einen Schubs. Sie schubst zurück. Am liebsten würde ich heulen – vor Freude, sie wiederzusehen, aber auch weil Visionen von duftenden, gebratenen Kaninchenteilen vor meinen Augen zu flimmern beginnen, die Mutter und Olesia sich ohne mich schmecken lassen werden. Zwar blieben der gestrige Tag und selbst die Nacht ohne Angriff, doch in den Geschäften gab es an diesem Morgen so gut wie nichts. Der gesamte Schienenverkehr ist bereits den zweiten Tag unterbrochen, zerlumpte Trupps aus Kriegsgefangenen und Fremdarbeitern werden zu Fuß durch die Stadt marschiert, um die Verkehrswege instand zu setzen.

»Hoffentlich haben wir bald wieder Strom, damit wir es braten können!« Mutter starrt wie hypnotisiert auf das blutige Kaninchen. »Dass es bloß nicht verdirbt!«

»Hast du einen Bratenspieß?«, erwidert Lexi, und als Mutter nickt: »Steck es drauf und häng es im Hof übers Feuer.«

»Im Hof? Wo es jeder mitbekommt?«

»Warum nicht? Es ist nicht verboten, im Freien zu braten.«

Lexi sieht fragend zu Emmy Göring und die greift sich an die Brust, als wolle sie sagen: Woher soll ich das wissen? »Sie braten ja schließlich nicht Nachbars Katze«, meint sie etwas betreten.

»Aber die Nachbarn werden mitessen wollen, dann wird

niemand von uns satt«, gibt Mutter zu bedenken. »Ich mache das Feuer besser in der Küche. Wir werden schon nicht in Flammen aufgehen.«

Sie starrt in die Tasche und schluckt ein, zwei Mal, als müsse sie gegen plötzliche Übelkeit kämpfen. »Wie scheußlich von mir«, sagt sie. »So weit ist es schon gekommen.«

Emmy Göring zieht sich schnell wieder aufs Anpassbänkchen zurück; *so* viel Kontakt mit den Nöten des Volkes will sie nun auch wieder nicht.

»Wollen wir, Klexchen …?«, fragt Lexi. »Je eher wir in die Luft kommen, desto mehr Platz haben wir da oben.«

»Du gehst kein Risiko ein, nicht wahr?«, fleht Mutter.

»Ganz bestimmt nicht. Ich höre vorher per Funk, ob feindliche Flieger in der Luft sind.«

»Und du fliegst ganz niedrig, hast du gesagt?«

»Zweihundert Meter vielleicht. Wir sind im Nu unten, wenn es sein muss.«

Nicht, dass ich Angst hätte! Auf keinen Fall! Mir wäre nur lieber, Mutter würde aufhören, noch genauer zu fragen. Ich starre auf die Abzeichen an Lexis Jacke und nehme zu meinem eigenen Wohl einfach an, dass jemand, die als eine von nur zwei Frauen in Deutschland das Eiserne Kreuz und das Flugzeugführerabzeichen in Gold mit Brillanten und Rubinen trägt, weiß, was sie tut.

»Fritzi ist alles, was ich habe«, sagt Mutter bebend.

Ich traue meinen Ohren nicht. Sie hat es gesagt! Sie hat endlich gesagt, worauf ich seit zwei Jahren warte! Ich bin so überrumpelt, dass ich brumme: »Vater hast du doch auch noch!«, und Mutter sich sofort von ihrer Ergriffenheit erholt und sagt: »Stimmt.«

Emmy Göring erklärt feierlich: »Frau Bredemer, wenn ich irgendjemandem meine Edda anvertrauen müsste …!«

»Sei unbesorgt, Almut.« Lexi gibt Mutter einen Kuss. »Ich werde tun, als sei Fritzi alles, was *ich* habe.«

Und mein ganzes Ich öffnet und schließt sich augenblicklich um diese Bemerkung. Eine habe ich verschossen, auf die zweite werde ich achtgeben! Lexi, die keine Kinder hat, kann gar nicht wissen, was man mit solchen Worten anrichtet.

Der Abschied geht schnell, zu schnell. Den Fuß schon im Beiwagen, möchte ich ihn am liebsten noch einmal herausziehen und zurück in den Laden rennen, um Mutter ein zweites Mal zu umarmen. Sie hat es gesagt! Ändert das nicht alles? Mir ist, als wäre ein Damm gebrochen, nur leider in einem völlig unpassenden Moment.

Mein Fuß schwebt über dem Beiwagen. Mutter oder Lexi? Berlin oder Lautlitz? Keller oder Flugzeug? Nein, es hilft nichts, ich laufe zurück! Lexi soll mich ein andermal mitnehmen!

Zu spät. Plötzlich habe ich eine böse Stimme im Rücken: »Da fahren sie im dicken Wagen durch die Gegend und lassen sich Klamotten schneidern, und das Volk wird gezwungen, sein letztes Hemd für die Winterhilfe zu spenden!«

Verdutzt drehe ich mich um. Fünf finstere Augenpaare starren mich an. Von wegen Autogrammjägerinnen! »Steig ein, Fritzi«, sagt Lexi ungewohnt scharf. »Tuch vors Gesicht!«

»Unsereiner kriegt schon lange kein Benzin mehr«, meutert eine Frau.

Mit rotem Kopf rutsche ich tief in den Beiwagen und halte den Koffer über der Einstiegsluke fest, während mir Lexi das Gesichtstuch knotet. »Machen Sie, dass Sie weiterkommen, oder ich lasse Ihre Personalien aufnehmen!«, droht der Chauffeur.

Einen Augenblick lang glaube ich, er meint uns! Die Frauen ziehen sich zurück, aber nicht ohne dass eine ganz unverhohlen vor dem Laden ausspuckt. »Die Abzeichen … sind Sie Hanna Reitsch?«, fragt der Chauffeur.

»Nein«, bedauert Lexi freundlich und schwingt sich aufs Motorrad.

Es gehört ihr gar nicht!, würde ich den Weibern am liebsten nachrufen. Es gehört der Luftwaffe und meine Mutter hat auch fast nichts mehr im Kleiderschrank!

Warum tue ich es eigentlich nicht? Lexi lässt den Motor an, und im Anfahren hebe ich mein Tuch und brülle aus Leibeskräften: »Das Motorrad gehört uns nicht und wir spenden auch für die Winterhilfe, du dumme Kuh!«

Worauf meine Tante so lachen muss, dass wir fast aus der Kurve fliegen. Ich selbst kann nichts Komisches an meinen Worten erkennen. Hoffentlich lassen sie Mutter in Ruhe … hoffentlich zünden sie ihr den Laden nicht an … hoffentlich … sehen wir uns …

Nein. Das ist ein Gedanke, den man nicht zu Ende denkt. Wenn man den zu Ende denkt, hat man schon verloren. Im Krieg gibt es nur eine Richtung, sagt Vater, und die geht nach vorn.

Es gibt Schöneres als eine Fahrt im offenen Beiwagen durch eine verbrannte Stadt. Der Fahrtwind schleudert uns Wolken aus Rauch und Ruß entgegen und er vertreibt auch den schweren, süßlichen Geruch nicht, der aus verschütteten Kellerlöchern dringt. Am Bordstein machen Frauen an Wasserpumpen große Wäsche, schwatzen und lachen, während hinter ihnen völlig unbeachtet ein Haus abbrennt. Bis zum zweiten Stock ist alles schwarz, darunter lodert es noch, aber ohne viel Kraft. Wahrscheinlich konnten die Bewohner noch in aller Ruhe ihre Besitztümer auf die Straße schaffen und sind längst weitergezogen. Wie langsam ein Haus abbrennen kann! So langsam, dass es schon niemanden mehr interessiert.

Lexi umkurvt Schutthaufen und liegen gebliebene Fahrzeugskelette, so rasch es geht, und kaum drei Minuten von zu Hause habe ich bereits keine Vorstellung mehr, wo wir uns befinden. Meinen vertrauten Kiez, in dem ich aufgewachsen bin und jeden Stein kannte, gibt es nur noch in der Erinnerung.

»Immer noch Charlottenburg!«, ruft Lexi.

Kann sie Gedanken lesen oder denkt sie nur zufällig dasselbe? »Halt deinen Koffer fest!«

Wir holpern den Bürgersteig hinauf und um einen großen Krater herum; ich werde mit grün und blau geschlagenen Knien in Lautlitz ankommen und meine kleinen Vettern und Kusinen werden denken, das käme von den Bombenangriffen und die Beine der Berliner sähen jetzt alle so aus. Etwas fliegt mir ins Auge, es fühlt sich an wie eine ganze Handvoll Sand und mischt sich mit viel mehr Tränen, als nötig wären, um es hinauszuschwemmen. Peinlich berührt ziehe ich das Tuch etwas höher – als ob Tränen in diesen Tagen irgendjemand auffielen!

Einige Kilometer die Heerstraße hinauf wird der Blick

plötzlich klarer, die Luft kühler und Lexi reißt sich den Gesichtsschutz herunter, um tief einzuatmen. Ich folge ihrem Beispiel, lehne mich zurück, lasse mein Tuch im Wind flattern.

Über einem Dach aus sattem Laub blitzen Sonnenstrahlen auf, so hell, dass sie die Feuer in unserem Rücken fast vergessen machen.

Auf einmal kann ich mich nicht sattsehen an Bäumen. Am liebsten würde ich aus dem Beiwagen springen und hindurchlaufen, das Knacken von Zweigen unter den Schuhen spüren, der Kaskade zwitschernder kleiner Stimmen lauschen. Hier haben sie sich also versammelt, die Glücklichen …! Konnten dem Krieg einfach davonfliegen, mussten nur wenige Kilometer aus der Stadt hinaus.

Könnten die Menschen nicht folgen? Ich sehe die Plakate schon vor mir: *Berliner in den Wald!* Die Luft ist gut, das Wetter schön, Wasser gibt es nur wenige Meter weiter aus der Havel. Ja, warum eigentlich nicht? Bis zum Winter könnte man Hütten bauen!

Aber die Antwort kommt mir schon entgegen: mehr und mehr Militärfahrzeuge, Motorräder, Kübelwagen, Lastwagen. Im waldreichen Berliner Umland verbirgt sich die Luftwaffe nicht nur vor Feindangriffen, sondern auch vor neugierigen Blicken. *Zivilisten unerwünscht,* stünde auf den Plakaten, nicht: *Berliner in den Wald!*

Und ich? Ich ziehe Blicke auf mich. Merkwürdiges Gefühl. Nicht, dass sie mir vermitteln, unwillkommen zu sein, wie man bei den Sicherheitsvorkehrungen erwarten könnte. Im Gegenteil: Der Soldat an der Schranke grüßt und lächelt. Ein Leutnant im Kübelwagen tippt respektvoll an die Mütze. Aus einer Gruppe junger Offiziere, die einen Mannschaftsbus besteigt, wird gewinkt. Ich bin, und das wird mir erst jetzt bewusst, nicht mit *irgendjemandem* unterwegs!

Über Lexi gesprochen wurde in der Verwandtschaft schon

oft. Unser Dichteronkel Max, verbandelt ausgerechnet mit einer Ingenieurin, die sich der Militärfliegerei verschrieben hat! Die beiden ernteten Sympathie – in einer Familie, in der das Militärische lange Tradition hat –, doch auch eine gewisse Skepsis: Kann das wohl gut gehen …?

Sieben Jahre später sind diese Stimmen verstummt, so lange geht es nun schon gut, und niemand würde mehr in Zweifel ziehen, dass nicht nur Lexi, sondern auch Max eine gute Wahl getroffen hat. Aber die Hochachtung, die Lexi entgegenschlägt, sobald sie das Gelände der Luftkriegsakademie betritt, die erlebt sie in der Familie mit Sicherheit nicht.

Ist das gut oder schlecht? Was genau macht sie eigentlich hier?

Ein böser Gedanke. Was ist bloß in mich gefahren? Vor wenigen Wochen noch wäre ich geplatzt vor Stolz! Vor wenigen Wochen hätte ich nur eines bedauert: dass die Oschgauer Mädelschar nicht miterlebt, wie ich mit einer der höchstdekorierten Pilotinnen des Reichs durch die Luftkriegsakademie streife …

Piotr. Piotr, der Idiot! Er hat mir alles verdorben.

Eine Zeitmaschine müsste man haben. Eine Zeitmaschine, mit der man zurückfliegt in die eigene Geschichte, um mit all dem, was man inzwischen weiß, eine alte Entscheidung noch einmal zu treffen.

Doch wohin würde ich fliegen? Zu Piotr? Bestimmt nicht. Ich müsste Piotr nie begegnen, wenn ich nur ein klein wenig früher in der Zeit landen würde: *Zu diesem Bauern gehst du kein zweites Mal, Fabian!*

Oder noch früher: *Wir dürfen diese Pakete nicht annehmen, er bringt sich in Gefahr …*

Den bunten Rock habe ich nie wieder angezogen, als ob das noch einen Unterschied machte. Als ich verstand, dass alles mit uns selbst angefangen hat, war es bereits zu spät. Was man einmal zugelassen hat, lässt sich nicht mehr wenden. Man kann nur noch vorwärts, Vater hatte Recht, selbst wenn man nicht mehr erkennt, wohin es eigentlich gehen soll.

Wir fahren durch stille, unzerstörte Straßen. Kleine Doppelhäuser mit Vorgärten und sauber geschnittenem Rasen, gepflegte zweistöckige Hallen mit Säulengängen, eine großzügig angelegte Stadt in der Stadt, von Stacheldraht umgeben. Das pompöse Hauptgebäude spiegelt sich im Wasser eines riesigen Kunstteichs, dessen blank polierte Mauern zur Mittagsrast in der Sonne einladen. Aber wer immer uns begegnet, legt ein geschäftiges Tempo vor, schließlich ist draußen Krieg.

Auch Lexis kleine Wohnung geht auf einen Garten hinaus, doch sie ist karg, regelrecht spartanisch eingerichtet: Bett, Schrank, Tisch und zwei Stühle, ein Sessel, ein Bücherregal, ein winziger Teppich. Es sieht aus, als sei sie gerade erst eingezogen, dabei lebt sie schon zwei Jahre hier. Wozu es sich gemütlich machen? Ihr Zuhause ist woanders.

Nur im Bücherregal steht etwas, das daran erinnert: Sie hat die Kopfplastik von Onkel Max mitgenommen. Die habe ich schon in Würzburg bewundert, als sie sie gerade fertiggestellt hatte. Als ich noch nicht wissen konnte, dass Lexi zwischen den Wochenenden mit Max, ihrem Lesesofa und ihrer Bildhauerei noch dieses ganz andere Leben hat.

Die Plastik ist wunderschön. Mein Onkel blickt kühn und furchtlos, er erinnert ein wenig an den *Jungen Römer* auf den ersten Seiten meines Lateinbuchs. Vorsichtig strecke ich die

Hand aus, streiche über seine kühle, glatte Wange – und ziehe die Hand schnell zurück, als ich merke, dass ich beobachtet werde und dass Lexi Tränen in die Augen schießen.

»Ich packe nur rasch zwei, drei Sachen«, sagt sie verlegen. »Schau dir ruhig alles an. Meine Trophäen habe ich aber im Dienstzimmer, ganz protzig, selbst ein Foto von der Olympiade. Die Flugschüler sollen weiche Knie bekommen, wenn sie sich bei mir vorstellen!«

»Du hast bei der Olympiade mitgemacht?« Mir steht der Mund offen.

»Nicht doch! Nur eine Kunstflugvorführung«, wehrt sie bescheiden ab. »Doch das Bild schindet Eindruck! Manche von diesen Kerlen sind zwei Meter groß und ziemlich gönnerhaft, da muss man sich etwas einfallen lassen. Und das da«, sagt sie, als mein Blick an einer auf dem Tisch liegenden Zeitung hängen bleibt, »ist schwedisch.«

Aus der aufgeschlagenen Zeitung sieht mir Lexis Foto entgegen. Sie steht in Uniform an einem Rednerpult. »Schwedisch«, bemerke ich. »Uff! Peng! Hui!«

»Von allen meinen Nichten«, sagt Lexi und lacht, »bist du mit Abstand die Unterhaltsamste, Klexchen.«

»Danke schön, aber ich kenne *alle deine Nichten*! Sie sind vier und fünf Jahre alt!« Ich tippe auf das Foto. »Wovon hast du den Schweden erzählt?«

»Von Frauen in der Flugerprobung. Ich bin in den schlimmsten Angriffen nach Stockholm geflogen, eine wahre Odyssee. Ich dachte schon, ich komme nie dort an.«

»Hast du denn niemals Angst?«

Sie schweigt. Die Frage verblüfft sie. »Doch«, sagt sie schließlich. »Aber ganz selten um mich selbst. Ich bin nicht leichtsinnig, ich kann recht gut einschätzen, was geht und was nicht. Alles andere ist Zufall, und über Zufälle denke ich einfach nicht nach.«

»Und das geht …?«

»Meistens schon. Bestimmte Dinge liegen eben in meiner Hand, andere nicht.«

»Und er …?« Ich zeige auf die Plastik von Onkel Max.

»Was ihn betrifft«, gibt Lexi unumwunden zu, »funktioniert die Methode natürlich überhaupt nicht.«

Sie wendet sich wieder ihrem Koffer zu, faltet eine Bluse hinein. Ihre Traurigkeit ist plötzlich zum Greifen nahe und ich könnte mich ohrfeigen, noch einmal von Max angefangen zu haben. »Das lässt nach, weißt du«, sage ich zögernd. »Das Vermissen. Vater vermisse ich fast gar nicht mehr.«

Lexi schaut mich seltsam an. »Dann wird es Zeit, dass er nach Hause kommt, findest du nicht?«

Aber sie lässt es nicht wie eine Frage klingen, auf die sie eine Antwort erwartet.

Vor etwa sechs Wochen habe ich an Adolf Hitler geschrieben. Die ersten Sätze standen schon auf dem Briefbogen: »Mein Führer! Bestimmt können Sie sich nicht an mich erinnern, aber ich heiße Philippa Bredemer und bin die Tochter von Oberstleutnant Hans Bredemer, Quartiermeister in einer Jägerdivision der Heeresgruppe Mitte. Nach reiflicher Überlegung habe ich mich entschlossen, Ihnen zu schreiben, da ich Zeugin eines Ereignisses geworden bin, von dem Sie dringend erfahren sollten.«

An dem Wort *Zeugin* habe ich lange herumüberlegt. Ich konnte es drehen und wenden, wie ich wollte – ich wusste, dass ich mehr war als das. Aber gab es ein Wort dafür? Ich fand keins. *Zeugin* blieb stehen.

»Hier in Oschgau, Ostpreußen«, schrieb ich weiter, »sind in der Landwirtschaft viele Fremdarbeiter und Kriegsgefangene eingesetzt, so auch bis zum 20. Mai d. J. der frühere Bäcker Piotr aus Krakau, 42 Jahre alt, dessen Nachname mir leider nicht bekannt ist.«

Wieder kam ich ins Stocken. Nun überlegte ich, ob ich nicht besser den letzten Halbsatz streichen sollte, da er den Eindruck erweckte, mir sei nicht bewusst, dass die Namen der polnischen Fremdarbeiter keine Rolle mehr spielten, sobald sie dem Deutschen Reich zugeführt wurden. Mit Sicherheit war Piotrs Nachname in Oschgau nie bekannt geworden. Er war »der Piotr«, »der Pole«, häufiger noch: »Unser Pole«, und neben ihm gab es auf dem Hof sogar einen »Piotr zwo«, obwohl der in Wirklichkeit Romek hieß.

Ja, entschied ich, der Satz störte, ich wollte keineswegs naiv wirken. Ich nahm ein sauberes Blatt Papier und begann den Brief noch einmal abzuschreiben, um hinter der Angabe *42 Jahre alt* einen Punkt zu setzen.

Doch kaum war ich dort wieder angelangt, beschlichen mich erneut Zweifel. Durfte ich überhaupt wissen, dass Piotr 42 Jahre alt gewesen war? Der Kontakt zu den Polen und Russen war streng verboten, nicht einmal Guten Tag sollten wir sagen und erst recht kein Schwätzchen halten – woran sich zwar niemand hielt, selbst der Bauer nicht, und Piotr eins und zwo aßen ihre Mahlzeiten sogar am selben Tisch wie wir, doch wenn ich zugab, Piotrs Alter gekannt zu haben, stieß ich möglicherweise Nachfragen und Untersuchungen über die Einhaltung der Fremdarbeitervorschriften an!

Es half nichts, ich musste ein weiteres Mal von vorn anfangen, und wo ich schon einmal dabei war, ließ ich in der nächsten Fassung auch meine Kenntnis über *Krakau* und den *Bäcker* unter den Tisch fallen.

Als ich zum dritten Mal an derselben Stelle angekommen war, hatte mich der Schwung schon halb verlassen, dabei lag der schwere Teil des Briefes erst vor mir; überdies erschien es plötzlich unklug, meinen Vater zu erwähnen, ohne ihn um Erlaubnis gebeten zu haben. Ja, selbst die höchstwahrscheinlich zutreffende Feststellung, der Führer könne sich bestimmt nicht an mich erinnern, wirkte bei genauer Draufsicht plump und vermessen, da dieser nicht eigentlich *mich* durch meinen Vater hatte grüßen lassen, wie ich es gern erzählte, sondern *Frau und Kinder*, was – streng genommen – überhaupt nichts bedeutete.

»Kannst du mir sagen, was du da machst?«, fragte Antonia stirnrunzelnd und ich erkannte, dass sie mich schon längere Zeit beobachtet haben musste. Was kaum zu vermeiden war, denn wir saßen uns am winzigen Tisch in unserer Schlafstube gegenüber, beide Briefe schreibend; wenn ich wollte, konnte ich auch bei ihr mitlesen.

»Ich schreibe an den Führer«, sagte ich mit größerer Entschlossenheit, als ich tatsächlich noch empfand. »Er muss wissen, was hinter seinem Rücken vorgeht.«

Antonia kaute am Bleistift. »Hinter seinem Rücken?«

»Natürlich. Du glaubst doch nicht, dass er so etwas dulden würde!«

»Ich glaube«, sagte Antonia, »*so etwas* interessiert ihn überhaupt nicht. Stehlende Ostarbeiter! Du hast eine Schraube locker, Fritzi.«

»Ich meine nicht das Stehlen. Ich meine, dass sie ihn …«

»Aber vorher hat er gestohlen!« Das kam wie aus der Pistole geschossen. Sie sah mich wütend an. »Er hat gestohlen! Wir haben nichts falsch gemacht.«

»Nein. Wir konnten es nicht wissen«, gab ich bedrückt zu.

»Selbst wenn«, versetzte sie streng. »Wir mussten es melden.«

»Der Führer …«, begann ich von Neuem, aber weiter kam ich nicht. »Ich lasse mich von dir in nichts hineinziehen, Fritzi!«, rief Antonia mit hoher Stimme, griff über den Tisch und zog den Schreibblock unter meinen Armen hervor. Sie riss die obersten Seiten ab, gleich mehrere davon, und zerfetzte sie. »Das war unsere Pflicht, verstanden? Oder soll Ellen mit dir reden …?«

Verstanden. Verstanden habe ich in dem Augenblick gleich dreifach. Ich verstand, dass Antonia nicht weniger Angst hatte als ich vor dem, was wir getan hatten. Ich verstand, dass der Brief an den Führer nicht geschrieben werden würde. Und ich verstand, dass keine Freundschaft überleben kann, was Antonia und mich nun verband.

»Wollen wir?«, fragt Lexi und klappt ihren Koffer zu.

Vermisse ich meinen Vater? Vater ist ein Foto in meinem Koffer, Vater sind ein paar Worte über den Krieg, Vater ist eine Handschrift auf Papier. Vater ist eine Stimme, deren Klang ich verloren habe.

Fliegerhorst Gatow! Gleich hinter der Luftkriegsschule gelegen, ist er nicht mehr als eine weitläufige Rasenfläche mit mehreren Hangars und einem flachen Verwaltungsgebäude. Er dient ausschließlich zu Schulungszwecken, wie Lexi mir erklärt; selbstverständlich gibt es Maschinen sämtlicher im Militäreinsatz befindlicher Flugzeugtypen, aber wir werden nicht erleben, wie sie zu einem Einsatz starten. Der Mannschaftsbus, den wir vorhin gesehen haben, parkt auf dem Vorplatz und die jungen Offiziere stehen auf der Wiese um ein Flugzeug herum, das erschreckend winzig wirkt. Im Schatten eines Feuerwehrwagens sitzt dessen Besatzung und spielt Karten.

Ich bin einigermaßen verblüfft. Dafür dass Krieg ist, geht es hier ganz schön ruhig zu.

»Wundere dich nicht«, meint Lexi, »es ist noch Mittag, fast alle sind in der Kantine.«

Manchmal befürchte ich wirklich, sie kann Gedanken lesen. Und dann wieder überhaupt nicht, denn sie fragt allen Ernstes: »Willst du mal in einem Stuka sitzen?«

»Muss nicht sein«, erwidere ich kühl. Lexi lächelt, schon tut es mir leid. Was kann sie dafür, dass mein Bedarf an Bombern gedeckt ist?

Andererseits – ist sie nicht im selben Gewerbe? Wir bombardieren London, London bombardiert uns. Flugzeuge sind eine Erfindung, die man nie hätte machen dürfen, denke ich und bekomme plötzlich richtig Lust, es laut zu sagen.

»Aber gegen einen friedlichen kleinen Fieseler Storch hast du hoffentlich nichts«, bemerkt Lexi. Langsam wird sie mir unheimlich. Stehen mir die Gedanken auf die Stirn geschrieben? Vielleicht sollte ich mir ihre Fliegerkappe ausborgen!

»Wir müssen noch kurz in die Leitstelle«, erfahre ich, doch in diesem Augenblick passiert es. Wie aus dem Nichts stürzt ein Schatten auf uns herab, fällt, dreht sich und fällt weiter, stürzt ungebremst auf die Erde zu, kreischend und heulend, dass einem das Blut in den Adern stockt. Und was ich den Flugzeugen generell und den Bombern im Besonderen gerade noch wünschen wollte, fällt direkt aus dem Himmel auf mich zurück, wird jede Sekunde vor meinen Augen zerschellen und es gibt kein Entrinnen – dem Feuerball, dem Tod, und wieder, schon wieder, den Schreien eines sterbenden Menschen.

»Klexchen! Klexchen, das ist ein Übungsflug!«

Ich werde durchgeschüttelt. Die Methode schlechthin gegen kreischende Jungmädel auf Flugplätzen. Der Grund, warum sie keine Zivilisten hereinlassen. Am Himmel hinter Lexis entsetztem Gesicht ist der Stuka längst wieder durchgestartet und zieht pfeilschnell davon.

»O Gott, Klexchen«, sagt meine Tante matt und lässt sich neben mich auf die Wiese fallen. Aus der Gruppe der Offiziere, die um das andere Flugzeug stehen, macht jemand Anstalten, zu uns hinüberzulaufen, aber Lexi winkt ab. *Alles in Ordnung. Nur meine dumme Nichte.*

Die fängt jetzt auch noch an zu heulen. Die schlägt Lexis Hand weg. Die faucht: »Lass mich, es geht schon!«

Nach einer Weile nehme ich wenigstens das Taschentuch, das mir wortlos von der Seite gereicht wird. Lexi sitzt neben mir, die Arme um die Knie geschlungen, und betrachtet rücksichtsvoll nicht mich, sondern den Horizont.

»Vor fast zwanzig Jahren«, sagt sie endlich, »bei meinem ersten Vorstellungsgespräch gleich nach dem Studium ging mein späterer Chef mit mir hinaus aufs Flugfeld. Einer seiner Freunde, ein erfahrener Pilot, unternahm gerade einen Versuchsflug. Er ist abgestürzt, vor unseren Augen. Es war schrecklich, ganz unvergesslich. Vor den Kräften, mit denen wir uns messen, darf man nie den Respekt verlieren.«

»Du kannst ruhig sagen, dass ich mich blöd benommen habe«, knurre ich.

»Und du kannst ruhig mal zuhören, junge Dame«, erwidert meine Tante, und an der Art, wie sie aufsteht und das Gras von ihrer Hose klopft, erkenne ich, dass ich sie gerade zum ersten Mal richtig verärgert habe.

Schweigend gehen wir auf die Flugleitstelle zu. Solche Sachen macht sie also!, denke ich. Solche Sachen macht sie jeden Tag, und freiwillig …!

»Warte«, sagt Lexi auf einmal und hebt ein Stöckchen auf, und ehe ich mich's versehe, kritzelt sie in den Sand zu unseren Füßen. »Ich will, dass du verstehst, was du gerade gesehen hast. Das ist der Stuka. Das ist das Ziel am Boden. Hier, und nur hier soll die Bombe treffen, ein Fabrikgebäude zum Beispiel oder ein Stellwerk, nicht aber die Wohnhäuser nebenan.«

In Sekundenschnelle malt sie die Häuser, das Flugzeug, einen steilen Fallwinkel. »Das Stürzen ist nicht das Problem. Es ist anstrengend wegen der Fliehkraft-Einwirkung, die etwa das Siebenfache des Körpergewichts beträgt, vom enormen Druck beim Abfangen ganz zu schweigen. Aber das alles ist längst erprobt und ungefährlich, wenn man nicht gerade das Pech hat, während der Tests in einen Angriff zu geraten. Der Sinn des Sturzflugs ist die zielgenaue Bombardierung, im Gegensatz zu dem Flächenbombardement, das Berlin gerade erlebt. Ich nehme nicht an, dass dir das besser gefällt. Meine Aufgabe ist, die Geräte dafür zu entwickeln«, fährt sie fort, ohne meine Antwort abzuwarten, »und das zügig und mit so vielen Testflügen wie möglich, weil die Truppe die Geräte dringend braucht und nicht warten kann. Sturzflugvisiere, die

die Zielgenauigkeit erhöhen, oder Nachtlandegeräte, die nach einem Abschuss Bruchlandungen verhindern können. *Können*, wohlgemerkt. Jeden Tag bekomme ich die Namen von den Abschusslisten und ein paar von denen …« Sie holt tief Luft und wirft das Stöckchen weg. »Es sind richtig nette Männer dabei, Klexchen. Ich will, dass sie nach Hause zurückkehren, wenn das alles vorbei ist. Und was uns betrifft …«

Ich spüre, wie sie mich so lange von der Seite ansieht, bis ich endlich nachgebe und aufblicke.

Ihre Augen lachen wieder. Mir fällt ein Stein vom Herzen. »Mach dir bitte keine Sorgen«, sagt sie. »Ich kann auch noch geradeaus fliegen!«

Lexis Fieseler Storch muss seinen Namen von den staksigen »Beinen« haben, auf denen er steht; er sieht freundlich aus und ist es auch – unbewaffnet, langsam, eine verlässliche kleine Luftkiste, die kaum Platz zum Starten und Landen braucht. Lexi nimmt sich Zeit zu erklären, bevor wir einsteigen; zwischendurch klopft sie dem Flugzeug sogar auf die Schnauze, wie einem guten Kameraden.

Warum nicht? Ich klopfe auch darauf, um dem Storch Vertrauen und Zuversicht zu bekunden, ihm gewissermaßen einen Bund anzubieten, damit er uns heil ans Ziel bringt. »Bestimmt haben wir Fallschirme?«, frage ich tapfer.

»Nein. Wir fliegen zu niedrig, sind im Ernstfall schneller unten, als ein Fallschirm sich öffnen kann. Du sitzt hinter mir mit dem Gepäck; du wirst staunen, wie viel du von dort aus siehst! Willst du mal hineinkrabbeln? So zur Probe?«

Lexi hebt unsere beiden Koffer ins Flugzeug und hält einladend die Türklappe auf. Ich steige auf die Trittleiter, ziehe mich hoch, falle auf den Rücksitz – und zack, sitzt Lexi auch schon vor mir im Pilotensitz und die Tür ist zu. Von wegen zur Probe! Immerhin hat sie mit der Behauptung nicht gelogen, man könne viel sehen: Der Storch ist ein Beobachtungsflugzeug und hat große Fenster zur Seite, nach oben und nach vorn.

Aber eng ist es, eng und laut, sobald der Motor anspringt und der Propeller sich dreht, erst langsam, dann schneller – längst nicht so schnell, wie ich erwartet hatte. Das soll reichen, um uns in die Luft zu heben …? Erst einmal rollen und hoppeln wir mit wachsendem Tempo über einen Grasstreifen, eine Startbahn ist nirgends zu sehen.

Eingesperrt! Lexi ist gemein! Keller war nichts dagegen!

Etwas saugt an meiner Magengegend, das Poltern hört plötzlich auf … und wir sind in der Luft! Die Flughafengebäude verschwinden unter unseren Füßen und tauchen ein ganzes Stück hinter uns wieder auf, und ebenso unvermittelt, wie wir den Boden verlassen haben, öffnet sich nach vorn ein ganz anderer Blick: ein Blick auf Wiesen, einen breiten Waldstreifen und auf die kleinen Seen und gewundenen Flussarme des Havellandes.

Mir verschlägt es die Sprache. Nur ganz tief in mir flüstert es: Oh mein Gott, ist das schön!

Nach links versuche ich nicht zu sehen – nach links, wo sich unter einer schmutzigen Dunstglocke die Schatten der zerstörten Stadt abzeichnen. Aber dann entschließe ich mich doch, schaue hin und halte aus, nehme Abschied. Mit Berlin ist es vorbei. Wer sollte all das je wieder aufbauen?

Es ist gut, dass ich es gesehen habe. Von nun an wird es leichter sein, nach vorn zu blicken.

Lexi reicht mir eine Karte, damit ich den Weg verfolgen kann – vom Berliner Umland bis hinunter nach Württemberg, eine Reise quer durch Deutschland im fünften Kriegsjahr. Zwischen kleinen Dörfern im Brandenburgischen fahren sie die Ernte ein, sieht man Pferde vor Fuhrwerken trotten und Menschen Heu auf Wagen gabeln. An einer Flusssenke laufen Kinder ein ganzes Stück hinter dem Schatten des Storchs her, der sich auf die Wiesen zeichnet; in das gleichmäßige Brummen des Motors mischt sich das abgehackte, ferne Bellen der Dorfhunde, und jäh das Heimweh nach Oschgau … für immer dahin, wie Berlin.

Dann wieder eine Stadt, schwarz und klaffend die Gerippe zerbombter Häuser. Leipzig, sagt die Karte. Wir folgen der Pleiße, an deren Ufer Angler sitzen, lassen den Krieg wieder hinter uns, doch die rechte Freude will sich mit einem Mal nicht mehr einstellen. All die unberührten kleinen Dörfer, die Heugabelschwenker und Flusswiesenläufer … wann wird der Krieg auch zu ihnen kommen?

Ich weiß, dass ich so nicht denken darf. Ich weiß, was ich mir zu sagen habe: dass in einem kleinen Ort an der Ostsee die Wunderwaffe entsteht, die den Krieg gewinnen wird, dass es der Feind ist, der sich fürchten muss, dass die Opfer und Entbehrungen des deutschen Volkes nicht vergebens sein werden.

Aber oben in der Luft kann man sich sagen, was man will, man sieht doch nur eins: dass der Krieg bald zu Ende gehen muss, wenn von dem, was einmal schön war, etwas bleiben soll.

Vier

Durch die zarten Vorhänge am offenen Fenster geht kaum merklich ein Wehen; vielleicht ist es mein Aufschrecken, das sie bewegt hat. Draußen herrscht Stille, als hielte alles, was lebt, die Luft an. Die Sonne berührt schon die Hügel und wirft einen langen Schatten, in den sich die ersten Dächer des Dorfes schmiegen; die Westseite des Schlosses, und mit ihr mein Zimmer, liegt in einem letzten Streifen Licht.

Angenehm ist es nicht, so aufzuwachen – oder eingeschlafen zu sein, ohne es zu wollen! Erst das Brummen und Vibrieren des Storchs, das immer noch durch meine Glieder pulst, erinnert daran, wo ich bin und woher ich komme.

Auch von nebenan ist kein Laut zu hören. In den letzten Sekunden, auf die ich mich besinne, hat Lexi noch ausgepackt: wenige Kleidungsstücke, viel Schreibzeug und Bücher, als plane sie zwei Wochen zu bleiben anstatt zwei Tage. Ich stehe vom Bett auf – hatte ich es nur kurz ausprobieren wollen? Die weißen Kissen waren einfach zu verlockend! –, werfe einen Blick durch die Tür, die Lexis Zimmer von meinem trennt, aber natürlich ist sie längst im Haus unterwegs. Sie ist oft hier, nicht so fremd wie ich. Ich wäre lieber mit ihr zusammen nach unten gegangen.

Die beiden ineinander übergehenden Gastzimmer im obersten Stock sind unsere; sie haben je ein großes Bett mit geschnitzten Pfosten, einen passenden Schrank und unter der

Dachschräge einen Schaukelstuhl, dazu eine kleine Kommode mit Spiegel und in Lexis Zimmer einen Schreibtisch. Auf den Holzdielen liegen helle Teppiche, auf den Nachttisch hat jemand einen Blumenstrauß gestellt. Es sind dieselben Blumen wie auf dem Aquarell neben der Tür, und über dem Bett prangt in Öl das Gegenbild: eine Urahnin, die zu Lebzeiten offenbar nicht viel zu lachen hatte.

So still erkenne ich das Schloss kaum wieder. Ich war bislang nur zu Familientreffen hier, wenn es bis hinunter in den Park von Menschen summte, die allesamt mit mir verwandt sein mussten. Es gab eine Musikkapelle, Berge von Essen, Hüte, die durch den Garten schwebten und Grüppchen von Männern mit Brasil-Zigarren. Wie Mutter sich veränderte, sobald sie ihren Fuß aus dem Auto setzte! Noch tagelang nach unserer Rückkehr blieb sie diese Fremde, Andere – aufgedreht, traurig und sehnsüchtig.

Gibt es das Treffen noch? Ich muss elf gewesen sein, als ich zum letzten Mal hier war. Aus meinem Fenster blicke ich auf die Stelle, wo sonst das Zelt mit dem Essen stand, jetzt eine sommertrockene Rasenfläche, auf der Hühner picken. Ein Kiesweg führt zu einem der vier runden, in die Mauer eingelassenen Ecktürme, dahinter schauen die Wipfel der Apfelbäume hervor, über deren Äste man, wenn man nicht erwischt wird, von der Mauer in die Obstwiese klettern kann. Ringsum erstrecken sich die waldreichen Berge der Alb. Mutter ist als Kind oft hinaufgewandert – Großmutter von Lautlitz, die ich Omama nennen darf, weil ich keine eigene mehr habe, hat die

drei Vettern gezwungen, sie mitzunehmen, wenn sie in den Ferien zu Besuch war.

Das ist Philippa, die Tochter von Almut … Auf den Treffen

hat man mich herumgereicht. Stolz war ich! Jeder wusste, wer Almut ist. Ich habe mich mit denselben Worten vorgestellt, wann immer sich die Gelegenheit ergab: »Hallo, was spielt ihr? Ich bin Philippa, die Tochter von Almut.« Mutter, meine Eintrittskarte in eine andere Welt.

Dabei ist Schloss Lautlitz auf den ersten Blick nicht mehr als ein großes, dreistöckiges Landhaus, schlicht und eckig und ohne Schnörkel. Der Vorfahr, der es errichtet hat, muss ein bescheidener Mensch gewesen sein; es könnte als Landschulheim durchgehen oder als Gutshof, wären da nicht die Mauer, die Wehrtürme und Wirtschaftsgebäude. Es gibt zwei Pachthöfe, deren Pächter Omama Rechenschaft ablegen, und eine eigens für die »Herrschaft« reservierte Bank in der Kirche. Das kleine Dorf beginnt gleich hinter dem Schlossportal; noch vor wenigen Jahrzehnten stand fast jeder Einwohner im Dienst der Grafen von Lautlitz.

Nun, die Kaiserzeit ist vorüber und die Privilegien des Adels auch, wie man uns in der Schule erklärt hat. Und heute – dem Führer sei Dank! – sind wir nicht nur alle gleich, sondern überdies *ein einig Volk*. Die frühere Dienerschaft, jetzt Personal genannt, ist im Schloss nur noch zu dritt: die Haushälterin Witta und zwei Mädchen, dazu eine Kinderschwester, seit Tante Ina im Vorjahr mit Konstantin und Caroline aus Berlin hergezogen ist, und ein französischer Kriegsgefangener, der bei Reparaturen in Haus und Garten hilft. Es wird locker zugehen, meint Mutter, ohne einen Hausherrn, nur mit Omama, Lexi, Ina und den Kindern.

Aber zum Essen zieht man sich um! Daran hat sie gleich gedacht und mir eins ihrer Kleider eingepackt, das man mit zwei Oberteilen, einem Tuch oder Schal von Abend zu Abend variieren kann. Dass es ein und dasselbe Kleid sein darf, ist Zugeständnis an die Kriegsgarderobe.

Sitzen sie in Berlin wieder im Keller? Haben sie es geschafft, das Kaninchen zu braten? Gibt es Alarm oder wird es eine weitere Nacht ruhig bleiben?

Von irgendwo im Haus hört man die hellen Stimmen der Kinder. Es ist sieben Uhr, Zeit hinunterzugehen. Ich schließe das Fenster und sehe einige Augenblicke zu, wie zwei Stechmücken, die einzigen feindlichen Flieger weit und breit, vergeblich gegen das Glas ansummen.

Der dicke Teppich auf der Treppe schluckt meine Schritte. Über und neben mir hängen Jagdtrophäen, die blanken, spitzen Schädel kleiner Rehböcke und im Lauf der Jahrzehnte verwitterte Wildschweinfelle, die einen Geruch nach Waffenöl und Mottenkugeln verströmen. Die Hirsche mit ihren mächtigen Geweihen säumen den Flur und starren den Betrachter mit mürrischer Genugtuung an: Sie hängen immer noch hier, ihre Bezwinger sind längst zu Staub zerfallen. Mutter fürchtete sich als Kind fast zu Tode, wenn sie nachts an ihnen vorbei aufs Klo musste.

Auch sie war alleine hier. Hat sie sich Sorgen gemacht? Heimlich geweint, wie ich in meinen ersten Nächten in Oschgau? Sich den Kopf zermartert, als ihr nicht mehr gelang, sich die Stimmen und Gesichter ihrer Eltern vorzustellen? Mein Großvater war Stabsoffizier in der kaiserlichen Schutztruppe für Deutsch-Südwestafrika. Mit neun wurde Mutter zurück nach Deutschland geschickt, um hier zur Schule zu gehen, und

vierzehn war sie, als meine Großeltern während des britischen Einmarschs in »Deutsch-Südwest« ums Leben kamen.

Vierzehn. So alt wie ich. Es war Onkel Yps, der es ihr gesagt hat, im Essraum ihres Internats in jenem anderen Krieg. *Willst du hier bleiben oder mit nach Hause kommen, Almut?*

»Das hat mich beeindruckt«, erzählte sie mir. »Dass er von *zu Hause* sprach. Die Familie kümmert sich um mich, das war gar keine Frage. Einer für alle, alle für einen. Wenn Vater und mir etwas passieren sollte, Fritzi, kommst du zu Ina und Eckhardt, das ist abgemacht.«

Ich hier, meine Eltern im Krieg – auf halbem Weg die Treppe hinunter schnürt es mir plötzlich die Kehle zu. Geschichte wiederholt sich, hat Onkel Max bei seiner Stadtführung gesagt, und er erklärte es so, dass ich es mir gemerkt habe: Nichts ist so einzigartig, dass es nicht noch einmal geschehen kann.

»Nanu, Fritzi, was ist denn mit dir?«

Tante Ina, ausgerechnet. Seit Jahren habe ich nicht daran gedacht, was sie und meine Eltern abgemacht haben – warum muss es mir gerade heute wieder einfallen? Dabei mag ich meine Tanten, alle drei. Inas fröhliches rundes Gesicht, ihren vergeblichen Versuch, die Fülle ihres schon als junge Frau schneeweiß gewordenen Haares in einem Dutt, Kranz oder Zopf zu bändigen. Auch jetzt rutscht es wieder aus den Spangen und sie muss es aus dem Gesicht pusten, um mich besorgt zu mustern. *Warum in aller Welt sitzt das Kind auf der Treppe …?*

»Leichte Kopfschmerzen? Brummen in den Ohren, Dröhnen in den Knochen?« Hinter Ina verschränkt Lexi die Arme. »Das nennt man Storchenflugsyndrom. Einmal an Onkel Yps' Pfeife gezogen und es geht wieder weg.«

»Lexi, bitte!«, murmelt Tante Ina und versucht angestrengt nicht zu lachen. »Vielleicht hat sie nur Hunger. Hast du Hunger, Fritzi?«

»Und wie!« Eine Ausflucht, die nicht einmal gelogen ist. Tante Ina nimmt mich erfreut an die Hand und hält fest, hat offenbar die Absicht, mich den ganzen Weg bis ins Esszimmer zu *führen* und ich bin so verdutzt, dass ich es mir gefallen lasse. Das letzte Mal, dass ich an der Hand von jemandem ging, muss in der Grundschule gewesen sein und ich habe völlig vergessen, was für ein Gesicht man dazu macht. Damals mussten wir singen.

»Unsre Fahne flattert uns voran …«, summt es plötzlich hinter mir und ich brauche mich nicht umzudrehen, um Lexi lachen zu sehen.

Mein Großonkel Magnus von Yffingen, seit frühester Jugend »Ypsilon« genannt, erwartet uns im Esszimmer. Es liegt gleich neben der Eingangshalle, hat einen offenen Kamin, eine breite Tür, die zu Terrasse und Garten hinausführt, und zahlreiche Plätze rund um einen wuchtigen Tisch. Hinter einem dieser Stühle steht Onkel Yps, bereit zum Tischgebet.

Es ist das zweite Mal an diesem Tag, dass Omamas Bruder, der in einem Haus am Ortsrand lebt, auf uns wartet. Beim Anflug auf den Fliegerhorst konnten wir seinen Wagen schon neben der Wiese stehen sehen und ich hatte bei mir gedacht, dass das Leben als Pensionär für einen Oberst und ehemaligen Festungskommandanten ziemlich eintönig sein muss. Kurz nach seinem sechsundsechzigsten Geburtstag hat man ihm einen letzten Orden an die Brust geheftet und ihn mit Fanfaren nach Hause geschickt.

Aus einem Krieg entlassen zu werden, der noch in vollem Gange ist …! Ausgehalten hat er das nicht, wie ich mich erinnere. *Er hat Georg und Eckhardt geholfen, irgendetwas Wichtiges, hatte keine Zeit, zum Abendessen zu kommen …*

»Keine Sorge«, meint er, als ich mich für die Verspätung entschuldigen will. »Hast noch nichts verpasst.«

Nicht Siegfried, nicht Lanzelot, nein: Onkel Yps war der erste Held meiner Kindheit, und das lange bevor ich ihn persönlich kennenlernte. Seit dem Tod ihres Mannes steht er Omama zur Seite, hat das Heranwachsen ihrer drei Söhne begleitet und für zwei von ihnen Schicksal gespielt: für Max, indem er ihm Lexi vorgestellt, und für Eckhardt, indem er ihm Ina gerettet hat. Lange Zeit war das meine liebste Gutenachtgeschichte, die Mutter bei jedem Erzählen mit neuen dramatischen Details anreicherte, die aber alle ihren Ausgang im selben herzzerbrechenden Dilemma nahmen: Großonkel Caspar wollte seinen Ältesten kein bürgerliches Mädchen heiraten lassen! Auf dem Sterbebett nahm er Eckhardt das Versprechen ab, todunglücklich trennten sich die Liebenden *am Grabe des Grafen* und Ina trat die Rückreise nach Russland an, wo ihre Familie lebt.

Auftritt Onkel Yps! Er sprang auf den (laut Mutter bereits rollenden) Zug, tauchte in Inas Abteil auf und beschwor sie so lange, bis er (die russischen Grenzsoldaten streckten bereits die Hand nach den Pässen aus) ihren Stolz gebrochen und sie dazu bewegt hatte, mit ihm im nächsten Zug zurückzureisen.

»Kannst du es dieses Mal so erzählen, dass Onkel Eckhardt sie selbst zurückholt?«, bat ich Mutter eines Abends.

Sie sah mich entrüstet an. »Das hat er aber nicht! Es ist eine wahre Geschichte, da kann man nicht einfach alles verdrehen!«

Sprach's und malte mir aus, wie Ina den traurigen Eckhardt im blühenden Schlosspark mit ihrer Rückkehr überraschte. Dabei hatte dieser in einer früheren Version bereits ungeduldig am Bahnhof gewartet, weil ihn *ein untrügliches Gefühl* beschlichen hatte!

Mich beschlich allmählich auch ein untrügliches Gefühl: dass nämlich meine Mutter die Geschichte komplett erfunden hatte. Das Gefühl verstärkte sich, als ich mir Onkel Eckhardt beim nächsten Familientreffen zum ersten Mal genauer anschaute. Der Zwillingsbruder von Onkel Max war ernst und schweigsam, geradezu einschüchternd, auf alle Fälle nur schwer mit einer romantischen Geschichte in Verbindung zu bringen.

Mutter leugnete beharrlich. Alles sei wahr, behauptete sie, und dass sie nicht immer *stringent* erzähle, liege daran, dass sie sich an manche vergessenen Details eben ganz spontan wieder erinnere. Im Übrigen brauche ich nur Onkel Yps anzusehen, um zu wissen, dass sie nicht log.

Das war nicht von der Hand zu weisen. Verstohlen musterte ich an jenem Tag auch den bislang wenig beachteten Großonkel. Schlank, grauhaarig, leicht vornübergebeugt wie ein Weidenbaum, mit großen Schritten, Hakennase und gepflegtem Schnurrbart – so und nicht anders stellte ich mir einen treuen älteren Ritter vor. Ich war zufrieden. Mutters Geschichte war zweifelsohne wahr.

Peng! Die Esszimmertür, eben hinter uns geschlossen, fliegt noch einmal auf und knallt gegen die Anrichte. Herein poltern Konstantin und Caroline, er sieben, sie fünf, und schielen vor allem nach mir, während sie kichernd an uns vorbeirennen. Wahrscheinlich wollen sie mir zeigen, was sie sich zu Hause alles herausnehmen dürfen.

Onkel Yps schnalzt nachsichtig in Richtung der Kinderschwester – Babette? Bernadette? Ich habe bei der Vorstellung nicht aufgepasst, war völlig in Bann geschlagen von dem blonden Haarkranz, der so straff um ihren Kopf geflochten ist, dass sie beinahe schielt. Sie knickst und läuft rot an, »Verzeihung, Herr Graf!«, um eilig hinter den Kindern her ins Nebenzimmer zu huschen, wo ein weiterer kleiner Tisch gedeckt ist.

Ich höre die drei zusammen lachen. »Soll ich auch?« Unschlüssig weise ich hinaus.

»Aber Fritzi, du bist vierzehn, du sitzt doch nicht mehr am Kindertisch!« Tante Ina greift nach dem Klingelzug, der das Glöckchen in der Küche in Gang setzt. »Omama ist noch bei Leuschners. Wir sollen schon anfangen.«

Die Privilegien des Adels mögen Vergangenheit sein, die Traditionen sind es längst noch nicht: Es ist Omama, »unsere Mutter des Dorfes«, an die sich die Leute wenden, wenn getröstet, geschlichtet oder eine schwierige Entscheidung getroffen werden muss. Herr Leuschner, der Urgroßvater der Pächterfamilie, liegt im Sterben. Vor rund vierzig Jahren hat er Omama mit der Kutsche zu ihrer Hochzeit gefahren.

»Oh Herr, schenke ihm einen sanften Tod und nimm ihn auf in dein Reich …« Onkel Yps schließt Opa Leuschner ins Tischgebet ein, und während die Hausmädchen die Suppe auftragen, geht er ernst und würdevoll zur Anrichte, zieht die oberste Schublade auf und nimmt eine frische weiße Kerze aus einer Schachtel.

»Möchten Sie noch etwas Einlage, Fräulein Philippa?«

Der kräftige Duft der Suppe steigt mir in die Nase. Jette hält die Schüssel, Lore gibt sich Mühe, möglichst viel Hühnerfleisch für mich herauszufischen; wahrscheinlich hat sich herumgesprochen, dass ich aus Berlin komme und aufgepäppelt werden soll. Dass ich kaum hinschaue, muss sie irritieren.

An der Anrichte stellt Onkel Yps die Kerze für den Sterbenden in einen Ständer und entflammt ein Streichholz. Für einen Augenblick versinken sie im Licht, Onkel, Streichholz, Kerze … und ehe ich mich's versehe, stehe ich schon neben ihm.

»Kann ich eine zweite anzünden? Bei uns im Haus ist auch jemand gestorben, und als wir gerade zur Beerdigung wollten, kam der Alarm …«

Er hält mir lächelnd die Schachtel hin und ich greife hinein, schließe voll Freude meine Hand um eine der kühlen, glatten Kerzen.

Oma Luchterhand soll ihren Abschied bekommen! Mutter wird sich freuen!

Nur eine Kerze, Fritzi? Nur eine Kerze?

Alles in Ordnung, Kind …?

Eine alte Nachbarin, glaube ich.

Arme Fritzi, hattest sie wohl gern.

Ich hasse es aufzufallen. Warum manche Leute es darauf anlegen, wird mir auf ewig ein Rätsel bleiben. Die verlegenen Gesichter! Und wie alle tun, als sei nichts gewesen. Ich jedenfalls fühle mich deshalb nicht weniger albern und gedemütigt.

Immerhin geben meine Tränenschleier allmählich wieder einen Blick frei, zumindest den Ausschnitt eines Blicks: das Muster des Tischtuchs, das Muster am Boden der Suppentasse, das Emblem auf dem Löffel. Meine Hand, die an der Serviette zupft wie an den Saiten eines Musikinstruments. Bloß nicht zu Lexi sehen, sonst sagt sie es am Ende noch: *Wenn du so weiterzupfst, kommt ein Ton raus!*

Ich pruste los. Auch das noch. Glücklicherweise haben

gleich drei Verwandte ein Taschentuch parat, sonst hätte ich dem Namen Klexchen alle Ehre gemacht.

»Vierzehn!«, sagt Tante Ina so unvermittelt, als habe sie eben eine Erklärung für mein unvorhersehbares Verhalten gefunden: *Mädchen + vierzehn = außer Kontrolle!* Aber sie will nur wissen: »Dann bist du ja jetzt im BDM?«

Oh weh. Falsche Frage, Tante Ina. Die falscheste Frage von allen. Aber kommt es noch darauf an? »Nein, Tante Ina, ich bin nicht im BDM.«

»Ach«, meint sie, »dann nehmen sie dich eben hier im Dorf auf. Es sind nette Mädchen, da findest du schnell Anschluss. Ganz schnell, du wirst sehen.«

Ich fühle ihren erwartungsvollen Blick auf mir ruhen. Gut, dass am Rand der leeren Suppentasse noch eine winzige Nudel klebt. Je winziger die Nudel, desto intensiver kann man sich damit beschäftigen, sie durch die Tasse zu schieben.

Geschafft. Die Verwandten verlieren das Interesse an mir. »Sehe ich Nelly noch, wenn ich übermorgen fliege?«, fragt Lexi.

»Aber sicher, sie kommt morgen Nachmittag. Habt ihr eigentlich schon gehört …?«

Die Tanten lächeln verschwörerisch. »Max und ich sollen Paten werden!«, verrät Lexi.

Ja, hätte ich denn sagen sollen: *Ich will gar nicht in den BDM …?* Zu Tante Ina, deren Mann Marinerichter ist, Todesurteile zu verhängen hat, der selbst in der Freizeit seine Uniform nicht auszieht? Lore nimmt mir mit ernstem Gesicht die Suppentasse ab und stellt einen großen Teller vor mich hin; in den Schüsseln sind Braten, Kartoffeln und Bohnen.

Der BDM also. Aus der Sache komme ich nicht heraus. Wer

sich am Lautlitzer Tisch satt isst, wird tun müssen, was man von ihm erwartet.

Fast acht. Auch Mutter wird jetzt am Tisch sitzen und im Licht der Petroleumlampe mit Frau Wahl Karten spielen, Olesia liegt reglos in ihrem Spalt zwischen dem Bett und der kalten, feuchten Wand. Immerhin mit einem großen Stück Kaninchen im Magen. Wenn es nur woanders trifft heute Nacht …

»Zeichnest du eigentlich noch, Fritzi?«, fragt Tante Ina.

Das war Fabian.

Keiner sagt etwas, aber der Satz hängt in der Luft. »Nein, ich zaubere jetzt«, antworte ich rasch und drehe mich zur Seite, wo Lexi sitzt. Damit hat sie wohl nicht gerechnet. Für einen winzigen Augenblick sehe ich sie … nein, nicht zurückweichen, aber viel fehlt nicht. Erschrocken, ungeschützt wie vorhin in ihrer Wohnung, und ganz und gar nicht lustig.

Wie schön – ich bin nicht die Einzige, die etwas zu verbergen hat! Mit einer leichten Drehung meines Handgelenks ziehe ich die Münze hinter Lexis Ohr hervor und nehme den Applaus entgegen.

Du solltest das weiter üben, Fritzi. Du bist viel besser als ich. Vielleicht schenke ich ihn dir, meinen Zauberkasten …

Tante Ina springt auf, läuft nach nebenan und holt Konstantin und Caroline: »Eure Kusine kann zaubern!« Ich zeige zwei Kartentricks, lasse einen Apfel von einer Schüssel in die andere wandern und Onkel Yps' Armbanduhr aus einer Serviette verschwinden. Tante Ina ist, glaube ich, genauso froh wie ich selbst, dass wir gerade auf etwas gestoßen sind, das an mir weder seltsam noch beunruhigend ist.

»Aber was ist mit meiner Uhr?«, fragt Onkel Yps, während

Lore das Kompott bringt. Konstantin und Caroline haben da bereits die Plätze rechts und links von mir erobert und drängen und schubsen: Wie macht sie das …?

Mit großer Konzentration wringe ich die Serviette zu einem kleinen Ball. Alles starrt, die Kinder mit offenem Mund, die Erwachsenen fast noch gespannter, weil sie mein Problem erkannt haben: Konstantin und Caroline rücken mir dermaßen auf den Leib, dass ich den Trick kaum zu Ende bringen kann, ohne dass sie mir dahinterkommen!

Lass es ruhig erst mal schiefgehen, dann ist das Publikum um so glücklicher, wenn es nachher klappt …

Ich puste über die Serviette und weise die Kinder an, es mir nachzutun. Sie pusten, dass ihnen die Augen aus dem Kopf treten. Und nun – alle aufstehen! Es ist so still, dass man eine Stecknadel fallen hören könnte. »Bitte treten Sie etwas näher, wir müssen uns jetzt alle konzentrieren!«, fordere ich die Hausmädchen auf, bevor ich die Hand mit der Serviette ausstrecke. Mit einem einzigen Ruck schlage ich sie auf, Caroline springt vor Schreck zurück.

Ein Raunen. Keine Armbanduhr – und die Tür geht auf und Omama tritt hindurch! »Was ist denn hier los?«, ruft sie.

Die Spannung der Kinder entlädt sich in einem gemeinsamen Aufschrei: »Sie hat dich hergezaubert! Sie hat dich hergezaubert!«

Blitzschnell lasse ich die Armbanduhr aus meinem Ärmel in die Serviette fallen. Lexi, der Einzigen außer mir, die trotz Überraschung nicht den *Trick* aus den Augen verloren hat, kann das nicht entgehen. Unsere Blicke treffen sich, sie lacht übers ganze Gesicht. Niemand weiß einen unerwarteten Versuchsausgang mehr zu schätzen als eine Physikerin!

Langsam beginnt sie in die Hände zu klatschen und die anderen fallen ein. »Welch eine Begrüßung! Hergezaubert hat man mich noch nie.« Omama ist gerührt.

»Vielleicht hast du's bloß nicht gemerkt«, meint Onkel Yps.

Eure Kusine kann zaubern!

Dass ich das vergessen hatte ... in eine Kiste zu greifen, ein Tuch, ein paar Würfel, ein Kartenspiel hervorzuholen, und augenblicklich die gespannte Stille zu spüren: wie gern sich die Menschen zum Staunen bringen lassen! Vielleicht ist das der eigentliche Zauber und nicht der verschwundene Ring oder der wandernde Ball.

Natürlich habe ich lange geübt. Ich war geduldiger als Antonia und deshalb bald besser als sie, obwohl es ihr Zauberkasten war. Sie hatte ihn von ihrem Vater bekommen, der in Nordafrika stand und in unserem ersten Oschgauer Winter in britische Gefangenschaft geriet. Antonias Mutter erfuhr es durchs Rote Kreuz.

»Für Papi ist der Krieg vorbei, Gott sei Dank!«, flüsterte Antonia mir im Schlafsaal zu. Laut sagte sie: »Armer Papi, nun kann er nicht mehr für den Sieg kämpfen!«

Auch für Piotr haben wir gezaubert. Er brachte uns hübsche kleine Gegenstände, die wir in unser Repertoire einbauten – ein kleines blau gesprenkeltes Ei, eine Eichelhäherfeder, einen perfekten Stein. Ich gewöhnte mir an, mit gesenktem Kopf zu gehen, damit ich nichts übersah, was wir für den Zauberkasten brauchen konnten. Aber so schöne Dinge wie Piotr habe ich nie gefunden.

Geübt habe ich, in jeder freien Minute. Und dann? Kein

Zauber hat Piotr geschützt. Das Ei, die Feder und den Stein habe ich weggeworfen, und da war auch noch eine winzige geschnitzte Flöte, die zwei verschiedene Töne hervorbrachte.

Ich kann zaubern. Ich kann es nicht. Philippa Bredemer, Illusionistin.

Omama erzählt von Leuschners, und wie die ganze große Familie Abschied genommen hat: Kinder, Enkel und zwei Urenkel mit großen Augen; alle haben den alten Mann, der bereits hinüberdämmerte, noch einmal auf die Wange geküsst. »So ein wunderschöner, friedlicher Tod«, sagt Omama, »das wünsche ich uns allen, aber das wird keiner von uns haben, solange dieser grässliche Mörder Hitler …«

Hoppla. Eigentlich bin ich bereits tief in meinem Sessel versunken und kann die Augen kaum noch offen halten; die Erwachsenen sitzen im Wohnzimmer beim Kaffee und haben entweder vergessen, mich zu Bett zu schicken, oder ich gehöre nun tatsächlich zu ihnen! »… solange dieser grässliche Mörder Hitler die ganze Welt im Würgegriff hat«, sagt Omama.

Ich riskiere ein Auge. Sie sitzt aufrecht im Sessel und blickt böse. Omama hat die Angewohnheit, an ihrer Frisur zu zupfen, wenn sie nachdenkt, und zu dieser späten Stunde umwehen ihren Kopf einzelne bebende Haare wie die Tentakel einer Seeanemone.

»Die ganze Welt ist es längst nicht mehr«, erwidert Onkel Yps gelassen. »Der Krieg kehrt dorthin zurück, wo er begonnen wurde. Nach Stalingrad hatte ich nicht erwartet, dass es überhaupt so lange dauern würde.«

»Du bist mir der Richtige! Ihr Offiziere sorgt doch selbst dafür, dass es kein Ende nimmt. Der Krieg ist verloren, das wissen alle, doch was macht der Generalstab, was macht mein

Sohn Georg? Der kleine Manfred Leuschner hat den Stellungsbefehl erhalten, und mit ihm sein ganzer Jahrgang. Ich werde nicht Lehrer, ich werde Kanonenfutter, hat er zu mir gesagt!«

Omamas Stimme bricht. »Er soll lieber aufpassen, was er redet«, murmelt Tante Ina. »Zweifel am Sieg gelten als Wehrkraftzersetzung. Die Gerichte werden überschwemmt von Defätismus-Prozessen.«

»Na und? Wer zwingt die Richter zu verurteilen? Grüß Eckhardt von mir, wenn du ihn siehst! Wann macht endlich einer den Anfang und sagt: In meinem Gericht nicht!?«

Tante Ina beißt sich auf die Lippen. »So einfach ist das nicht«, springt Lexi ihr bei. »Das hätte viel früher passieren müssen. Wer sich jetzt verweigert, steht selbst an der Wand. Seinen Kopf wird niemand mehr riskieren, gerade weil der Krieg zu Ende geht. Irgendwie durchhalten, bloß nicht jetzt noch ins Gras beißen, lange kann es nicht mehr dauern …«

»Redet ihr nur«, murmelt Omama. »Was Hitler aus uns gemacht hat, ist eine Schande. Feiglinge, Duckmäuser, Denunzianten. Davon erholen wir uns nicht! Fronarbeit für die Russen werden wir leisten, nur weil niemand aus diesem ganzen goldbehängten Haufen den Mut gefunden hat, einem kleinen Mann eine Kugel in den Kopf zu schießen.«

Lexi stößt einen kurzen Laut durch die Nase, der wohl ein Lachen werden sollte, aber auf halbem Weg aufgibt. Omama blickt herausfordernd, Tante Ina schockiert, Onkel Yps schuldbewusst. Ihnen allen gemeinsam ist, dass sie plötzlich auf *mich* blicken. Erst da wird mir bewusst, dass ich aufgestanden bin.

Aufgesprungen, um genau zu sein. Aufgesprungen, um zu rufen: Seid still! Lasst den Führer in Ruhe! Wisst ihr denn nicht, dass er Tag und Nacht an nichts anderes denkt, für nichts anderes lebt als das Wohl unseres Volkes?

Die Worte lodern in mir, bereit hervorzubrechen. Da stehe ich, alle schauen mich an, ich mache den Mund auf und sage: »Ich glaube, ich gehe jetzt besser zu Bett.«

Und meine Stimme, ich kann es nicht fassen, klingt weder flammend noch empört, sie klingt entschuldigend.

»Du Armes!«, meint Omama. »Nun haben wir noch gar nichts von dir gehört. Aber geh nur schlafen, du musst zu Tode erschöpft sein nach den schrecklichen Wochen in Berlin. Ruh dich aus, Fritzi, und morgen erzählst du uns von deiner Zeit in Ostpreußen ...«

Das fehlte gerade noch! Aber mit derselben falschen Stimme wie eben antworte ich: »Gern, Omama. Danke, dass ich hier sein darf.«

Über Omamas Gesicht huscht ein Lächeln. »Ach, Herzchen, das ist doch selbstverständlich.«

Ich sehe niemanden an im Hinausgehen. Ich will nichts mehr hören, nur noch hinaus, aber ich halte die Luft an; mir ist klar, dass sie noch nicht fertig sind.

»Wisst ihr, was Georg gesagt hat, als ich mich nach seiner neuen Aufgabe erkundigt habe?«, fragt Omama, noch während ich die Tür hinter mir zuziehe. »*Ich sitze an meinem Schreibtisch und schicke Tausende in den sinnlosen Tod.*«

Feiglinge, Duckmäuser, Denunzianten. Dagegen ist nichts zu sagen. Das brennt auch mir auf der Seele, als ich wie ein Verräter die Treppe hinaufschleiche: Ein schmählicher Rückzug ist es geworden! Als ob das, was ich hätte tun müssen, sagen müssen, verlangen müssen, Mut gekostet hätte.

Die Generäle taugen nichts – das ist nichts Neues. Sie pfuschen dem Führer ins Handwerk, widersetzen sich, handeln eigenmächtig. Sie misstrauen den Visionen des Führers, weil sie selbst keine haben. Nur unbedingter Gehorsam gegen unseren Führer kann den Krieg noch herumreißen. Wenn der Führer nicht wäre – nicht auszudenken, was aus uns würde!

Die Generäle sind schuld! An Stalingrad, der Invasion in der Normandie und an den abscheulichen Verbrechen, zu denen sich kleine Teile der Truppe zur Freude der Feindpropaganda offenbar haben hinreißen lassen. Kaum ist die Wohnzimmertür zu, fällt mir alles wieder ein.

»Er müsste sich öfter zeigen«, hat sich Antonia gewünscht. »Wenn er sich wieder zeigen würde, wäre die Moral im Volk so viel besser!«

Um meine Freundin herum nickte es eifrig.

»Aber es ist klug von ihm, sich nicht mehr zu zeigen«, widersprach Ellen. »Er hat seine Menschen bis ins Innerste durchschaut. Wir werden ihn erst wieder sehen, wenn wir den Sieg errungen haben. Auf diese Weise hält er die Sehnsucht in uns lebendig.«

Wir hingen an ihren Lippen. »Es hängt allein von unserem Glauben ab«, beschwor uns Ellen. »Wollt ihr daran glauben, Kameradinnen?«

Ein vielstimmiges Ja! scholl ihr entgegen. »Dann werden wir ihn bald sehen!«, versprach sie.

Mein Ja würde heute nicht mehr so kraftvoll ausfallen, aber wenigstens die Sehnsucht scheint noch irgendwo in mir zu leben: Mit der Erinnerung fährt mir ein messerscharfer, heißer Stich ins Herz. Wie gut es war, zu etwas bestimmt zu sein! Nichts zu wissen von Zweifeln, oder dass man in Züge und

Flugzeuge steigen kann und dennoch das Gefühl behält, nirgends anzukommen.

Wäre ich doch nur in Oschgau geblieben! Hätte ich doch nur vertraut! *Es ist nichts passiert, Fritzi. Du hast nichts falsch gemacht. Falsch ist nur, wie du darüber denkst …*

Wie ich die Kameradinnen vermisse! Mit jedem Schritt entferne ich mich seither von allem, was ich mir wünsche. Mutters Gesetzesbrüche, die geballte Mutlosigkeit im Keller, die Feindseligkeiten auf der Straße … und nun, gewissermaßen als Krönung, Omama! Dass sie den Führer nicht ausstehen kann, ist in der Familie kein Geheimnis, aber Kugel in den Kopf …? Du lieber Gott, sie ist noch schlimmer als Oma Luchterhand!

Hätte ich doch geredet, eben im Zimmer. Vielleicht hätte ich etwas zurückgewonnen von dem, was in Oschgau geblieben ist. So fest wie Ellen und Antonia glaube ich nicht, das ist leider wahr, aber denken wie Omama? Noch viel weniger.

»Möchten Sie vielleicht ein Bad nehmen, Fräulein Philippa?«

Im ersten Stock steht Lore am Treppenabsatz und lächelt. »Ich lasse Ihnen ein Bad ein, wenn Sie möchten. Die Gräfin Alexandra hat sich für morgen Früh auch eins bestellt.«

Ein Bad! Ein heißes Bad! Dass es solchen Luxus gibt, hatte ich längst vergessen. In Oschgau wurde einmal pro Woche eine kleine Zinkwanne in die Wohnküche geschleppt, in der man sich hinter einem Vorhang hastig schrubbte, während draußen schon der Nächste wartete; in Berlin gab es nicht einmal das. »Ich mache es sofort fertig, Fräulein Philippa!«, sagt Lore verheißungsvoll – das Verlangen steht mir wohl ins Gesicht geschrieben.

»Bitte nennen Sie mich nicht *Fräulein!* Fritzi reicht! Und *Sie* muss auch nicht sein.«

»Ich weiß nicht …« Sie beißt sich auf die Lippen, aber ihre Augen funkeln, natürlich wird sie es tun! »Wenigstens, wenn wir unter uns sind«, schlage ich vor.

Wir schütteln einander die Hand. Lore ist achtzehn und wartet auf ihren Einsatz als Gesundheitsdienstmädel, aber ein paar Wochen ist sie noch hier. »Dann bekommt ihr eine Polin«, meint sie, und aus irgendeinem Grund macht mir das plötzlich nichts mehr aus.

»Klar«, gebe ich zurück, »hatten wir in Ostpreußen auch.«

Ich sinke ins warme Wasser, das nach Zitrone duftet, und schließe die Augen. Lore hat mir Shampoo hingestellt, wird mir nachher helfen, die Haare auf Wickler zu drehen.

Und plötzlich weiß ich: Tante Ina hat Recht. Ich kann in Lautlitz zum BDM. Ich werde noch einmal von vorn anfangen – hier, wo mich niemand kennt. Eine neue, alte Fritzi, ohne Ausflüchte, ohne Angst vor Schatten. Schluss damit! So wie in den letzten Wochen darf es mit mir nicht weitergehen. Ich kann zaubern, oder etwa nicht?

Ich will mein Leben zurück! Diesmal kann ich es besser machen.

Friendly fire nennen es die Amerikaner, und weshalb sie für das Schändlichste, das einer Truppe im Krieg passieren kann, eine derart harmlose Bezeichnung gewählt haben, bleibt ihr Geheimnis. Beschuss aus den eigenen Reihen! Hier auf Schloss Lautlitz! Nein, es wundert mich ganz und gar nicht, dass Lexi über die Diskussion mit Omama kein Wort verliert, als wir uns nach meinem Bad im Zimmer wiedersehen.

Eigentlich muss ich ihr dankbar sein. Hätte Lexi den Führer verteidigt, hätte Omama nicht weitersprechen können, und hätte Omama mich nicht durchgerüttelt, würde ich jetzt nicht so klar sehen. Aber seltsam ist es doch, seltsam und ärgerlich. Lexi steht in *seinen* Diensten! Den Eid hat sie nicht leisten müssen, aber gibt es nicht trotzdem eine Treuepflicht …? Lore würde schließlich auch nicht einfallen, Omama die Suppe in den Schoß zu gießen, bloß weil es nicht mehr lange dauern wird mit ihrer Anstellung auf dem Schloss.

»Der Krieg ist verloren«, hat Lexi bestätigt, anstatt Omama zurechtzuweisen, und: »Niemand wird jetzt noch seinen Kopf riskieren.«

Und dabei hat sie ganz gemütlich auf dem Sofa gesessen und mit ihren Orden geblinkt.

Friendly fire. Dass sie sich nicht schämt!

»Aha! Du hast Berlin abgewaschen!«, begrüßt sie mich.

Von ihrem Schreibtisch aus hat sie die Hälfte meines Zimmers im Blick; nur wenn ich auf dem Bett sitze, kann ich ihr ausweichen. Und plötzlich ärgert mich, wie sie fortwährend ins Schwarze trifft. Wer gibt ihr eigentlich das Recht, dauernd in meinem Innersten zu stochern? Herausfordernd postiere ich mich im Türrahmen zwischen unseren beiden Räumen und verschränke die Arme. »Nicht nur Berlin!«

Leider habe ich nicht bedacht, wie albern man sich in Lockenwicklern fühlt. Der Anflug von Heiterkeit, der über Lexis Gesicht huscht, ist fast nicht zu erkennen, aber meine Wangen beginnen sofort zu glühen. »Ganz frisch und neu?«, bemerkt sie hintersinnig.

Böse knurre ich zurück: »Der Himmel bewahre mich vor zu klugen Tanten!«

Zack! Das muss gesessen haben. Sie sagt gar nichts mehr, wendet sich den Schreibarbeiten zu, die sie über den Tisch verteilt hat, und setzt ein Geodreieck an ein Lineal. Handgeschriebene Notizen von einem Block verwandeln sich in eine saubere mathematische Kurve. Als ich fünf Minuten später ins Bett schlüpfe, ist immer noch Schweigen zwischen uns; erst als ich das Licht lösche, höre ich Lexi den Stuhl zurückschieben, aufstehen und zwei, drei Schritte durchs Zimmer gehen. Mit einem nicht unfreundlichen »Schlaf gut, Klexchen!« schließt sie die Verbindungstür.

Das habe ich befürchtet. Alles, alles glaubt sie zu wissen! Aber dass ich die Stille fürchte wie nichts auf der Welt, dafür reicht ihre Vorstellungskraft nicht. Nur ein winziger Lichtschein fällt noch durch den Türspalt zwischen unseren Zimmern.

Das wird nicht reichen. Nein, ich merke es bereits, das reicht ganz und gar nicht. Aber aufstehen? Aufstehen und kleinlaut fragen: Können wir die Tür offen lassen?

Nein!, weise ich mich zurecht. Die Tür bleibt zu! Ich werde die geschlossene Tür als Test nehmen, als Test für die Ernsthaftigkeit meiner Vorsätze.

Ich schließe die Augen. Na bitte! Und ganz so still ist es gar nicht. Mein eigenes Herz pocht so laut, als läge jemand neben mir und klopfte einen Takt aufs Kissen.

»AUFMACHEN, DU SCHWEIN, WIR WISSEN, DASS DU HIER BIST!«

Nein. Nein, ich fahre nicht hoch! Ich erlaube mir nur, ganz kurz die Augen zu öffnen. Ich bin in Lautlitz! Ich bin nicht allein! Durch den Türspalt fällt immer noch Licht.

Ich muss an etwas Schönes denken. Was gibt es Schönes,

das klopft? Zu dumm, mir will nichts einfallen, aber als ich mich auf die andere Seite drehe, höre ich auch mein Herz nicht mehr schlagen. Es rauscht höchstens ein wenig im Ohr. Es rauscht wie das Wasser für die Tiere, wenn man es aus dem Brunnen heraufgezogen hat und in die Eimer schüttet …

»WIRST DU DIE VERDAMMTE KURBEL LOSLASSEN, DU DRECKIGER DIEB?«

Ich springe, ich fliege aus dem Bett. Lexi zuckt zusammen, als ich ihr fast ins Zimmer falle. »Kann ich die Tür auflassen? Nur einen Spalt? Ich störe dich auch nicht!«

Die Worte sprudeln hervor; mein Hals schmerzt, als hätte ich geschrien.

»Es ist verdammt dunkel auf dem Land, nicht wahr?«, meint Lexi mitfühlend.

»Es ist nicht die Dunkelheit. Es ist die Stille …«

Ich weiß selbst nicht, warum ich das zugebe. Lexi lehnt sich zurück. »Kaum auszuhalten«, stimmt sie zu. »Was glaubst du, warum ich die halbe Nacht arbeite, wenn ich hier bin?«

»Wirklich?« Meine Knie werden weich vor Erleichterung. »Wirklich?«, wiederhole ich ungläubig.

»Ich bin ein Grübler«, erwidert sie schulterzuckend, »wir schlafen immer schlecht. Ich habe alles probiert: Schäfchen gezählt, Wölkchen gezählt, von tausend rückwärts gezählt … ich habe sogar den Wasserhahn in der Küche tropfen lassen und die Tröpfchen gezählt. Nichts hilft. Zurzeit male ich Diagramme.«

In komischer Verzweiflung verzieht sie das Gesicht. »Tut mir leid wegen vorhin«, flüstere ich. »Ich bin stolz, dass ich eine kluge Tante habe. Es ist manchmal etwas unheimlich, aber sonst habe ich nichts daran auszusetzen.«

»Versuch zu schlafen, Klexchen«, sagt sie sanft. »Ich werde wie verrückt mit Papier rascheln.«

Ich drücke ein lächelndes Gesicht in mein Kissen, als ich wieder im Bett liege. Neugierig horche ich nach nebenan, höre, wie Lexi Seiten umblättert, wie ihr Bleistift leise über das Papier kratzt. Wie er über den Tisch rollt und zu Boden fällt.

»War das jetzt übertrieben?«, fragt sie mit einem Lachen in der Stimme.

Aber da bin ich schon zu schläfrig, um zu antworten.

Fünf

Lore hat ihre eigenen Theorien über die Mitglieder meiner Familie, und dass sie sie mit mir teilt, kann nur damit zusammenhängen, dass ich in ihren Augen nicht richtig dazugehöre. Nicht, dass sie es mir sagen müsste – ich spüre es schließlich selbst. Ich trage einen anderen Namen, bin weder Gräfin noch Komtess, weder Kind noch eine der Erwachsenen. Ich stehe, nein: ich *bin* dazwischen. Unter anderem stehe und bin ich zwischen den Lautlitzern und dem Hauspersonal.

Was meine Freundschaft mit Lore betrifft, ist das nicht der schlechteste Stand: Sie mag vier Jahre älter sein als ich, hat aber genügend Achtung vor mir und meinem Platz im Haushalt, um mich mit Respekt zu behandeln. »Und welchen deiner Onkel magst du am liebsten?«, fragt sie, während wir nach dem Frühstück im Garten Wäsche aufhängen.

Das heißt: Natürlich hängt Lore die Wäsche auf, aber nach einigem Hin und Her hat sie mir gestattet, die Klammern anzureichen. Es darf um Himmels willen nur nicht so aussehen, als ob ich arbeitete. »Was glaubst du, was ich in Ostpreußen getan habe?«, wundere ich mich. »Ich habe sogar geholfen, eine Jauchegrube auszuheben.«

»Hier bist du nicht in Ostpreußen. Wenn Witta sieht, dass ich dich arbeiten lasse, bin ich dran!«, sagt Lore schlicht. »Du darfst mir die Klammern anreichen, aber stell dich hinter die Wäsche.«

Na schön. Gehorsam verschwinde ich hinter den wehenden Laken und halte den Klammerbeutel. »Ich mag Onkel Max am liebsten«, teile ich Lore mit, »aber das ist kein Wunder, denn er ist der Einzige, den ich besser kenne.«

»Ich«, verkündet sie, »ich liebe deinen Onkel Georg.«

Wir müssen beide kichern. »Aber stört es dich denn nicht … ich meine … er muss doch jetzt ziemlich schlimm aussehen …«

»Wer hat das behauptet?« Lore ist so entrüstet, dass sie die Wäsche in den Korb zurückwirft; sie baut sich vor mir auf und stemmt die Hände in die Hüften. »Er ist immer noch derselbe, nun eben mit Augenklappe und Kunsthand. Und? Das kann ihm nichts anhaben! Selbst als er letzten Sommer zur Erholung hier war, ganz dünn und blass und direkt aus dem Sanatorium …« Sie seufzt. »Er ist einfach der schönste Mann auf Erden. Und erst sein Lachen! Man müsste es auf Schallplatte aufnehmen und an Regentagen rauf- und runterspielen.«

Lore ist selbst sehr hübsch, finde ich. Sie hat blaue Augen, weißblondes Haar und eine Stupsnase; sie sieht aus wie eine ganz junge Kristina Söderbaum. »Wenn Damen zum Abendessen kommen, reißen sie sich darum, deinem Onkel das Fleisch auf dem Teller zu schneiden«, erzählt sie. »Er sitzt dann dabei und sieht zu und hält das alles für sehr lustig.«

Onkel Eckhardt hingegen findet Lore ein wenig Furcht einflößend, »wie er immer so dasteht und denkt«, sie geht nur auf Zehenspitzen vorbei, um ihn nicht zu stören. Und Max? Max trinkt zu viel! Ich bin schockiert.

»Nicht, dass man ihn je betrunken erlebt!«, fügt Lore rasch hinzu, als sie mein entgeistertes Gesicht bemerkt. »Aber er genießt es eben, Wein und feines Essen, er hat einen guten Schluck und dann erzählt er schlechte Witze.«

»Ich habe Onkel Max nicht einen einzigen schlechten Witz erzählen hören, als ich bei ihm und Tante Lexi gewohnt habe«, erkläre ich beleidigt.

»*Sehr* schlechte Witze«, wiederholt Lore mit Nachdruck. »Witta sagt, wir sollen nicht zuhören, das ist immer noch die Herrschaft, sagt sie, aber für solche Witze kann man ganz schnell ins Gefängnis kommen.«

»Ach«, murmele ich betreten, »*solche* Witze ...«, und plötzlich finde ich es gar nicht mehr so angenehm, mit Lore hier zu stehen, die mehr über meine Familie weiß als ich.

Ob sie auch anderen davon erzählt hat? Oder noch erzählen wird, wenn sie demnächst ...?

Als hätte sie meine Gedanken erraten, sagt sie: »Fritzi, was ich hier gehört habe, wird diesen Ort nicht verlassen. Ich bin gern hier, alle sind freundlich und behandeln mich gut. Ich habe nicht die Absicht, jemandem zu schaden.«

Aber du könntest es!, denke ich, und sie merkt mir wohl an, dass ich es denke, denn mit einem Mal wird es ziemlich still zwischen uns, während ich ihr mechanisch Wäscheklammern anreiche, bis der Inhalt des Korbes auf der Leine hängt.

Dann sage ich: »Du könntest es nämlich nicht zurücknehmen. Selbst wenn du wolltest.«

»Das brauchst du mir nicht zu sagen. Glaubst du, das wüsste ich nicht?« Langsam gehen wir zum Haus zurück. »Du kannst mir trauen«, bittet Lore. »Ich weiß doch, dass dein Onkel solche Witze nur macht, wenn er getrunken hat, und dann zählt es nicht.«

Was bleibt mir übrig? Ich bleibe stehen, sie auch, und wir schauen uns in die Augen. »In Ordnung. Ich vertraue dir«, erkläre ich nach einigen Sekunden.

Vertrauen – was heißt das schon? Aber jetzt ist ein Wort in ihrem Kopf, an das sie sich erinnern wird, wenn sie je in Versuchung gerät, etwas über meine Familie zu verraten.

Lexis Bett sieht aus wie ein Schlachtfeld. Erst gegen Morgen muss der Schlaf sie bezwungen haben, irgendwann war das Licht in ihrem Zimmer aus und als ich zum Frühstück hinunterging, war von ihr nichts als ein dunkler Schopf und ein Arm zu sehen, der seitlich aus der Decke hing. Sie lag mit dem Gesicht zuunterst, wie ein Soldat, dem man von hinten in den Rücken geschossen hat.

»Lexi ist eine Schlafmütze«, meint Tante Ina, die offenbar keine Ahnung hat von *unserem Problem*, »vor dem Mittagessen kommt sie nie aus dem Bett, es sei denn, Onkel Yps hält ihr einen Wecker ans Ohr, weil er sie auf die Pirsch mitnehmen will.«

Diesmal hat sie sich geirrt, es ist erst halb elf und »die Gräfin Alexandra« liegt bereits in ihrem bestellten Morgenbad. An der Treppe begegne ich Jette, die eine pechschwarze Tasse Kaffee nach oben trägt. »Das Zimmer mach ich gleich anschließend, Fräulein Philippa.«

»Ach du Schreck«, murmele ich auf der Türschwelle.

Der Luftzug aus den offenen Fenstern hat ganze Arbeit geleistet: Wie die bunten Blätter eines Herbststurms verteilen sich Lexis Papiere über Bett und Fußboden. Sogar im Blumenstrauß steckt eins und beginnt passenderweise mit den Worten: *Mein liebster Schatz!* Es wird ihr nicht recht sein, dass ich es aufsammle – aber besser ich als Jette. Akkurat beschriftete Zeichnungen, mehrere Briefe … ich versuche alles diskret aufzuheben, ohne zu lesen.

Bis mir plötzlich mein eigener Name entgegenspringt!

Wenn man den eigenen Namen im Brief einer zweiten an eine dritte Person entdeckt, sollte man besser die Finger davon lassen. Dieses Wissen sollte zum Allgemeingut zählen: Lesen verboten! Nichts wie weg!

In wenigen Sekunden wird mein Leben um diese Erkenntnis bereichert sein.

»Ich habe meine Nichte Fritzi aus Berlin mitgebracht«, steht dort geschrieben, »gerade vierzehn geworden, aus undurchsichtigen Gründen aus der erweiterten Kinderlandverschickung (2 Jahre!!) ausgebüxt und total entfremdet von ihrer Mutter. Eine geballte Ladung Sprengstoff, die jeden Moment hochgehen kann, und zwischendurch wieder so süß und aufmerksam, dass es einen noch trauriger macht. Almut ist ganz verzweifelt. Ach Niko, in diesen Zeiten Kinder zu haben …! Willst du es dir nicht überlegen? Entschuldige, das meine ich nicht ernst, das weißt du, aber für mich selbst bin ich im Augenblick wieder ganz froh, dass es nicht hat sein sollen. Meine Professur ist übrigens so gut wie durch, die Arbeit war mit ›sehr gut‹ bewertet. Es könnte Straßburg werden, im Herbst weiß ich mehr …«

Wenigstens hätte ich bei *ihrer Mutter entfremdet* aufhören sollen, um mir *Almut ist ganz verzweifelt* zu ersparen, gar nicht zu reden von dem, was danach kommt. *Sprengstoff,* gut, das ist in Ordnung, so kommt es mir selber vor, aber *froh, dass es nicht hat sein sollen …*? Wieso muss ich das gleich zwei, drei, vier Mal hintereinander lesen? Als könnte ich es nicht beim ersten Mal schon glauben: Ich mache Lexi froh, dass sie keine Kinder hat.

Das ist das Schlimmste. Ich glaube, etwas Schlimmeres

kann man einem Menschen nicht sagen. Nicht, dass sie es *gesagt* hätte, zumindest nicht mir, aber das macht es nicht besser. Wie ein Schwert stecken die Worte in meiner Brust: *Froh, dass es nicht hat sein sollen.*

Im Flur geht eine Tür, ich höre Schritte näher kommen. Wie erstarrt habe ich auf Lexis Bett gesessen, jetzt springe ich zum Schreibtisch – nur weg mit dem Blatt! Es verstecken, egal wo. Sie wird es nachher finden und sich wundern, aber wissen, dass ich es gelesen habe? Woher sollte sie. Ich werde kein Wort darüber verlieren. Ich werde nur Bescheid wissen von jetzt an.

»Ach Klexchen, wie hübsch!«, sagt sie.

Ich blicke auf von dem Buch, das ich wahllos vom Nachttisch gegriffen habe, irgendwelche Gedichte, und schaue wie geistesabwesend von meinem Bett zur Tür. Da steht sie, blasses Gesicht, müde Augen, fragendes Lächeln, ist die Letzte, die ich an diesem Morgen begrüße, und die Erste, die meine Locken würdigt. Weder Omama noch Ina noch Lore haben ein Wort darüber verloren; ich dachte schon, ich hätte die ganze Nacht umsonst auf den pikenden Wicklern gelegen.

Da steht sie und macht diese winzige Aufwärtsbewegung mit den Armen; ich weiß gar nicht, ob es so gemeint war, aber in derselben Sekunde bin ich schon auf dem Weg, und wenn es nicht so gemeint war, dann ist sie so taktvoll, es nicht zu verraten. Lexi ist keine Kuscheltante, aber vorsichtig streicht sie mir erst über den Rücken, dann übers Haar.

Ich würde auch keine Kinder wollen in diesen Zeiten. Kinder, die auf Minen treten, Kinder, die zwei Jahre fort sind und nichts erzählen. Kellerkinder, Trümmerkinder. Verräterkinder, die einen Menschen auf dem Gewissen haben.

Waren da nicht auch andere Worte in ihrem Brief …? *Süß und aufmerksam* findet sie mich, *zwischendurch* wenigstens, und es macht sie traurig. Weil sie gern helfen würde und nicht weiß wie?

Später, das ahne ich bereits, werde ich mir den Kopf zermartern, warum ich Lexi nicht auf der Stelle, in diesem Augenblick, alles erzählt habe.

Der Moment verstreicht. Ein triumphierender, lang gezogener Laut schiebt ihn beiseite, ein Laut, der von weit her zu kommen scheint, sich aber rasch dem Haus nähert. Es klingt, als drückten ein Dutzend Hände gleichzeitig schon seit dem Dorfeingang auf eine Autohupe.

Ein Dutzend? Ein Dutzend Hände sind es nicht, aber immerhin acht. »Hurra!«, wappnet sich Lexi. »Einfall Nelly mit ihrer wilden Horde! Komm, das dürfen wir uns nicht entgehen lassen.«

Guntram, Eckhardt junior, Leopold, Marie: Wie aufgeregte junge Hunde purzeln sie aus Onkel Yps' Wagen, kaum dass die Tür einen Spalt geöffnet ist, und rennen über den geharkten Kiesweg auf uns zu. Gut, auf mich nicht, mich kennen sie nicht mehr, aber Omama und die Tanten werden frontal gestürmt, schließlich ist nicht für jedes Kind sofort auch ein Paar Arme vorhanden. Mariechen, die Kleinste, bleibt übrig und nimmt mit Omamas Bein vorlieb.

»Aber das ist doch nicht Fritzi …?«, ruft Tante Nelly, ein Zweifel, der sie nicht davon abhält, mir einen feuchten Kuss auf die Wange zu drücken. Bis dahin habe ich bescheiden am Rande der Treppe gestanden, der Begrüßungsorgie zugeschaut und mein vertrautes Fremdheitsgefühl ausgekostet. Kaum hast du dich an einen Verwandten gewöhnt, steht bereits der nächste vor dir, es nimmt kein Ende.

Tante Nelly kennenzulernen, dürfte jedoch leicht sein. Die jüngste und lebhafteste meiner drei Lautlitzer Tanten sieht aus wie eine Studentin im ersten Semester: flink und hübsch, mit einem Lächeln fast in der ganzen Breite ihres Gesichts. Überschwänglich streckt sie beide Arme in die Luft: »Herrlich! Wir Schwestern endlich einmal alle beisammen!«, und hüpft zwei Treppenstufen hinab, um Lexi unterzuhaken.

Da hält Onkel Yps, bevor er in den Wagen zurücksteigt, Lexi noch für einen Augenblick am Arm fest. »Sagen wir halb drei?«

»In Ordnung«, antwortet sie und ich sehe den Schatten, der über ihrer beider Gesichter huscht, sehe und verstehe nicht.

Vielleicht ein Vogel, der vorüberflog.

Vier Kinder, das fünfte unterwegs – Tante Nelly muss ein zuversichtlicherer Mensch sein als ich und Lexi. Im Januar soll es so weit sein. Ein Friedenskind, hoffentlich, sagt Omama.

Wir sitzen in Liegestühlen unter der Blutbuche, deren dichtes Dach Schatten spendet, auf der Wiese wechseln sich die Vettern und Kusinen zu sechst mit zwei Federballschlägern ab. »Wartet, bis sie sich wieder besser kennen«, warnt Tante Ina. »Dann geht es nicht mehr so gesittet vonstatten.«

»Ein Friedenskind«, wiederholt Nelly versonnen. »Glaubt ihr daran?«, und ohne zu zögern, erklärt ausgerechnet Lexi laut und bestimmt: »Ja!«

»Weißt du schon mehr …?« Ina beugt sich neugierig vor.

Lexi wehrt ab, aber dann muss sie doch mit der Sprache heraus. Sie ist häufig bei Onkel Georg und Onkel Eckhardt zum Abendessen – für sie nur ein kurzer Weg mit der Fähre über den Wannsee – und offenbar geben sich dort die interessantesten Leute die Klinke in die Hand, die alle der Meinung sind, es könne nicht mehr lange dauern.

»Gemein! Du siehst unsere Männer öfter als wir. Geht ihr etwa auch segeln?«

»Aber ja! Es ist unglaublich, wie geschickt Georg wieder ist«, erzählt Lexi lächelnd. »Er bindet sich sogar die Schuhe selbst – mit nur drei Fingern und den Zähnen.«

Tante Nelly stellt ihre Kaffeetasse ab. »Georg bedrückt etwas«, sagt sie. »Als er Sonntag anrief, war er ganz merkwürdig. Wollte nicht, dass ich mit den Kindern nach Lautlitz fahre, dabei war das schon lange geplant.« Sie hebt die Schultern. »Wenn ich die Fahrkarten nicht bereits gekauft hätte, hätte ich ihm den Gefallen getan, aber warum können sie einem nicht einfach sagen, was los ist?«

»Und das von dir!«, ruft Ina mit gespielter Entrüstung. »Wer macht denn immer so ein Prinzip daraus, sich nicht in Männersachen einzumischen? Erinnerst du dich? *Dem Mann den Rücken freihalten! Ihm bloß nicht im Wege stehen, ihn nicht zusätzlich belasten! Dienstliches geht mich nichts an!* Das waren deine Worte, ich hab sie noch im Ohr, und Eckhardt leider auch. Jedes Mal, wenn ich etwas von ihm wissen will, darf ich sie mir anhören.«

Tante Nelly läuft rot an. »Du machst es ganz richtig, Nelly«, kommt Lexi ihr zu Hilfe. »Georg kann auf dich zählen, das weiß er, und etwas anderes wäre für ihn im Moment auch gar nicht zu ertragen.«

Nelly sieht sie dankbar an. »Aber dass du dich bloß nicht damit zufriedengibst, wenn das alles wieder vorbei ist!«, fügt

Lexi hinzu, und nun lacht auch Ina, die einen Augenblick tief gekränkt dreingeschaut hat.

»Ich habe Glück mit meinen Schwiegertöchtern«, sagt Omama zu mir. »Mit allen dreien, so verschieden sie auch sind. Findest du nicht?«

Worauf die Tanten mich so verschmitzt ansehen, als erwarteten sie tatsächlich eine Antwort! »Die Onkel sind doch auch ziemlich verschieden, wie man hört«, gebe ich lahm zurück.

Sofort beugt sich Nelly erwartungsvoll zu mir. »Was hört man denn so …?«

Ach …! Jetzt habe ich den Salat. Was soll ich bloß antworten? Was ich tatsächlich gehört habe, sind doch nur die Gerüchte von Lore …

»Es waren einmal drei Brüder«, hilft mir Lexi unerwartet aus der Patsche. »Sie wohnten in einem Schloss auf der Schwäbischen Alb und liebten Musik, Bücher und die Natur, aber auch die alten Zeiten, denn ihre Eltern hatten dem König und der Königin von Württemberg gedient und seit deren Abdankung war alles immer schlechter geworden.«

»Alle drei verehrten seit ihrer Jugend einen berühmten Dichter, den sie den Meister nannten und mit dem sie von einem besseren Deutschland träumten«, fällt Ina eifrig ein. »Er gab ihnen neue Namen, um zu bekunden, dass sie zu ihm und zueinander gehörten, und all das schweißte sie fest zusammen, obwohl jeder Einzelne von ihnen einen ganz eigenen Charakter besaß.«

»Sie waren wie ihre Musikinstrumente: das Klavier, die Geige und das Cello. Jedes hat seinen eigenen Klang, aber zusammen klingen sie am schönsten«, fährt Nelly fort. »Die beiden älteren Brüder waren Zwillinge, einer lustig und leichtsinnig, der andere ernst und etwas schüchtern, deshalb heiratete der Erste eine sehr kluge Frau, die ihn dirigierte, ohne dass er es merkte, ihn sogar in der Meinung beließ, er sei zu Hause der Chef …«

»… und der Zweite eine sehr fröhliche und temperamentvolle Frau, die seinen Blick auf die schönen Seiten des Lebens lenkte«, fällt Lexi hastig ein, um Nelly zu stoppen, bevor diese noch mehr Details ihrer Ehe enthüllen kann.

»Der strahlendste Bruder aber war der Jüngste«, nimmt Ina den Faden wieder auf. »Wenn er einen Raum betrat, füllte sich dieser mit Wärme, denn der jüngste Bruder lachte gern und viel, konnte wunderbar zuhören, rezitierte Gedichte und alle waren überrascht, dass er nicht Architekt wurde, sondern Offizier. Er liebte das Leben und freute sich noch an den kleinsten Dingen, deshalb heiratete er eine junge und schöne Frau aus adligem Hause, die diese Freude mit ihm weitergeben wollte. Sie bekamen das erste Kind, dann das zweite, dritte, vierte, und als man schon mit dem Mutterkreuz hinter ihr herrannte, war plötzlich auch das fünfte …«

Nelly wirft ihre Serviette nach Ina, die Tanten brechen in Gelächter aus. Nur Omama reibt sich verstohlen eine Träne aus einem Auge und wirft mir mit dem anderen einen Blick zu, als wolle sie sagen: *Siehst du, Fritzi, genau das habe ich gemeint.*

»Schade, dass ihr meinen Vater nicht kennt«, entfährt es mir.

Ina antwortet: »Aber natürlich kennen wir deinen Vater!«

Lexi gießt Kaffee nach – sich selbst die dritte oder vierte Tasse; sie hat ihn aus der Luftwaffenkantine mitgebracht, einem der wenigen Orte im Reich, wo es noch echten Kaffee gibt. »Ich erinnere mich sehr gut an unsere erste Begegnung. Genau dort hat er gestanden, ganz allein«, sagt sie und zeigt auf eine Stelle nahe der Terrasse. »Ich drückte mich an dem Tag ein wenig verloren herum, denn Max und ich kannten uns schon so lange, dass es allmählich ernst wurde, aber ich war unserer Sache einfach nicht sicher – ihr wisst ja, warum. Und da stand nun dieser freundliche, nachdenkliche Mann, wir kamen ins Gespräch, und er erzählte in so warmen Worten von dieser Familie, in die er eingeheiratet hatte, dass ich merkte, ach, eigentlich möchte ich es doch auch ganz gerne …! Und ich weiß noch, dass ich nach dem Familientreffen zu Max gesagt habe: Deine Kusine Almut hat Glück mit ihrem netten Hans.«

Ich starre die Stelle an und bekomme eine Gänsehaut. »Dein Vater ist ein hervorragender Reiter«, weiß Nelly zu berichten. »Nicht dass ich das beurteilen könnte, aber Georg hat ihn sehr gelobt und ihr wisst, wie kritisch er ist. Sie waren mehrmals miteinander draußen. Onkel Yps hat Hans sein Pferd geliehen, eine närrische Stute namens Vitesse.«

»Es gibt ein Bild«, falle ich ihr aufgeregt ins Wort, »von Onkel Georg und Vater zu Pferde mit dem Schlossportal im Hintergrund. Das war Vitesse?«

»Sie ist später mit Onkel Yps nach Russland gegangen und heldenhaft gefallen. Wenn du ihn auf Vitesse ansprichst, bekommt er heute noch feuchte Augen.«

»Almut hat Todesängste um Hans ausgestanden!«, erinnert sich Omama. »Sie war damals schwanger mit dir, Fritzi, aber kennengelernt haben wir dich dann erst, als du drei Jahre alt warst.«

Ina hebt ihre Kaffeetasse. »Schön, dass du wieder hier bist, Fritzi«, sagt sie warm.

Müsste ich nicht ständig an Mutter denken – alles könnte in diesen Minuten beginnen, so schön zu sein! Im Liegestuhl sitzen, den Gesprächen lauschen und auf die nächste Mahlzeit warten, später am Tag vielleicht schwimmen gehen, und Lexi sagt bestimmt nicht Nein zu einer Runde Federball … doch mein Kopf sperrt sich, er macht sein eigenes Ding.

Halb eins. Warum ging sie um halb zwölf und um zwölf nicht ans Telefon? Es ist doch die beste Zeit, in Berlin anzurufen!

»Wenn das seine Untergebenen wüssten …! Eine Wespe, und Georg sitzt sofort unterm Tisch!« Gelächter prasselt wie Hagelkörner gegen meine Schläfen.

Wenn sie gerade in der Schlange vor dem Laden stand, als Alarm kam, wird sie im öffentlichen Luftschutzbunker sein. Ich versuche es um zwei noch mal …

»Ich musste mein Abendkleid mitbringen und alten Familienschmuck anlegen, und dann saßen wir in dieser winzigen Stube unter Heiligenbildern und die rührenden alten Bauersleute bedienten uns mit den Delikatessen, die Max eigens für den Abend zusammengekauft hatte. Das war unser Abschied in Milowice, direkt vor seinem Abtransport an die russische Front.«

Wenn sie im öffentlichen Bunker sein sollte, kann es Tage dauern, bis sie nach Hause kommt.

»Ich durfte manchmal das Volk spielen, wenn Eckhardt eine Denkschrift ausgearbeitet hatte. Wenn ich dann sagte: ›Das Volk versteht kein Wort!‹, hieß es: ›Wunderbar!‹«

Zum Teufel, warum ist Olesia auch zu dumm, ans Telefon zu gehen? Ihren Namen wird sie doch sagen können! Nur um zu wissen, dass es die Wohnung noch gibt …

»Sag ihm die Wahrheit!«, ertönt plötzlich eine helle Stimme. »Niemand kann zaubern!«

Ich reiße die Augen auf. »Zeig ihm, was du uns gezeigt hast!«, fordert mich Konstantin auf.

»Sie kann nicht zaubern!« Guntram schiebt die Hände in die Hosentaschen. »Sie ist höchstens geschickt im Verstecken.«

Konstantin legt mir wortlos Serviette und Murmel in den Schoß. Tu was!, steht ihm ins Gesicht geschrieben; schließlich geht es hier auch um seine Ehre. »Was wollt ihr?«, frage ich. »Zauberei oder wissen, wie es geht?«

»Wissen, wie es geht!«, überstimmen die Jungen ihre kleinen Schwestern.

Nur Konstantin schweigt. Ich greife nach der Murmel.

»Nein!«, ruft Lexi.

Ärger durchschießt mich, ein kleiner spitzer Pfeil. »Du hast es doch gestern schon gesehen!«

Lexi sagt nichts mehr. Schweigend schauen sie mir zu, wie ich meinen Trick zerstöre. Kleines Ablenkungsmanöver mit der Serviette, langsam ausgeführt, Murmel in den Ärmel gesteckt, und kein Zauberer wird bei den Kindern mehr Punkte machen.

Konstantin schiebt die Unterlippe vor. Er sieht aus, als dächte er übers Weinen nach. »Ich hab's dir doch gesagt«, brummt Guntram enttäuscht.

Es ist ganz still geworden. Caroline klettert zu ihrer Mutter in den Liegestuhl und sieht mich unverwandt an. »Ich glaube, ich versuche es noch mal in Berlin«, sage ich. »Wenn unser Haus nicht mehr steht, gibt es dann noch ein Freizeichen?«

Zwecklos. Mein Läuten verhallt – in unserem Wohnzimmer? Einem Trümmerhaufen? Nach endlosen Minuten wirft mich das Fräulein vom Amt aus der Leitung.

»Kommst du mit zu Ypsens?«, fragt Lexi. »Helma und Josi begrüßen?«

Vermutlich hat sie den anderen die Sache mit dem Sprengstoff schon erklärt – Omama, Nelly und Ina winken eine Spur zu aufmunternd, als wir über die Wiese zum Tor gehen. Ich versuche zu tun, als hätte ich es nicht gesehen. Der warme Sommertag, die Mittagsträgheit, die über der Landschaft liegt, der leise Wind in den Bäumen und die unverdiente Freundlichkeit … ich gehöre nicht hierher, denke ich; es ist Mutter, die jetzt hier sein sollte, es ist ihre Familie und nicht meine.

»Ich muss mit Onkel Yps Dienstliches besprechen«, bemerkt Lexi, »aber Helma und Josi freuen sich schon sehr auf dich.«

Das glaube ich auf der Stelle. Die beiden Großtanten kennen mich nämlich nicht. Nur der Fritzi von früher sind sie ein paarmal begegnet, und Fabian natürlich … im Beisein von Tante Josefine ist er gestorben, der Schwester von Omama und Onkel Yps, die Oberin beim Roten Kreuz ist.

»Weißt du eigentlich, dass Tante Josi mit deiner Großmutter befreundet war? Ich meine deine richtige Großmutter, die in Südafrika gelebt hat?«

»Ja, sicher«, brumme ich, obwohl ich es tatsächlich vergessen hatte.

Werde ich je in einer ihrer Geschichten vorkommen? *Wisst ihr noch, der Sommer, in dem Philippa bei uns war, die Tochter von Almut? Die Arme hatte sie aus Berlin fort in Sicherheit geschickt, kurz bevor sie selbst …*

»Warum wolltest du Max nicht heiraten?«, platze ich heraus.

Nanu! Habe ich Lexi gerade aus dem Tritt gebracht oder gibt es etwa Löcher im gepflegten Rasen …? »Die Gleichstellung war noch nicht durch«, erwidert sie nach ein paar Sekunden in der etwas schroffen Art eines Menschen, der ungern von sich spricht. »Ganze vier Jahre mussten wir nach der Hochzeit noch darauf warten.«

»Die Gleichstellung?«

»Mit Ariern.«

»Aah …!«

Wir stapfen über die Wiese. Ich mache ein bedeutungsvolles Gesicht, um zu verbergen, dass ich nicht einmal ansatzweise verstehe, wovon sie redet.

»Ich wollte Max nicht im Wege stehen«, fährt Lexi fort. »Für seine Karriere als Wissenschaftler war das kein guter Start … Mischling ersten Grades! Er war sehr ritterlich, tat, als wäre es ihm egal, das ganze Denken der Nazis war ihm ohnehin zutiefst zuwider. Aber wir waren tatsächlich jahrelang zusammen, ohne je einer Menschenseele davon zu erzählen – außer Yps und Helma, in deren Haus wir uns kennengelernt hatten. Was hatte ich für ein schlechtes Gewissen! Arme Ina. Armer Eckhardt. Wir haben sie alles allein ausfechten lassen. Eine nicht adlige Schwiegertochter …? Eckhardts Vater musste zum Glück nicht mehr erleben, welche Überraschung sein anderer Zwilling für ihn bereithielt.«

Sie lacht, aber es klingt nicht besonders froh. Meine Verwirrung wächst. Wenn das nicht völlig abwegig wäre, könnte man Lexis Worte fast so verstehen, als ob …

Nein, bremse ich mich. Das ist nicht möglich! Sie arbeitet

für die Luftwaffe! Sie hat Orden bekommen! Offiziere haben Respekt vor ihr!

»Der Name von Lautlitz schützt uns nun schon sieben Jahre«, sinniert Lexi. »Mich, meine Eltern und Geschwister. Meine Schwestern dürfen keinen Angehörigen der SS heiraten, das ist die einzige Auflage, die den beiden natürlich das Herz bricht. Und du, Klexchen, hast keine Ahnung, wovon ich spreche, nicht wahr?«

Sie bleibt stehen und sieht mich aufmerksam an, und in diesem Moment begreife ich, was sie mir gerade erzählt hat, und dass es wahr ist. Lexi sagt: »Keine Angst. Man kann wieder ganz gefahrlos mit mir verkehren. Die Gleichstellung ist erfolgt, ich gelte nicht mehr als Jüdin.«

Nicht einmal dieser Anflug von Spott bringt mir die Sprache zurück. *Sag was, sag doch was!* Doch außer diesem Befehl ist mein Kopf wie leer gefegt.

»Du musst nichts sagen«, meint Lexi beinahe tröstend. »Tut mir leid, dass ich dich schockiert habe. Ich hoffe nur, es macht keinen Unterschied und ich bin noch dieselbe wie vor einer Minute.«

Sie legt mir flüchtig die Hand auf die Schulter und geht über die Wiese davon, aufs Tor zu, durchs Tor hinaus.

Sag was! Steh nicht so herum! Lauf hinterher!

Umsonst. Wie immer, wenn es darauf ankommt, hält Fritzi Bredemer den Mund, friert Fritzi Bredemer am Boden fest.

Meine Mutter hilft Leuten, die Juden vor der Deportation verstecken. Ihre Sache! Das geht mich nichts an! Das wird mich erst etwas angehen, wenn es je herauskommen sollte, wenn sie bestraft wird um fremder Leute willen, mit denen wir nicht das Geringste zu tun haben.

Ich glaube, ich habe ihr deutlich genug gemacht, wie ich darüber denke!

Und Lexi? Ich kann es nicht fassen: Mutter hat nicht ein Wort gesagt! Nicht der kleinste Hinweis darauf, dass wir auch in unserer eigenen Familie *ein Problem* haben. Mir wird eiskalt bei der Vorstellung, die Oschgauer Mädelschar hätte davon erfahren: Die ganze Zeit war ich *jüdisch versippt,* ohne es auch nur zu ahnen!

Was hätte ich eben dazu sagen sollen? Etwa: Das kann doch jedem passieren ...?

Mischling ersten Grades – das bedeutet, dass zwei Großeltern von Lexi jüdisch sind. An die Schautafeln in der Schule erinnere ich mich ganz genau. Halbjuden, Viertel- und Achteljuden habe ich sauber und ohne einen einzigen Fehler in mein Heft übertragen, liebevoll an Frau Wahls Küchentisch die geviertelten und geachtelten Kreise ausgemalt. Ich habe eine Eins mit Sternchen bekommen für eine besonders sorgfältige Arbeit!

»Die Juden werden gesammelt.« Ellens Stimme klingt mir noch im Ohr. »Vorübergehend ist im Osten Platz, und sobald der Krieg vorbei ist, erhalten sie ein eigenes Land.«

»Und wo ...?«

»Du liebe Zeit – morgen gehört uns die ganze Welt! Da wird sich schon ein Fleckchen finden, das wir nicht mehr brauchen.«

Vielleicht haben die beiden deshalb keine Kinder. Die ganzen Jahre müssen sie damit gerechnet haben, dass es womöglich doch noch passiert: Lexi muss in den Osten! Halbjuden sind vom Transport zurückgestellt, aber verlassen können sie sich darauf nicht.

»Die Juden hauen vielleicht freiwillig ab, wenn sie ihren Besitz mitnehmen dürfen!«

Wie verächtlich Ellen mich ansah, nachdem ich diese Bemerkung gemacht hatte! Eisig antwortete sie: »Die Juden haben ihren Besitz auf Kosten des deutschen Volkes erworben. Wir holen uns nur zurück, was uns gehört.«

Die Juden! Eine bedrohliche Masse! Hitler und Goebbels brüllen vor Wut, wenn sie über *die Juden* sprechen, die uns seit Jahrhunderten Schaden zufügen, aber im Volk wird über sie lieber geflüstert. Wahrscheinlich weil es so schrecklich peinlich ist: So weit hat man es mit ihnen kommen lassen, dass man ihrer jetzt nicht mehr anders Herr wird als durch Abschiebung!

Die Juden! Unser ehemaliger Gemüsehändler, unser früherer Zahnarzt … schon mit acht oder neun, als erst der eine, dann der andere gehen musste, habe ich gespürt, dass es klüger ist, *die Juden* zu denken und nicht *Herr Blau* oder *Dr. Menzel*.

Dummm nur: Ich starre auf das Tor, durch das Lexi verschwunden ist, und auf einmal bekommen beide wieder ein Gesicht.

»Nanu, Fritzi, wolltest du nicht mit Lexi zu Ypsens?«

Tante Ina und Tante Nelly schauen mich fragend an. Sie sind zu zweit über den Rasen gekommen, als trauten sie sich nicht mehr alleine. *Sprengstoff!* Man weiß ja nie.

»Ich gehe gleich«, behaupte ich. »Ich will nur vorher noch einmal versuchen, Mutter zu erreichen. Bis ich von Ypsens zurückkomme, ist sie bestimmt wieder im Keller.«

»Tu das!«, antwortet Ina herzlich. »Almut wird so froh sein, dass das alles hinter dir liegt!«

»Ja, glaubst du denn, hier hätten wir Frieden …?«, erwidert Nelly mit einem Anflug von Bitterkeit. »Es ist ruhig, mehr nicht! Zu ruhig, wenn du mich fragst.«

Ina schüttelt unbehaglich den Kopf. »Du immer mit deinen Ahnungen!«

Das Freizeichen tutet weiter, nachdem ich längst aufgelegt habe. Es hinterlässt sein Echo in meinem Ohr.

Wenn Mutter nicht bald ans Telefon geht, fliege ich morgen mit Lexi zurück.

Zwei Frauen grüßen mich auf dem Weg durchs Dorf – sie grüßen mich zuerst, in ihren Augen bin ich *eine vom Schloss*. Ich gehe vorbei und spüre, wie sie mir nachschauen.

Den Kopf gesenkt, stürme ich bergan, bis mir der Schweiß vom Nacken in den Rücken perlt. Das hilft immer! Schritt für Schritt, hat uns Ellen erklärt, gerät die Welt beim Marschieren wieder in Ordnung. Du brauchst einen Vordermann, der dich mitzieht, einen Nebenmann, der dich begleitet, Hintermänner, die dir folgen …

Aber heute, ich hätte es ahnen müssen, bleibt der vertraute Effekt aus, ja, je länger ich auf meine Schritte lausche, desto beklommener wird mir zumute. Ein einzelnes Paar Schritte klingt vollkommen verloren, geradezu lächerlich! Man möchte die Schuhe ausziehen und wegwerfen, damit man es nicht hören muss.

Der würzige Duft von Tannennadeln steigt mir in die Nase. Es ist still im Wald, die Vögel sind um diese Tageszeit verstummt, nur sehr weit entfernt, auf der anderen Seite des Berges, scheint jemand Holz zu schlagen. Der Wanderweg ist hart und zersprungen von der Trockenheit der letzten Wochen, aber abseits des Weges versinken meine Schuhe im Laub und decken meine Schritte mit gedämpftem Rascheln zu.

Krieg – ein viel zu kurzes Wort für alles, was geschieht! Man wirft Bomben auf Menschen und haust selbst in Trümmern, man versteckt sich, schießt aufeinander, hungert und bestimmt, dass welche gehen müssen; man geht selbst und schneidet sich von allem ab, was von Bedeutung ist. Ich dachte, ich wüsste, was *Krieg* heißt, aber immer noch kommen jeden Tag Dinge hinzu.

Ob Max mit Lexi in den Osten gegangen wäre? Omama hätte es das Herz gebrochen, wenn ihr Sohn, der Professor für Geschichte, noch einmal ganz von vorn hätte anfangen müssen, mit nichts als einem einzigen Gepäckstück für die Reise. Aber er hätte es getan, da bin ich ganz sicher. Ich hätte ihm auch nicht mehr in die Augen sehen wollen, wenn er Lexi im Stich gelassen hätte.

Ich wünschte, ich wäre ihr nachgelaufen, dann hätte ich nichts erklären müssen. »Nein, es macht mir nichts aus«, hätte das geheißen. »Dass du Halbjüdin bist, ist mir egal.«

Damit wäre die Sache erledigt gewesen. Jetzt müsste ich andere Worte sagen: *Es ist mir egal, solange niemand, den ich kenne, davon erfährt.*

Und schon, das spüre ich selbst, ist es mir nicht mehr egal, und meine kluge, Gedanken lesende Tante wird es augenblicklich erkennen.

Ich bin steil bergan geklettert, den Wanderweg, der sich den Hang entlangwindet, mehrmals überquerend, nun halte ich außer Atem inne und wende mich um. Zwischen den Zweigen blitzt etwas auf, das wie die Lautlitzer Kirchturmspitze aussieht; verlaufen habe ich mich also nicht.

Bei Ypsens werden sie jetzt langsam merken, dass ich nicht mehr komme.

Ich muss eine ganze Weile auf einem der Baumstümpfe gesessen haben, denn als ich Stimmen höre, stelle ich fest, dass mein linker Fuß eingeschlafen ist. Ich ziehe den Schuh ab, um das taube Gefühl wegzumassieren, da kommen die Spaziergänger etwas unterhalb von mir schon in den Blick. Es sind ein Mann und eine Frau, und sie gehen sehr schnell. Sie gehen, als wüssten beide, was Marschieren ist.

»… langsam, viel zu langsam. Wir müssten unterwegs zwischenlanden und tanken, was unmöglich wäre, da er sofort verhaftet werden würde, aber ich habe nun mal kein anderes Flugzeug …«

Lexi? Verblüfft recke ich den Hals, und während sie und ihr Begleiter sekundenlang hinter Bäumen verschwinden, erkenne ich auch die zweite Stimme.

»Du hast richtig gehandelt. Du musstest es ihm sagen. Alles hängt davon ab, dass er rechtzeitig zurück in Berlin ist.«

»Aber ich fühle mich, als ob ich ihn im Stich ließe. Nun auch ich!«

»Unsinn. Aufrichtig zu sein ist entscheidender, als dein – und sein – Leben unnötig aufs Spiel zu setzen.«

»Ich habe keine Angst vor dem Tod. Wenn ich gefragt werde, bin ich da.«

»Das bezweifelt niemand. Wenn er das nicht wüsste, hätte er dich nicht gefragt – gegen meinen Willen übrigens.«

»Gegen deinen Willen?«

Lexi klingt erschüttert. Sie bleiben stehen, sind jetzt direkt unter mir auf dem Weg. Keine zehn Meter, nur ein paar Bäume liegen zwischen uns.

»Wenn alle Stricke reißen«, erwidert Onkel Yps, »müssen einige von uns übrig bleiben.«

Eine lange Pause entsteht. Ich halte den Atem an. Nicht auszudenken, jetzt entdeckt zu werden …

»Du glaubst auch nicht mehr daran, nicht wahr?«, sagt Lexi leise.

»Ich glaube … wir glauben … dass es versucht werden muss, um jeden Preis. Die Chancen stehen fünfzig zu fünfzig. Lass uns an *unsere* fünfzig Prozent glauben, Lexi.«

»Für Deutschland«, sagt sie mit festerer Stimme.

»Für Deutschland!«, wiederholt Onkel Yps. »Für alle, die nach uns kommen.«

Wie lange sitze ich zwischen den Bäumen? Ich verstecke mich noch, als Lexi und Onkel Yps längst um die nächste Kurve verschwunden sind; einmal noch höre ich ihre Stimmen viel weiter unten auf dem Weg, aber ich verstehe nicht mehr, was sie sagen.

Als ob ich es eben verstanden hätte! Ich sitze auf meinem Baumstumpf, den Schuh in der Hand, und das Einzige, was ich weiß, ist, dass ich nicht geträumt habe.

Haltet die Augen auf! Habt Acht! Meldet alles, selbst das, was ihr nicht einschätzen könnt – *gerade* das! Der innere Feind lauert dort, wo ihr es nicht erwartet, es kann euer Bruder sein, eure Mutter, euer Lehrer, euer bester Freund. Jeder Zweifel, jede Verschwendung, jede Verweigerung, jeder scheinbar noch so kleine Betrug an der Volksgemeinschaft kann der Anfang einer Lawine sein, die den Sieg unter sich begräbt. Wollt ihr das verantworten …?

»Um den äußeren Feind kümmert sich unser Führer, die

Bekämpfung der inneren Feinde ist eure Aufgabe!«, hieß es in der Unterweisung.

Ich habe den Finger gehoben: »Was genau ist gemeint mit *Verweigerung?*«

»Meine Güte, alles Mögliche!« Ellen sah mich ungeduldig an. »Wenn du für die Winterhilfe oder das Strickopfer sammelst, achte darauf, wer weniger spendet als die anderen. Gibt es Fenster, die nicht verdunkelt sind? Hörst du eine fremde Sprache aus dem Radio? Du musst versuchen, einen Sinn dafür zu entwickeln, was vom Normalen abweicht, dann erklären sich alle Maßnahmen von selbst.«

Erklären. Erklären muss man mir jetzt nichts. Mein Kopf ist voll von dem, was ich nun in Gang setzen müsste, lauter Ausrufungszeichen, keine Fragen. Meine eigene Tante! Mein alter Onkel Yps! Mein Kopf ist voll, es gibt eine Menge zu löschen.

Onkel Yps. Was weiß ich eigentlich von ihm, außer dass er der Ersatzvater meiner drei Onkel ist? Er war der Festungskommandant von Tschudowo, hat im ersten schrecklichen russischen Winter bei fünfzig Grad unter null siebentausend versprengte Soldaten zu Kampfeinheiten gefasst, um den nahezu eingeschlossenen Kessel südöstlich von Leningrad zu verteidigen. Tag und Nacht soll er zwischen Alarmeinheiten und Sicherheitsposten gependelt sein – zu Fuß und zu Pferde, um Sprit zu sparen.

Ein Held, zweifellos. Etwas Unredliches im Schilde führen? Niemals!

Und Lexi? Habe ich es nicht selbst erlebt? Tag und Nacht setzt sie ihr Leben aufs Spiel, um für Deutschland den Luftkrieg herumzureißen. *Für Deutschland!* Klar und deutlich habe ich sie das eben sagen hören. Und sie hat ja auch allen Grund, sich erkenntlich zu zeigen, nicht wahr? Die deutsche Luftwaffe beschäftigt sie trotz ihrer *rassischen Belastung!*

Ihre defätistischen Bemerkungen vom Vorabend fallen mir ein. Das wirft kein gutes Licht auf sie, aber ist sie deshalb schon ein innerer Feind? *Für Deutschland* steht dagegen. Vor Gericht wäre es ein klassischer Fall von Aussage gegen Aussage. Vor Gericht! Mich überläuft es kalt, als ich das Wort nur denke. Als ob ich allein mit dem Gedanken schon zu weit gegangen wäre. Standgericht haben sie genannt, was sie mit Piotr gemacht haben.

Nein, denke ich, und gleich noch einmal: nein! Verraten werde ich niemanden mehr. Ich habe meine Pflicht getan. Keine acht Wochen ist das her.

Da sitze ich, schiebe mit voller Absicht beiseite, was man mir in zwei Jahren beigebracht hat … und werde ganz ruhig! Als wäre in meinem Kopf wieder Platz, um zu überlegen.

Wer sagt denn, dass das, was ich gehört habe, etwas Böses bedeutet? Die rätselhaften Andeutungen, die Reden von Todesgefahr … warum sollten Onkel Yps und Lexi nicht Teil einer Geheimoperation *für Deutschland* sein? Jemanden hinter der Front absetzen vielleicht, um den Frieden auszuhandeln. Ich habe schon davon reden hören: Anstatt gegen die Amerikaner zu kämpfen, sollte Deutschland lieber mit Amerika zusammen gegen die Russen gehen.

Die Westfront also! Warum nicht? Hochriskante Geheimverhandlungen hinter dem Rücken der Russen! Lexis Mitwirkung ist gescheitert, weil der Fieseler Storch zu langsam ist.

Hätte die Luftwaffe ihr nicht ein schnelleres Flugzeug zur Verfügung gestellt?

Einen Augenblick gerät meine Theorie ins Wanken, dann fällt mir ein: Andere Flugzeuge können ja nicht wie der Storch in jedem Gelände landen.

Bliebe nur noch eine Frage: Wer mag *Er* sein, von dem sie gesprochen haben? Ich kann es drehen und wenden, wie ich will: Ich kenne nur einen, von dem man als *Er* redet.

Ist es möglich …? Mein Herz klopft einen Trommelwirbel. Lexi sollte den Führer fliegen!

Langsam!, versuche ich mich zu bremsen. Man kann doch nicht den Führer des Großdeutschen Reiches hinter der Front in Gefahr bringen.

Aber ganz abwegig ist es nicht. Dem Führer traue ich das zu. In Oschgau ging sogar die Rede, dass der Führer selbst *die Wunderwaffe* sei und nicht diese neue Rakete aus Peenemünde.

Wenn ich mir vorstelle, was ich hätte verderben können …!

Nur kurz durchzuckt mich nun doch eine weitere Frage: ob ich vor lauter Entschlossenheit, den Mund zu halten, nicht die verrückteste aller Erklärungen gefunden habe! Aber zu spät, da hüpfe ich bereits den Hang hinunter auf den Weg und beginne zu laufen, hüpfe und laufe mit einem Schwung, wie ich ihn schon seit Wochen nicht mehr verspürt habe.

Alles wird gut!, jubelt es in mir, und es jubelt mit einer so tiefen Freude, dass alle Zweifel verstummen.

Der Krieg geht zu Ende!

Diesmal habe ich das Richtige getan!

Sie ist überrascht, kein Wunder. Hat eine erschrockene, ratlose Nichte im Schlossgarten zurückgelassen, hat damit gerechnet, dass es viele Fragen geben wird nach dem, was sie mir erzählt hat. Hat vielleicht sogar geglaubt, dass es *gar keine* Fragen geben wird, da ich nicht mehr mit ihr rede.

Und jetzt? Sitze ich mit Tante Helma und Tante Josi auf dem Sofa und strahle, als ob nicht das Geringste zwischen uns stünde! Lexi ist so überrascht, dass *sie* es ist, die nichts zu mir sagt. Sie sitzt schräg gegenüber auf dem zweiten Sofa neben Onkel Yps, trinkt ihre sechste oder siebte Tasse Kaffee an diesem Tag und weder sie noch ich lassen uns anmerken, dass irgendetwas Außergewöhnliches passiert ist.

Dabei ist mein Inneres in Aufruhr. Was eine einzige Person bewirken kann! Ich, ein vierzehnjähriges Jungmädel … der Krieg wird möglicherweise dadurch entschieden, dass *ich* nachgedacht habe!

»Du erinnerst mich an deinen Bruder, Fritzi«, sagt Tante Josi warm. »Fabian war so ein fröhlicher Junge … und eine herrliche Fantasie hatte er, nicht wahr, Helma?«

Sie trägt ihr schwarzes Ordenskleid und auf der Brust eine lange Kette mit einem Holzkreuz, unter dem Schwesternhäubchen blitzen weiße Locken. Aber über Fabian habe ich heute keine Lust zu reden. Heute bin ich die Heldin, auch wenn es niemand weiß!

Am liebsten würde ich rufen, so laut ich kann: »Auf unsere fünfzig Prozent, Lexi!«

Sechs

In dieser Nacht schlafe ich so gut wie lange nicht mehr. Piotr lässt mich in Ruhe, und auch die Sorge um Mutter schleicht sich nicht in meine Träume. Dass ich sie nach unserer Rückkehr ins Schloss nicht hatte anrufen können, war ja zu erwarten gewesen. Keine Ahnung, wo sie um zwölf, um eins und um zwei steckte, aber um acht Uhr abends ist sie im Keller, wo sonst?

Ich wache nicht einmal auf, als Lexi früh um fünf aufsteht, um mit Onkel Yps auf die Pirsch zu gehen. Dabei wollte ich eigentlich mitkommen, nachdem sie versprochen hatten, an diesem Morgen auf nichts zu schießen. Onkel Yps will ihr nur *die Kandidaten* für den Herbst zeigen.

Ich bin froh, dass sie mich hat schlafen lassen. Ich fühle mich frisch, gut gelaunt und stark. Ich erkenne mich selbst kaum wieder.

Ganz sachlich haben wir noch auf dem Rückweg von Ypsens darüber gesprochen, ob ich wieder mit nach Berlin fliegen sollte. Lexi versteht mich. »Ich würde an deiner Stelle auch daran denken«, meinte sie. »Aber gehen wir einmal davon aus, dass Almut nichts passiert ist. Sie wäre entsetzt, wenn du jetzt wieder dort auftauchen würdest. Dich hier in Sicherheit zu wissen, lässt sie Berlin viel leichter aushalten.«

Von dieser Seite hatte ich das noch gar nicht betrachtet. »Ich werde sie selbst anrufen, sobald ich morgen ankomme«, nahm sich Lexi vor. »Und wenn ich sie nicht erreiche, gehe ich nachsehen, was los ist. In Ordnung?«

Über all die anderen Dinge haben wir nicht gesprochen. Fast den ganzen Weg gingen wir schweigend nebeneinanderher, aber es war ein gutes Schweigen. Ich glaube, Lexi und ich verstehen uns jetzt, ohne zu reden.

»Darf ich dir schreiben?«

Wir stehen vor dem Schlossportal. Omama, Nelly, Ina, die Kinder und ich haben uns zum Winken versammelt, Onkel Yps' Wagenmotor läuft, doch ich halte Lexis Hand eisern fest.

»Furchtbar gern, Klexchen. Aber ich weiß noch etwas Besseres!«

Etwas Besseres …? Fragend sehe ich sie an.

Und meine Tante Lexi beugt sich vor und gibt mir zwei Küsse, einen rechts und einen links, und sagt so leise, dass nur ich es verstehe: »Wir sprechen uns nach dem Krieg.«

Auf dem Rasen streiten Guntram und Konstantin um die Federballschläger. Bernadette hat ihren freien Nachmittag und prompt geht es richtig zur Sache. Fängt mit zwei, drei Worten an, wechselt fast sofort zum Schubsen, und ehe man zum zweiten Mal mit den Augen geblinkt hat, liegen sie schon in der Wiese und Leopold schreit hysterisch: »Nicht hauen! Er ist kleiner!«

Vor zwei Stunden waren sie noch ein Herz und eine Seele. Wir saßen auf der Schlosstreppe und warteten mit Blick gen Himmel, ob Lexi uns vielleicht überfliegt und mit den Tragflächen wackelt, aber diesmal kam sie nicht und das war auch besser so, denn viel weiter oben, als wir den Storch erwarteten, entdeckte Guntram plötzlich Dutzende silberner Streifen.

»Für Nürnberg sind sie noch zu hoch«, befand ich. »München vielleicht.«

Klar, München. Die Jungen stimmten sofort zu. Für Bomber bin ich die anerkannte Autorität. Macht fast die Gemeinheit mit der Zauberei wieder wett.

Ich drehe mich auf meiner Picknickdecke um, damit ich dem Gezanke nicht zusehen muss, und vertiefe mich wieder in die Lokalzeitung. Fast vier Wochen ist es her, dass ich zuletzt eine Zeitung in der Hand hatte. In Oschgau mussten wir sie für den politischen Wochenbericht auswerten, in Berlin hatten wir andere Sorgen, als uns eine zu besorgen.

Hinter mir rennen Tante Ina und Tante Nelly über den Rasen. Ina ist schneller! Wer hätte das gedacht. Aber vielleicht hatte sie auch nur einen Vorsprung beim Kaltstart aus den Terrassenstühlen; es ist schließlich ihr Konstantin, der unten liegt.

Gleich mehrere Seiten der Zeitung drehen sich um die eine Woche zurückliegende Bombardierung eines Nachbarortes. Vierzig Häuser dem Erdboden gleich, sechzig Menschen tot und immer noch mehrere vermisst … Stück für Stück trägt man die Trümmer des Ortes ab, allerdings längst ohne die Hoffnung, noch jemand lebend zu bergen.

Keiner weiß, warum die Flugzeuge Ebingen angegriffen haben. Wahrscheinlich haben die Piloten die Orientierung verloren. In der Zeitung schreiben sie von Schicksal, und von Vergeltung natürlich. Zwölftausend Ebinger gegen Amerika!

»Konntest du nicht mal was sagen?«, keucht Tante Ina, als sie Konstantin an mir vorbeizerrt.

»Ging zu schnell«, behaupte ich. »Hab's erst gesehen, als ihr schon losranntet.«

»Lagst ja auch auf dem Bauch«, sagt Tante Nelly und zwinkert mir zu.

Die Telefonleitungen sind wegen der immer noch andauernden Reparaturen rund um Ebingen gestört. Kein Wunder, dass ich Mutter nicht erreiche.

Am Abend besuche ich Lore in der Küche. Sie erzählt von ihrem Verlobten Bertold, der als Infanterist die Normandie verteidigt. »Und du? Hast du schon mal jemand geküsst?«, fragt sie verschwörerisch.

»In Oschgau waren wir nur Mädchen«, gebe ich zähneknirschend zu.

Ich schlafe gut! Darf ich mich nun daran gewöhnen?

Am Donnerstagmorgen, dem zwanzigsten Juli, meinem fünften Tag auf Schloss Lautlitz, beschließe ich, eine süße, zartgelbe Bluse mit Stehkragen anzuziehen, die ich in Lexis Kleiderschrank entdeckt habe. Sie hat bestimmt nichts dagegen.

Es gibt Gewitter, behauptet Omama. So drückend heiß, wie es die letzten Tage gewesen ist, werde es auch langsam Zeit. In Gummistiefeln steht sie im Blumenbeet und besprengt ihre kostbaren, selbst gezogenen Rosen.

Inzwischen fällt mir gar nicht mehr auf, was in Lautlitz möglich und selbstverständlich ist. Nur ganz kurz durchzuckt mich der Gedanke, dass so mancher Berliner ein Vermögen darum gäbe, sich unter den dicken Wasserstrahl stellen zu dürfen.

»Ich habe dich neulich Abend schockiert, nicht wahr?«, bemerkt Omama. »Glaub bloß nicht, das wäre mir entgangen. Wenn du mir etwas sagen willst, nur zu!«

So unverblümt aufgefordert, fällt mir allerdings nicht mehr ein als ein respektvolles: »Ich finde, du tust dem Führer Unrecht.«

»Das mag wohl sein«, räumt sie ein. »Ich habe schon Leute sagen hören, er sei verrückt. Wenn das wahr ist, kann er natürlich nichts dafür, aber ehrlich gesagt …« Sie zupft ein paar schlaffe Blüten ab und steckt sie in die Tasche ihrer Gartenschürze. »Das würde mir noch weniger behagen. Ein Volk, das blindlings einem Verrückten folgt!«

»Ihr werdet euch wundern«, murmele ich. »Du und diese Leute!«

»Ach Fritzi. Meinst du wirklich, wir sollten den Krieg noch gewinnen?«

»Ja, allerdings! Und ich bin nicht die Einzige, die so denkt!«

»Weil sie euch bei der Hitlerjugend nichts anderes denken *lassen*!«, versetzt sie sofort. »Aber haben sie euch in letzter Zeit mal einen Blick in die Landkarte gestattet? Die eroberten Gebiete gehen verloren. Die Schlinge um Deutschland zieht sich zu. Dieser Krieg kann höchstens noch mit Anstand verloren werden, doch das wird mit Hitler nicht passieren.«

Entgeistert quetsche ich ein: »Still, Omama!« hervor.

»Du redest wie meine Söhne. Die würden mich am liebsten nicht mehr allein ins Dorf lassen. Mich und Max, der war nämlich schon meiner Meinung, als Georg und Eckhardt noch von der Wiederherstellung deutscher Ehre träumten!« Mit Schwung zieht sie den Schlauch in ein anderes Beet hinüber. »Es ist gekommen, wie es kommen musste. Alle diese Länder, in denen wir nichts zu suchen hatten, gar nicht zu reden …«

»Ich glaube, ich gehe jetzt«, unterbreche ich sie enttäuscht. Ich hatte mich ehrlich gefreut, als Omama vorschlug, mit ihr in die Rosen zu gehen. Nicht dass ich Lexi vermisse, aber seit sie fort ist, scheinen die Tage vier oder fünf Stunden länger zu dauern.

»… gar nicht zu reden von den Millionen unschuldiger Menschen, die wir auf dem Gewissen haben«, fährt Omama unbeirrt fort. »Frag Yps nach den russischen Zivilisten! Er hat versucht, gegen Erschießungen einzuschreiten, er hat sogar ein Gefängnis besetzen lassen, in das man die armen Seelen vor der Hinrichtung gesperrt hat – vergebens. Die Massaker sind nicht einmal untersucht worden. Und wenn die Gerüchte stimmen, die man über die Juden hört …«

Omama verstummt. Ihr Blick scheint sich zu verdunkeln.

»Was hast du denn gehört?«, fordere ich sie heraus, aber sie gibt mir keine Antwort. Gut so – viel länger hätte ich mir ihre defätistischen Reden auch nicht anhören dürfen!

»Habt ihr Neuigkeiten von deinem Vater?«, wechselt sie endlich das Thema.

»Er ist immer noch bei der Heeresgruppe Mitte – früher im Hauptquartier in Smolensk, jetzt in einer Jägerdivision irgendwo in Polen. Ich weiß selbst, dass die Russen unsere Truppen zurücktreiben, Omama, aber der Generalstab bereitet längst die Gegenoffensive vor!«

»Ach ja, richtig«, seufzt Omama. »Der Generalstab.«

Sie dreht mir den Rücken zu, während sie sich den hinteren Teil des Beetes vornimmt; ihre herabhängenden Schultern haben mit einem Mal etwas sehr Niedergeschlagenes. Omama ist eine zarte, hübsche Person, und sie freut sich an zarten, hübschen Dingen.

Plötzlich tut mir leid, dass ich so barsch geredet habe. »Ich glaube, bald wird alles gut«, versuche ich es noch einmal.

Von der Seite schenkt sie mir ein halbes Lächeln. »Du hast noch immer nichts von Ostpreußen erzählt.«

Zu meiner Überraschung wird mir auf einmal leichter ums Herz. »Ich kann nicht, Omama. Es gibt eine Abmachung. Ich erzähle es jemandem, sobald der Krieg vorbei ist.«

»Ah«, sagt sie. »Ich kann mir denken, wem. Was immer es ist, bei ihr ist es gut aufgehoben.«

Vorsichtig steige ich einige Schritte ins Beet hinein und nehme ihr den Schlauch aus der Hand. »Ich helfe dir, Omama. Ich kann mit Pflanzen umgehen, so viel zumindest kann ich aus meiner Zeit in Ostpreußen verraten …«

Das Gewitter bleibt aus. Am Nachmittag probiert Nelly auf Inas, Omamas und meinem Kopf Steckfrisuren aus, die sie in einer Frauenzeitschrift entdeckt hat. Vor dem Abendessen lese ich Caroline und Marie vor, wie es Nesthäkchen im Kindersanatorium auf Amrum ergeht, nach Tisch will ich wieder zu Lore in die Küche, um ein Foto von Bertold zu sehen.

Die Ferien dauern noch bis weit in den August, doch was ich bis dahin mit mir anfange, entscheidet sich voraussichtlich schon morgen: Freitagabend trifft sich die örtliche BDM-Gruppe zum Volkstanz. Tante Ina hat mit der Unterführerin gesprochen, man erwartet mich. Und dann? Volles Programm, nehme ich an. Der BDM wird den Teufel tun, ein williges Jungmädel sich selbst zu überlassen!

Zum Abendessen soll es Kirschpfannkuchen geben, die Bäume auf unserer Obstwiese hängen prallvoll.

»Sieh doch mal nach, was los ist, Fritzi«, bittet Omama, nachdem wir, obwohl sie zum zweiten Mal geklingelt hat, seit über zehn Minuten warten.

Aber da stehen sie schon zu dritt in der Tür. Die Haushälterin – hochrot im Gesicht – wringt ihre Schürze. »Frau Gräfin … ein Anschlag …«

»Der Führer! Unser geliebter Führer!«, stammelt Lore.

Schock, so haben wir es im Sanitätskurs gelernt, kann Langzeitfolgen haben. Im besten Fall endet es mit Teilamnesie und man hat seine Ruhe, im schlimmsten prägen sich die Bilder unauslöschlich ein, was zu Schlaflosigkeit, Magengeschwüren und allgemeiner Hysterie führen kann. Seit der Sache mit Piotr muss ich mich damit abfinden, dass ich zum zweiten Typus gehöre, und als wäre das nicht schon schlimm genug, sehe ich, sobald Unheil im Anflug ist, so genau hin, als hätte ich vorne, hinten, rechts und links je ein Paar Augen, das mit Bildern versorgt werden muss.

Da ist der Blick, den Tante Ina und Tante Nelly einander zuwerfen. *Also doch!* Ich weiß nicht, ob eine von ihnen es tatsächlich ausgesprochen hat, aber das wäre nicht mehr nötig gewesen, denn es stand ihnen ins Gesicht geschrieben. Tante Ina und Tante Nelly sind nicht bestürzt, nicht erschrocken, sie sind nicht einmal überrascht.

Da ist der Ruck, der durch Omamas Körper geht, da ist die Art, wie sie sich aufrichtet, den Kopf hebt und die Schultern durchdrückt. Als sei sie jetzt, in diesem Augenblick, auf die Füße gestellt worden und um eine ganze Handbreit größer.

Beides, der Blick der Tanten, der Triumph von Omama, kam und ging blitzschnell, doch ich habe es gesehen und ich weiß, dass es da war in der einen Sekunde, bevor sie dasselbe erkennen wie ich: Was Lore übers Gesicht rinnt, sind Tränen des *Glücks*.

»Unser geliebter Führer! Die Vorsehung hat ihn bewahrt!«, jubelt sie.

»Was ist passiert, Witta?«, fragt Omama gepresst.

Die Haushälterin erzählt mit zitternder Stimme, was in diesen Minuten wie ein Lauffeuer durchs Dorf geht. Im Reichsrundfunk gab es eine Sondermeldung des Senders Königsberg. Ein Sprengstoffanschlag auf den Führer, er habe außer leichten Verbrennungen und Prellungen keine Verletzungen erlitten, er habe unverzüglich seine Arbeit wieder aufgenommen und Mussolini, den Duce, zu einer längeren Aussprache …

Omama stöhnt auf und stützt den Kopf in beide Hände. »Nicht schon wieder!«, murmelt sie.

»Die Vorsehung!«, wiederholt Lore überwältigt.

»Vielen Dank, liebe Witta. Sie können jetzt das Abendessen bringen.«

Auf meinem Pfannkuchen ist eine dicke Kruste aus Zucker; sticht man mit der Gabel hinein, spritzt süßer roter Saft aus dem Teig.

»Es muss nicht stimmen«, flüstert Ina.

Sie flüstert, obwohl wir längst wieder allein sind. Niemand antwortet. Es ist Donnerstagabend und ich frage mich zum ersten Mal, ob das alles irgendetwas mit uns zu tun haben könnte.

Omama hat es vom Nachbarn gehört. Noch in der Nacht muss der Führer selbst im Rundfunk gesprochen haben, und Omama ist es, die Tante Nelly und Tante Ina die Nachricht überbringt, morgens um halb acht, als beide noch im Bett liegen.

Im Führerhauptquartier in Rastenburg ist es passiert. Ein Offizier, der zum persönlichen Bericht an Hitler eingeflogen worden war, hat eine Bombe in den Besprechungsraum geschmuggelt, hat sich selbst aus dem Staub gemacht und versucht, nach seiner Rückkehr in Berlin das Kommando an sich zu reißen. Selbstverständlich sei dieser gewissenlose Anschlag auf ein Volk im Krieg vereitelt worden, und die kleine verbrecherische Clique, die dahintersteckte, noch in der Nacht im Hof des Kriegsministeriums erschossen.

Der Name des Offiziers ist Georg von Lautlitz. Wieder und wieder bellt der Reichsrundfunk unseren Namen, und auch die Zeitung weiß ihn schon.

Nelly weint nicht. Nelly wiederholt nur ein ums andere Mal: »Aber warum denn er? Mit drei Fingern? Wie kann man denn mit drei Fingern einen Zünder betätigen?«

Vielleicht so, wie man mit drei Fingern einen Schuh bindet.

Guntram ist weiß wie die Wand, Eckhardt hat sich zum Weinen verkrochen. Sie sind die Einzigen der Kinder, die Bescheid wissen. »Der Papi hat sich geirrt«, hat Nelly zu ihnen gesagt. »Die Vorsehung schützte unseren lieben Führer.«

»Ist der Papi tot?«

»Das sagen sie. Aber Tante Ina fährt nach Berlin und findet heraus, ob es stimmt.«

Tante Ina ist oben im Zimmer und packt, Onkel Yps ist bei ihr. Omama, Tante Josi und Witta laufen zu den Pachthöfen, um Lebensmittel zu beschaffen, die Ina nach Berlin mitnehmen soll, um jemanden bestechen zu können.

Bestechen? Onkel Georg ist tot, das wiederholt der Rundfunk in Endlosschleife. In der Nacht müssen sie noch seinen Dienstgrad genannt haben, Oberst von Lautlitz, das tun sie am Morgen schon nicht mehr. Onkel Georg ist jetzt nur noch ein toter Zivilist.

»Ich wusste, das etwas geplant war, aber doch nicht, dass er selbst …!«, flüstert Nelly. »Du lieber Gott, jetzt bitte nicht auch noch Eckhardt …!«

Da begreife endlich auch ich, warum Tante Ina nach Berlin fährt und aus welchem Grund sie hofft, jemanden bestechen zu können. Wer es war, den Lexi fliegen sollte, und wohin und wozu.

Ich helfe Witta und Omama, die gesammelten Lebensmittel in zwei Taschen zu packen. Ich stelle die Taschen in Onkel Yps' Wagen zu Inas Gepäck. Ich bewege mich durch den Morgen wie eine Schauspielerin, hinter der versehentlich das falsche Bühnenbild herabgelassen wurde. Reagiere auf jedes Stichwort, das man mir hinwirft, warte fieberhaft darauf, dass jemand die Kulisse wechselt, doch nichts, was an unser Leben bis gestern anknüpft, passiert, außer dass der Volkstanzabend des BDM ausfällt.

Der Bund Deutscher Mädel fährt heute selbstverständlich zur spontanen Treuekundgebung für den Führer.

»Ich habe keinesfalls die Absicht, mich zu verstecken«, erklärt Omama.

Verstecken! Ein neues Stichwort. Mein Blick huscht aus dem Fenster die Schlossmauer entlang, von den Wehrtürmen bis hin zum weit offenen Tor, und erkennt mit heißem Schreck zweierlei: dass niemand von uns daran gedacht hat, die Eisengitter zu schließen, und dass sich Nelly aufs Tor zubewegt wie eine Schlafwandlerin.

»Lass sie«, sagt Omama, als ich stumm hinauszeige – als ob sie mir noch zutraute, mich aus eigenem Willen zu bewegen! »Nelly muss jetzt erst einmal zu sich kommen.«

Zu sich kommen …? Wie kommt jemand zu sich, oder überhaupt irgendwohin, dem der Boden unter den Füßen fortgesprengt wurde?

Im Dorf sei es ruhig, berichtet Onkel Yps, als er vom Bahnhof zurückkehrt; Tante Ina habe er noch völlig unbehelligt in den Zug nach Berlin setzen können.

Ich kann ihm kaum in die Augen sehen. Die Tanten mögen *etwas* gewusst haben, Onkel Yps wusste *alles. Er hat Georg und Eckhardt geholfen, irgendetwas Wichtiges …* hat Mutters Teppiche, Bilder und Wertsachen in Sicherheit gebracht, und seine Neffen nicht.

Nur einen einzigen Augenblick der Schwäche konnte ich bei Omama beobachten: als Onkel Yps an diesem Morgen mit den Worten über unsere Türschwelle trat, »Vergiss nicht, er hat es aus Pflichterfüllung getan.«

Seitdem kommt sie mir größer vor, wie in der einen Sekunde gestern Abend, als sie glaubte, der Führer sei tot. Tot ist ihr jüngster Sohn, und Omama geht mit geradem Rücken. Das Tor bleibt offen! Niemand wird erleben, dass sich die Gräfin von Lautlitz mit ihren Enkeln hinter einer Mauer verschanzt.

Geweint wird nur in der Küche. Gespenstisch dringt das Schluchzen der Hausmädchen durch die verschlossene Tür.

Das wird zu sühnen sein! Das bleibt nicht ohne Folgen!

Mein Bauch ist schneller im Erkennen als mein Kopf; während der eine sich noch gegen die Gewissheit sträubt, hat der andere schon kapiert und krampft sich vor Angst zusammen.

Aber wir können doch nichts dafür!

Die Stimme von Ellen in meinem Kopf weist mich zurecht. »Darum geht es nicht, Dummerjan! Die Familie des Verräters ist unwichtig. Wichtig ist, dass dem deutschen Volk die Konsequenzen des Verrats vor Augen gestellt werden.«

»Ich habe keinesfalls die Absicht, mich zu verstecken«, erklärt Omama, und dabei bleibt es.

Warten ist ein höchst merkwürdiger Zustand. Man fügt sich ins Schlimmste und erwartet doch, dass eine höhere Macht es verhindert, wenn man sich nur würdig und tapfer erweist; man ist dankbar für jede Minute, die man warten und hoffen darf, und sehnt doch nichts dringender herbei als Gewissheit und dass das Warten ein Ende hat.

Die Uhrzeiger bewegen sich, der Schatten wandert ums Haus, nichts geschieht. Wir sind ein winziges Rettungsboot, das auf den Wellen zum Schiff zurücktreibt. Am Nachmittag wird auf dem Rasen schon wieder Federball gespielt.

Auch Nelly kehrt zurück, sie hat einen der kleineren Berge erklommen und einen ganz klaren Kopf. »Einer von uns beiden muss den Kindern erhalten bleiben. Was immer sie mich fragen, ich werde von nichts wissen. Die dumme kleine Frau, die entsetzt ist über das, was ihr Mann getan hat. Das ist kein Verrat an Georg. Das ist, was wir besprochen haben und was er von mir erwartet.«

Onkel Yps, Tante Helma und Tante Josi kommen mit ihrem alten, steifbeinigen Hund Ivo, sie wollen uns im Schloss nicht allein lassen, und kaum beginnt es zu dämmern, huschen weitere Besucher durchs Tor. Die Pächter der beiden Höfe, der Bürgermeister, der Pfarrer, mehrere Nachbarn, sie alle sprechen Omama und Nelly ihr Beileid aus und stehen danach unschlüssig herum, bis endlich einer ausspricht, was sie in Wahrheit bewegt: dass es einen Fluchtweg in die Schweiz gibt.

»Die Lautlitzer lassen Sie nicht im Stich, Frau Gräfin. An uns müssen die erst mal vorbei …!«

»Ich weiß es zu schätzen, Herr Leuschner«, erwidert Omama gerührt, »aber so schlimm wird es schon nicht kommen. Wir sind doch nur ein paar Frauen und Kinder …«

»… und wir wussten von nichts!«, fällt Nelly in einem so traurigen, fassungslosen Ton ein, dass ich ihr um ein Haar geglaubt hätte.

Im Zimmer neben mir wohnt jetzt Tante Josi. Gepäck hat sie kaum dabei; trotzdem bringt sie es fertig, geschlagene zehn Minuten aufzuräumen. Faltet Wäsche, hängt ihr Ordenskleid auf einen Bügel und bürstet es, bürstet auch ihr Häubchen, kämmt sich das Haar. Eine Frage, die ich mir nie gestellt habe, findet gleichfalls eine Antwort: Nonnen tragen normales Unterzeug und schlafen in langen Nachthemden.

»Die äußere Ordnung«, ruft Tante Josi in lebhaftem Ton, »hilft zur inneren!«

Gut möglich, dass es dem Aufräumenden selbst so geht – mir gibt ihre Geschäftigkeit fast den Rest. Die Welt stürzt ein, Tante Josi räumt auf! Den ganzen Tag war ich wie betäubt, jetzt zucken meine Knie vor lauter Lust, ins Nebenzimmer zu rennen und alles auf den Boden zu werfen, was sie gerade knitterfrei aufgehängt hat. Eine Lawine rollt durch meinen Körper und findet keinen Ausgang; ich reiße die Bettdecke herunter, die ich mir übers Gesicht gezogen hatte, und schnappe nach Sauerstoff wie ein Fisch auf dem Trockenen.

»Raus mit der Wut, du musst ja langsam platzen!« Mit einem knappen Meter Sicherheitsabstand steht Tante Josi neben meinem Bett und schaut milde auf mich herab.

Das also war das Letzte, was mein Bruder auf dieser Welt gesehen hat: leuchtend blaue Augen, ein feines, weises, gütiges Lächeln. Blitzartig schießt ein Satz in die Erinnerung zurück: »Dem Jungen muss gewesen sein, als säße ein Engel an seinem Bett.« Vaters erster Brief an Mutter nach Fabians Tod; Worte, die ich damals nicht verstand.

»Gut so!«, ermuntert mich Tante Josi. »Heul dich nur richtig aus.«

Ich konnte ihr ja schlecht ein »Warum? Warum? Warum?« entgegenbrüllen!

»Wenn Georg das getan hat, obwohl er damit seine Familie in Gefahr bringt«, glaubt Tante Josi, »obwohl er einen Eid auf den Führer geleistet hat und obwohl er ein guter Christenmensch ist, dann hat er nicht nur keinen anderen Weg gesehen, dann hat es keinen anderen Weg *gegeben.* Fünf Jahre Krieg! Die Leute sind müde, Fritzi.«

»Aber doch nicht unseren Führer …!«, heule ich.

»Fritzi, Georg war ganz nah dran an denen, die in Deutschland die Fäden in der Hand halten. Glaubst du nicht, dass er beurteilen konnte, wo das größte Hindernis für den Frieden liegt? Im Übrigen war er nicht allein, soweit wir wissen.«

Das ist ja das Furchtbare. Onkel Georg habe ich kaum gekannt, aber wie ein Mühlstein hängen zwei Minuten im Wald um meinen Hals, und jemand, dem ich beinahe vertraut hätte.

»Was passiert denn jetzt?«, frage ich zwischen zwei Schluchzern.

Tante Josi hebt die Schultern – immerhin ist sie so ehrlich zuzugeben, dass sie *das* auch nicht weiß. »Hauptsache, die Familie lässt sich nicht trennen«, sagt sie mit Nachdruck.

Mit bangem Herzen liege ich wach und horche – auf Schritte, auf Stimmen, das leise Knirschen von Autoreifen auf dem Kies, auf *irgendetwas,* das diese falsche Stille durchbricht –, doch hinter dem offenen Fenster bleibt alles ruhig.

Vielleicht haben sie uns vergessen. Oder genug damit zu tun, diejenigen zu finden, die uns das alles eingebrockt haben!

Ich hätte gar nichts melden müssen von dem, was ich im Wald belauscht habe. Es hätte genügt, auf den Weg zu treten und zu sagen: »Was immer ihr vorhabt, jetzt müsst ihr es aufgeben, denn ich habe euch gehört!«

Vorbei. Zu spät. Woher du kommst und was du bist, das schleppst du mit, das zieht weiteres Unglück an, das wird schwer und schwerer wie ein nasser Rucksack im Gewitter.

Diebe kommen in der Nacht, wenn alles schläft. Niemand sieht, wie sie die Tür aufbrechen, rauben, wieder verschwinden, niemand erkennt ihr Gesicht. Diebe kommen in der Nacht, und die Gestapo auch. Lautlos und ohne Licht fahren ihre Wagen durchs Dorf. Als Lautlitz am Sonntagmorgen erwacht, sind die junge Gräfin Nelly und der alte Graf von Yffingen nicht mehr da.

Und wir gehen trotzdem in die Kirche, bestimmt Omama.

Mein Blick schweift, ich kann nichts dagegen tun. Ich sehe nicht die Kerzen auf dem Altar, ich sehe Onkel Yps das Licht entzünden an jenem ersten Abend; nicht die gesenkten Köpfe in den Bänken vor und hinter mir, sondern Nelly, aufrecht und ohne eine Spur von Angst, zwischen Uniformen die Treppe hinabgehen.

»Sollten wir nicht irgendetwas verbrennen?«

Am Nachmittag hatte ich Nelly und Omama noch reden hören.

»Briefe, Adressbücher, Seiten aus dem Gästebuch …«

»Nicht mehr nötig«, erwiderte Nelly. »Alles, was uns gefährlich werden könnte, ist in Bamberg im Ofen gelandet. Georg hat bei seinen Besuchen stapelweise Papiere mitgebracht. Sie hatten in Wannsee Zentralheizung und konnten wegen des Hausmeisters nichts unbemerkt verbrennen.«

»Papiere …?«, brachte ich heraus.

Erst jetzt schienen sie Notiz von mir zu nehmen. »Konzepte für die Zeit nach Hitler, glaube ich«, antwortete Nelly nach kurzem Zögern, doch von dem Moment an hörten sie auf zu reden, wenn ich, oder eins der Kinder, in ihre Nähe kam.

Yps und Nelly seien bald zurück, wiederholen Tante Helma und Tante Josi ein ums andere Mal, und Guntram erklärt seinen kleinen Geschwistern: »Müssen sie auch! Mami hat doch nur Gepäck für zwei Wochen dabei.«

»Aber du weißt es besser, nicht wahr?«, flüstert mir Ellen ins Ohr. »Du weißt, was passieren kann!«

In den Bänken vor und hinter mir heben sich plötzlich Köpfe. Der Pfarrer betet für Opa Leuschner, aber er wird doch nicht wagen …?

Er wird. Mit leicht belegter Stimme bittet er für die Seele von Onkel Georg. Ich höre Atmen, Flüstern, sehe erschrockene, zustimmende, missbilligende Blicke, Blicke, die sich vergewissern, wie sie blicken sollen. Nur Omama blickt starr geradeaus, damit niemand auf den Gedanken kommt, er müsse auf sie Rücksicht nehmen.

Den Antwortteil der Gemeinde lässt der Pfarrer aus. Keiner soll jetzt sagen müssen: »Das ewige Licht leuchte ihm.« Der

Pfarrer spricht die Worte selbst, er will niemanden in Schwierigkeiten bringen; nur ganz zum Schluss murmelt es hier und da verstohlen: »Amen.«

Draußen schart sich das Volk um den Führer. Der Volksempfänger spricht von Treuekundgebungen in fast jeder deutschen Stadt. Vier Männer hat die Bombe getötet, die Lagebaracke, Führers Besprechungsraum, ist völlig zerstört, doch er selbst unversehrt.

Die Vorsehung, was sonst? Nun muss ja alles gut werden, nun muss sich für Deutschland das Glück noch einmal wenden! Die letzten Zweifler sind verstummt, und die Gestapo verhaftet jetzt bei Tageslicht, damit jeder sieht, dass die Staatsmacht unverwundet ist.

Am Sonntagabend holt sie sich Omama und Tante Josi.

Sieben

Ob es bei einem Bombenangriff passiert ist? Die linke Gesichtshälfte der Frau, die mir gegenübersitzt, ist makellos, fast schön, die rechte grotesk verwüstet durch eine zentimeterbreite, tiefe Narbe, die sich vom Mundwinkel bis zum Ohr zieht. In den vier Stunden, seit sie mich abgeholt hat, habe ich die Frau noch nicht ein einziges Mal lächeln sehen. Vielleicht kann sie es nicht mehr mit diesem Gesicht.

Wohin sie mich bringt, habe ich gefragt, aber sie antwortet nicht. Dabei habe ich, als sie die Fahrkarten löste, schon gehört, dass es nach Berlin geht, und auch warum ich nicht schon gestern gemeinsam mit den Kindern weggebracht wurde, weiß ich. »Du gehörst nicht dazu«, sagte der Gestapo-Mann.

Du gehörst nicht dazu. Obwohl ich es an meinem ersten Tag im Schloss selbst so empfunden hatte, war ich wie vor den Kopf gestoßen. Drei Wochen allein mit Tante Helma, Witta, Bernadette und den Kindern, ohne Nachricht von irgendwem … nicht eine Sekunde hatte ich das Gefühl, dass das, was geschieht, nicht auch mich betrifft!

Dass Onkel Eckhardts Telefon ein Fremder beantwortet, ohne zu verraten, wer er ist. Dass es unter Mutters und Lexis Nummer heißt: »Die Leitung ist frei, aber der Teilnehmer meldet sich nicht.«

Dass die Gestapo durchs Haus ging, als ob es ihr gehörte, in alle Schränke schaute, Notizen machte, mit einer langen, sorgfältig getippten Liste wiederkehrte und anordnete, kein einziger Gegenstand dürfe das Schloss verlassen. Auch die Wertsachen aus unserer Berliner Wohnung standen auf der Liste, wir dürfen nichts behalten.

Dass Lore verschwand, einen Tag nach Omamas Verhaftung. Sie verschwand ohne Abschied, war einfach nicht mehr da, jemand hat sie am Bahnhof warten sehen. Jette bat im Weggehen immerhin darum, ihr ein Arbeitszeugnis nachzusenden – als ob sie ein Zeugnis mit der Unterschrift *von Lautlitz* noch irgendjemandem vorlegen könnte!

Dass wir nicht hinaus vor die Mauer durften, und niemand von außerhalb hinein zu uns. Nach einigen Tagen fiel es schwer zu sagen, ob wirklich die anderen vom Erdboden verschluckt waren oder nicht doch wir selbst.

Tante Helma versammelte uns im Wohnzimmer. »Ich habe auch eine Liste gemacht! Ab heute bekommt jeder von euch eine Aufgabe. Frühstücks-, Mittag- und Abendtisch decken, Geschirr spülen, Wäsche aufhängen, Blumen gießen …«

Schon schrien die Kinder durcheinander, bis ihre Namen endlich auf der Liste standen, hängten das Blatt in der Küche auf und studierten es mit feierlichem Ernst nach jeder erledigten kleinen Pflicht. Ich wischte Staub und wusch ab, sprengte die Rosen, machte Betten, und meine in Oschgau erworbenen Küchenkenntnisse kamen auch endlich zum Einsatz.

Es war wie ein Spiel, das Tante Helma bis zum Schluss aufrechterhielt, obwohl sie krank vor Sorge sein musste um Onkel Yps und die anderen. Selbst Guntram, der in den ersten Tagen nach Tante Nellys Verhaftung kaum gesprochen, sondern unaufhörlich am Cello seines Vaters gezupft hatte, trug sich irgendwann auf die Liste ein.

Immer wieder das tiefe C, bis Tante Helma und Witta ihn anflehten aufzuhören. »Das war das einzig Traurige für Papi«, sagte Guntram an mich gewandt, wohl weil ich gerade zufällig neben ihm stand. »Mit nur einer Hand konnte er nicht mehr musizieren.«

Der gestrige Tag war der schlimmste. Das spurlose Verschwinden der halben Familie und den Hausarrest musste man hinnehmen, durfte beides nicht noch schlimmer machen, indem man den anderen gegenüber die Nerven verlor. Doch allein zurückzubleiben hatte ich nicht auf meiner Rechnung. Tante Helma war da – aber wie lange noch? In den vergangenen drei Wochen hatte ich ständig ein Ohr nach draußen gerichtet und erwartet, dass auch sie jeden Augenblick abgeholt wurde, und Tante Helma ging es offenbar ebenso, denn ihr Koffer blieb gepackt.

Wie ein Geist schlich ich durchs Haus, saß mal auf diesem, mal auf jenem Stuhl, legte mich in alle Betten. Und dann war meinetwegen ein Wagen gekommen! Ich war so erleichtert, dass ich geradezu an mich halten musste, um nicht eine Spur *zu* bereitwillig hineinzuschlüpfen. Schließlich wäre es unklug, die Gestapo darauf aufmerksam zu machen, was ich in diesen vierundzwanzig Stunden erkannt habe: Die schlimmste aller Strafen für mich wäre, in Freiheit zu bleiben, während meine Familie eingesperrt ist.

Nun also Berlin. Sehe ich die anderen dort wieder? In einem Gefängnis womöglich? Oder bringen sie mich einfach nach Hause, zu Mutter? Was immer sie vorhaben, die schlimmste aller Strafen ist ausgeblieben und das reicht, um mich ein wenig vorwitzig zu machen.

»Sie haben nicht zufällig eine Zeitung von heute …?«

Die Frau blickt nicht einmal auf von dem Buch in ihrem Schoß.

»Warum haben die Zeitungen nur vom ersten Verschwörerprozess berichtet? Der nächste war doch schon angekündigt. Oder finden keine mehr statt?«

Mit voller Absicht fordere ich sie heraus. Es funktioniert! »Still!«, zischt sie böse.

Um uns herum wird jetzt verstohlen geguckt. Die Frau blickt starr in ihr Buch, doch ich sehe ihr an, wie nervös sie wird.

Zufrieden lehne ich mich zurück. Mutprobe bestanden! Schön wäre es, jetzt noch mit betonter Gelassenheit aus dem Fenster sehen zu können, doch in diesem Zug gibt es keine Fenster mehr. Die Öffnungen sind grob mit Holzplanken vernagelt, durch deren handbreite Zwischenräume Licht ins Abteil fällt. Der Ruß der Lokomotive zieht hinein und lässt die Augen tränen, und der Fahrtwind macht frösteln, obwohl es draußen warm ist. Die meisten Passagiere haben Jacken dabei; ich trage lediglich einen Rock und Lexis Bluse, die ich in den vergangenen Wochen nur ausgezogen habe, um sie zu waschen. Die Frau hat mir nicht gesagt, dass ich eine Jacke brauche.

»Wer uns im entscheidenden Stadium unseres Daseinskampfes in den Rücken fällt, verdient keine Rücksicht«, hat der Führer verkündet.

Verstohlen blicke ich zu meinem Koffer auf, der im Gepäcknetz liegt. Ihrer liegt darüber, selbst mein Gepäck ist gefangen, aber auf keinen Fall werde ich mir die Blöße geben, ihren Koffer anzufassen, nur um an meine Jacke zu kommen!

Ein heftiges Rascheln fängt meine Aufmerksamkeit. Schräg gegenüber, durch den Gang von uns getrennt, nimmt ein Mann den *Völkischen Beobachter* aus seinem Aktenkoffer. Umständlich entfaltet er die Zeitung und beginnt langsam, aber stetig zu blättern. Als suchte er etwas Bestimmtes ... oder als sollte ich die Überschriften erkennen können!

Meine Bewacherin merkt nichts. Mein Blick huscht hinüber. Nein, kein Wort über die Prozesse vor dem Volksgerichtshof. Ich schaue wieder weg, beobachte aus den Augenwinkeln, wie der Mann sofort die Zeitung zusammenfaltet und einsteckt.

Mein Herz klopft. Er hat es meinetwegen getan! Ich habe mich nicht getäuscht.

So sieht man mir an, dass ich verschleppt werde! Dass die Frau, die mich begleitet, nicht zu mir gehört! Was würde wohl passieren, wenn ich jetzt einfach aufstünde und um Hilfe riefe? *Sie holen meine Familie, einen nach dem anderen, und niemand weiß, wohin!*

Nichts würde passieren, natürlich nicht. Aber tröstlich ist es doch, mir auszumalen, dass ich gesehen worden bin. Dass der Mann mit der Zeitung es am Abend seiner Familie erzählen kann: »Im Zug war ein junges Mädchen, das zu einer der Verschwörerfamilien gehört haben muss. Was mag wohl mit ihm geschehen?«

Die Kinder hatten mehr Glück mit ihrer Begleitung. Die beiden Männer waren nett, scherzten mit ihnen, erlaubten sogar, dass Witta sie noch zum Pfarrer brachte, damit der sie vor ihrer Reise ins Unbekannte segnete. Und dennoch gingen die sechs nicht so willig mit wie ich. Konstantin tobte und schrie und klammerte sich an Witta, und alle außer Guntram weinten und bettelten herzzerreißend, Bernadette mitnehmen zu dürfen. Die sah aus, als würde sie jeden Moment in Ohnmacht fallen: hin- und hergerissen zwischen dem Entsetzen, ihre Schützlinge an die Gestapo übergeben zu müssen, und der noch größeren Furcht, sie müsse sie am Ende womöglich begleiten.

Schließlich nahm Guntram die kleinen Koffer, die vor dem Eingangsportal standen, drückte jedem Kind den seinen in die Hand und kommandierte: »Los jetzt und hört auf zu heulen!«, worauf sie augenblicklich gehorchten und in den Wagen stiegen.

Im Angesicht des Gebäudes, das wir auf dem Fußmarsch vom Bahnhof halb umrunden, um zum Haupteingang zu gelangen, beschleicht mich der Verdacht, dass die Kinder recht daran taten, sich bis zum Letzten zu wehren. Am Rande der verwüsteten Lehrter Straße erhebt sich eine Trutzburg, umschließen dicke Backsteinmauern und viereckige Türme ein sternförmiges Bauwerk mit dunklen, vergitterten Fensterlöchern.

Ein Gefängnis. Mit dem Gedanken hatte ich schon gespielt, nun stehe ich direkt davor und kann es nicht glauben.

Ein Tor in der Mauer öffnet sich, uns einzulassen; meine Bewacherin schiebt mich vor sich her, wie sie es schon seit dem Morgen getan hat. Vor uns liegt ein Gitter, wird rasselnd geöffnet und sofort hinter uns geschlossen, der Pförtner lässt den kompletten Schlüsselring mit Wonne gegen die Eisenstäbe krachen. »Philippa Bredemer, Sippenhaft«, meldet meine Bewacherin und reicht ihm ein Papier, das er kurz überfliegt.

Sippenhaft! Das Wort fährt mir in die Knie. Als der Pförtner mit einer Handbewegung bedeutet, ich solle ihm über einen schmalen Streifen Hof zu einem Gebäude im Inneren vorausgehen, versagen meine Beine den Dienst, ich muss mich schmählich an der Wand abstützen.

»Nun mach schon«, brummt er. »Hier wirst du noch nicht gefressen.«

Meine Bewacherin lacht schadenfroh, es ist ihr Abschiedsgruß an mich. Mit zusammengebissenen Zähnen trete ich durch das nächste Gitter und höre das Tor in meinem Rücken zuschlagen.

Ist das schon Angst …? Alle Erwartung, alles Fühlen und Wittern richtet sich auf die nächste Tür, den nächsten Gang, die nächste Person, die mir begegnen wird. Es kommt mir vor, als müsste ich mich jeden Augenblick von meinem Körper trennen und neben mir herschweben können, vor mir selbst hereilen, mich selbst warnen. Nur kein falsches Wort, kein missverständlicher Blick! Ich will, ich werde die nächste Tür erreichen, die übernächste, die Tür dahinter. Meine Schritte hallen auf eisernen Stufen, Statuen gleich stehen reglose Gestalten an den Wänden. Blick geradeaus, Hände hinterm Rücken – Wächter in der Uniform der SS.

Meine Personalien werden aufgenommen. Eigentlich steht alles schon in den Papieren, die mit mir zusammen übergeben wurden, aber mit strengem Gesicht vergleicht die Aufseherin, die mich übernommen hat, ob meine Behauptungen über mich stimmen.

Mein Koffer wird geöffnet, der Inhalt ausgelegt und erfasst. Aus bis zur Decke reichenden Regalen im Hintergrund eines langen Tisches, auf dem sich das Häuflein meiner Habseligkeiten verliert, erhalte ich ein graues Stück Stoff: eine Schürze, die über den Kleidern zu tragen ist. Unterschreibe etwas, das mir die Aufseherin hinhält; ich glaube, es war ein Gesuch, in der Zelle lesen zu dürfen.

In einem weiß gefliesten, nach Desinfektionsmittel riechenden Raum muss ich mich ausziehen und untersuchen lassen, bestätigen, dass ich keine Medikamente benötige. Ich erhalte ein dünnes Handtuch und ein fingerkuppengroßes Stück Seife und erfahre, dass man einen Antrag stellen kann, zu baden.

Ich stolpere, das Handtuch in der linken, den Koffer in der rechten Hand, hinter der Aufseherin durch einen stillen Zellentrakt, in dem es nach Essen und Klo riecht, vorbei und vorbei und vorbei an einer schmalen Eisentür nach der anderen. Kleine Brücken, an denen Wachposten stehen, führen über einen vergitterten Mittelgang zum identischen Trakt auf der gegenüberliegenden Seite, durch die Gitter geht nach unten und oben der Blick in weitere Flure.

Ich stehe dumm vor einer Tür, die sie mir aufgeschlossen hat, bis sie kopfschüttelnd sagt: »Also, da musst du schon allein hineingehen!«

Zögernd tue ich zwei Schritte in eine winzige, dämmrige, glutheiße Zelle.

»Großer Gott – Philippa!«, flüstert meine Mutter.

Sie hat gewusst, dass jemand zu ihr gelegt wird. An die ihrer Pritsche gegenüberliegende Wand haben sie am Vortag noch eine zweite Bettstatt gestellt, mit demselben blau karierten Strohsack, der als Matratze dient, und einer groben Wolldecke.

»Ich hab noch gefragt: Muss das sein …?«, erzählt Mutter und hält meine Hand. »Die ersten Tage bin ich vor Anspannung förmlich die Wände hochgegangen, doch dann … plötzlich fiel alles von mir ab, ich wurde ganz ruhig, und diese herrliche Stille! Es war mir gar nicht recht, dass es damit wieder vorbei sein sollte.«

Man muss sich um nichts mehr kümmern, keine Entscheidungen treffen, sagt sie, und alles wird wunderbar friedlich, sobald man begriffen hat, dass das, was geschieht, nicht mehr in der eigenen Hand liegt. Fast vergnügt sitzt sie neben mir auf der Pritsche und ich höre mit wachsendem Entsetzen zu.

Meine Mutter im Gefängnis! Seit ich weiß, womit sie die dreißig Franzosen wiedergutzumachen hofft, habe ich geahnt, dass es darauf hinauslaufen könnte, aber sie tatsächlich hier zu sehen, ist unfassbar. Meine Mutter mit ihren feinen Gesichtszügen, ihren anmutigen Bewegungen, ihrer melodischen Stimme; selbst die Schürze über den Kleidern kann ihrer Eleganz nichts anhaben. In der schäbigen, über und über mit Namenszügen beschmierten Zelle, zwischen Strohsäcken, dem Holzbrett an der Wand, das als Tisch dient, und dem stinkenden, notdürftig mit einem Stück Pappe bedeckten Kübel wirkt sie so absurd wie …

… wie jeder aus meiner Familie. Omama. Tante Josi. Tante Nelly. Plötzlich wird mir bewusst, was mit ihnen geschehen ist, und die Unerhörtheit dessen, was man mit uns macht, bricht jäh über mich herein, raubt mir fast den Atem.

Aber Mutter lacht! Es ist unheimlich. »Sie sind alle hier«, sagt sie fast triumphierend. »Die Verräterfrauen! Marion Yorck, Bärbel Haeften, Clarita Trott … und Ina, nicht zu vergessen! Drei Zellen weiter liegt Ina.«

Ein Ruck durchfährt mich. »Tante Ina ist hier? Nur Tante Ina? Was ist mit Omama? Nelly? Tante Josi?«

Nun blickt sie doch bestürzt. »Omama auch …?«

»Und Onkel Yps und die Kinder.«

»Die Kinder!«

Mit ihrem *wunderbaren Frieden* ist es vorbei. Mutter sitzt ganz still. »Ist Marion Yorck die Frau von Peter Yorck?«, frage ich. Sie nickt ängstlich.

»Sein Name stand in der Zeitung. Er war im ersten Prozess dabei. Tante Helma sagt, er sei mit uns verwandt.«

Kaum hörbar fragt sie: »Wer noch?«, und ich nenne die unbekannten Namen, die ich wieder und wieder gelesen habe, Witzleben, Hoepner, Stieff, von Hagen, von Hase, Bernardis, Klausing, Yorck. Ich sage ihr, dass die Anklage Hochverrat und das Urteil Tod durch Erhängen lautete.

»Das war zu erwarten«, murmelt sie. »Fritzi, ich glaube, Marion weiß es noch nicht. Was mache ich bloß? Soll ich es ihr sagen?«

Arme Mutter. Noch keine halbe Stunde teile ich mit ihr die Zelle und schon hat sie wieder etwas zu entscheiden! Durch den länglichen, vergitterten Fensterschlitz – zu weit oben, als dass man hinausschauen könnte – fällt ein Streifen Licht, in dem Staubfäden schwimmen, auf unsere identischen grauen Schürzen, die ineinander verschlungenen Hände.

»Könnt ihr Frauen denn einfach miteinander reden?«

»Das nicht. Wenn wir uns vor dem Hofgang auf der Treppe begegnen, kann man sich ein paar Worte zuflüstern. Besser geht es, wenn wir bei Alarm in den dritten Stock gebracht werden.«

Bedrückt sitzt sie da und starrt vor sich. »Lexi habe ich kurz gesehen«, sagt sie plötzlich, »am ersten Tag im Polizeipräsidium am Alex. Wir müssen fast gleichzeitig verhaftet worden sein, sie war im Vernehmungsraum nebenan und die Tür stand offen, als ich vorbeiging.«

»Lexi! Wann war das?«, frage ich aufgeregt.

»Am Dienstag nach dem Unglück. Ja, es kann gut sein, dass sie und die anderen hier sind, Fritzi. Dies ist ein Untersuchungsgefängnis. Es gibt verschiedene Trakte mit je einem eigenen Spazierhof. Wenn du dich auf die Nähmaschine stellst, kannst du in unseren hineinsehen.«

Die Nähmaschine? Erst jetzt bemerke ich den zugeklappten Kasten, der unter dem Fenster steht. »Verrückt, nicht wahr?« Mutter folgt meinem Blick. »Ich nähe. Ich nähe scheußliche Männerhosen aus irgendwelchen alten Vorhangstoffen, flicke Hemden und stopfe Socken voll riesiger Löcher.«

»Aber … das ist ja fantastisch! Vielleicht können deine Kundinnen etwas für dich tun!« Plötzlich sitze ich kerzengerade. »Ja, vielleicht tun sie es schon! Liegen ihren Männern in den Ohren, dass sie dich vor dem nächsten großen Fest hier herausholen!«

Mutter versucht zu lächeln. »Das würden nicht einmal die beiden schaffen. Nicht nach dem, was passiert ist.«

»Ach was. Du heißt doch gar nicht mehr von Lautlitz!«, rufe ich. »Was wollen die überhaupt von uns? Weißt du, was der Gestapo-Mann, der die Kinder wegbrachte, gesagt hat? *Ich gehöre nicht dazu!*«

Nun ist es an Mutter, mich groß anzusehen. Sie macht den Mund auf, zögert, holt Luft.

Und plötzlich weiß ich wieder, was Angst ist. »Wir beide sind nicht nur wegen des Namens Lautlitz hier, Fritzi«, sagt sie. »Wir sind hier wegen Vater.«

Das Fenster sieht aus wie eine Schießscharte. In regelmäßigen Abständen fällt das grelle Licht eines Scheinwerfers hinein, zuckt von einer Ecke der Zelle in die andere und verschwindet in der Wand über meiner Pritsche. Mutter tut, als ob sie schlafe; atmen höre ich sie jedenfalls nicht. Vielleicht hält sie die Luft an, um nie wieder aufzuwachen.

Verstehen könnte ich es! Am liebsten würde ich es selbst so machen, aber ich habe es schon einmal versucht und weiß, dass es nicht funktioniert. *Wenn du Rache wolltest, jetzt hast du es geschafft, Piotr!*

Die Dummheit dieses Gedankens wird mir bewusst, noch bevor ich ihn zu Ende gedacht habe. Rache war es jedenfalls nicht, was Piotr in den letzten Augenblicken seines Lebens bewegt hat. Er war ein zu freundlicher Mensch, und außerdem ist er dazu gar nicht mehr gekommen.

Philippa Bredemer, Sippenhaft. Ich muss sagen, das war recht milde ausgedrückt. In meinem Kopf haben sich andere Worte bereits geformt, aber noch sträubt er sich, sie zur Benutzung freizugeben.

Der Papi hat sich geirrt. So leicht wird Mutter es mir nicht machen. »Was immer sie dir einreden – vertrau ihm!«, verlangt sie.

Mein Vater, der mich vom Führer hat grüßen lassen! Mein Vater, der immer und auf alles eine Antwort wusste! »Er hat das auch für dich getan«, behauptet Mutter.

Für mich …? *Philippa Bredemer, Tochter eines Hochverräters.* Sie können es mir ebenso gut auf die Stirn brennen.

Anspucken wird man uns, jeder wird es wissen. *Philippa Bredemer, Tochter, Nichte und Großnichte von Hochverrätern.*

Hoffentlich müssen wir nie wieder hier heraus!

Acht

An meinem Vater – stolz, stattlich und ernst – saß die graue Wehrmachtsuniform wie eine zweite Haut. Nachdem ich ihn das erste Mal in Uniform gesehen hatte, konnte ich mich kaum noch erinnern, wie er vorher ausgesehen hatte – mir war, als sei diese Zeit mit einem Mal bedeutungslos geworden, und die Ehrfurcht, die ich bei seinem Anblick empfand, folgerichtig und angemessen, selbst wenn sie ihn mir fremder machte. Ab sofort gehörte mein Vater nicht mehr mir, er gehörte Deutschland!

Deutschland in Polen, Deutschland in Frankreich, Deutschland in Russland. Zweimal im Jahr kam Vater auf Fronturlaub, ein großes Ereignis, für das Mutter eine ganze Woche lang ihren Laden schloss. Wenn wir spazieren gingen, hakte sie sich an seinem rechten Arm unter, ich hing am linken und versuchte mit ihnen Schritt zu halten.

Bei einem dieser Urlaube kam er abends in mein Zimmer, ein Sagenbuch unterm Arm. Ich musste lachen. »Aber Vater! Ich bin jetzt zu groß, um vorgelesen zu bekommen!«

Einen Moment sah er so traurig aus, dass ich mich schämte, wenngleich ich nicht recht wusste wofür; sofort setzte ich mich auf, klopfte auf meinen Bettrand und tat, als hätte ich nichts gesagt.

»Dann lies du doch vor!«, meinte er. »Lies mir die Geschichte von Lanzelot!«

Und ich las für meinen Vater, der in Uniform an meinem Bett saß. Am nächsten Abend hatte er verstanden und kam nicht mehr in mein Zimmer.

»Ich glaube nicht, dass sie dich befragen werden, Fritzi«, sagt Mutter kopfschüttelnd. Aber woher will sie das wissen? Ich bin die Einzige, die noch nicht vernommen wurde, und ich will vorbereitet sein. Bilder sammeln: Wer ist mein Vater? Sie müssen mir einfach glauben, dass er immer alles richtig gemacht hat, nur dieses eine Mal nicht!

Der Papi hat sich geirrt. Die einzige in Worte zu fassende Erklärung. Auch Vater hat sich geirrt, das kann doch vorkommen!

Nein, das werde ich sicher nicht sagen. Man darf es nicht zu leicht abtun, die Tragweite des Verbrechens muss mir ins Gesicht geschrieben stehen. Und ich werde nicht einmal lügen müssen.

Ja, natürlich bin ich enttäuscht von meinem Vater. Sein Verhalten mir gegenüber hat nichts dergleichen erwarten lassen.

Wenn sie mich doch endlich holten! Wenn ich es doch bald hinter mir hätte! Seit über zwei Wochen sitze und warte ich, dass ich entweder verhört oder verrückt werde: Jeden Satz, den ich denke oder sage, klopfe ich wie unter Zwang darauf ab, ob er zu gebrauchen ist.

Tante Ina hat mir zugeflüstert, dass es ihr genauso ging. »Und dann wollten sie fast nichts wissen. Wir Frauen interessieren sie nicht, wir sind nur hier, um die Männer unter Druck zu setzen.«

Unter Druck? »Auszupacken«, flüstert Ina mit starrem Lächeln. »Namen zu nennen. Frag mich bitte nicht, Fritzi, ich versuche es mir nicht genauer vorzustellen.«

Aber ihr Gesichtsausdruck straft sie Lügen; ich habe den Verdacht, Ina stellt sich nichts anderes vor, wenn sie allein ist. »Glaubst du«, hat sie eine der anderen Frauen gefragt, »dass sie die Kinder für medizinische Experimente heranziehen?«

Bei Voralarm werden wir in den dritten Stock gebracht – nicht in den Luftschutzkeller, da wir »nicht rettenswert« sind, wie die Gestapo meint. Müssen uns anziehen, schweigend in der offenen Zellentür warten, bis alle bereit sind, und dann marschiert man uns über mehrere Treppen in einen leeren Raum mit großem Fenster, durch das man ein irres Feuerwerk betrachten kann: die hin und her zuckenden Flakscheinwerfer, das rote Glühen, das zitternd über der Stadt liegt, bei Nacht die Lichtblitze und bei Tag die Bombergeschwader, die in wohlgeordneten, fest geschlossenen Reihen am Himmel auftauchen, von den kleineren, flinken Jagdflugzeugen begleitet. Deutsche Jagdflieger sind fast nicht zu sehen.

Die Gestapo will uns Angst machen, indem sie uns schutzlos diesem Schauspiel aussetzt, aber das gelingt ihr nicht. Kaum sitzen wir, geht das Geflüster los: »Hast du von dem gehört? Von diesem? Von jener? Wer hat Post bekommen? Wer ein Paket?«

Wenn die Frauen Glück haben, gibt es einen Angriff und sie können ausgiebig sitzen und reden, jede Sekunde nutzen, während die Wucht der Einschläge rund um den Lehrter Bahnhof den Putz von Wänden und Decken sprengt. Das ganze Gebäude wird hochgehoben und rumpelt knirschend zurück ins Fundament; die Frauen horchen kurz und reden weiter.

Haben sie Pech, kommt Entwarnung. Schon an den enttäuschten Gesichtern ist dann unschwer abzulesen, wer zu uns gehört.

Zu uns. Den Verräterfamilien! Sie duzen sich alle, obwohl die meisten sich vorher nicht kannten, nichts von den Umständen ahnten, die sie hier zusammenführen würden. Da sind die unerschrockene Marion und die nachdenkliche Bärbel, die ein drei Monate altes Baby zurücklassen musste; da ist die noch ganz junge, bildhübsche Clarita oder Mädy, die anfangs vor Entsetzen so außer sich war, dass man schon dachte, man müsse sie nach Buch in die Irrenanstalt schicken.

Neidische Blicke treffen Mutter: »Du hast dein Kind bei dir, du hast es gut …!« Manchmal schiebt sich eine fremde Hand in die meine, wenn wir uns auf den Fußboden im dritten Stock setzen, an die Wand gelehnt, die Beine ausgestreckt.

Aber wenn es irgend geht, versuche ich einen Platz neben Ina zu ergattern. Wir waren zusammen, als das Unglück geschah, ich war dabei, als ihre Kinder abgeholt wurden. Neben Ina zu sitzen gibt mir beinahe das Gefühl, dass das, was war, und das, was ist, irgendwie zusammengehören.

An das, was ist, gewöhne ich mich. Das Knistern des Strohsacks höre ich nicht mehr, wenn ich mich nachts darauf umdrehe, den Gefängnisgeruch trage ich längst selbst mit mir herum, die Gluthitze in der Zelle ist mir lieber, als zu frieren. Die Prozedur mit dem Kübel beherrsche ich selbst im Dunkeln, nachdem ich ihn in den ersten Tagen vor Ungeschick und Scham fast umgeworfen hätte, und das häufige, wortlose Öffnen und Schließen der kleinen Klappe in unserer Tür zum Zweck der »Lebendkontrolle« bekomme ich kaum noch mit.

Ich bin darauf vorbereitet, dass die Aufseherinnen ständig wechseln und jede ihre eigene Methode des Bettenmachens hat. Was der einen recht ist, wird am nächsten Tag von der anderen wieder eingerissen: *So geht das nicht! Mach es neu!*

Aber bis auf kleine Schikanen ist die Behandlung anständiger, als wir unter diesen Umständen erwarten können.

Doch nicht, dass ich keine Wünsche mehr hätte! Ich wünschte, es gäbe ausreichend zu essen und ich wäre nicht ständig so hungrig, dass ich, allen Anstand vergessend, einen Teil von Mutters Suppe annehme, obwohl ich weiß, dass sie nur vorgibt, satt zu sein. Denn wie kann man satt werden von einer dünnen Scheibe Brot am Morgen und am Abend, und mittags einem Blechnapf voll Brühe, in der halb rohe Steckrüben oder Erbsen mit Sand und Holzstückchen schwimmen? Nur sonntags gibt es eine Scheibe Wurst und in der Brühe ein paar Brocken Fleisch.

Ich wünschte, ich hätte nicht mit Mutter die Pritsche getauscht, hätte ihr selbstloses Angebot nicht angenommen, aber allein die Vorstellung, mir könnten nachts wieder Wanzen ins Gesicht fallen, treibt mir Schauer über den ganzen Körper. Die Wanzen sitzen in einem Loch in der Zellendecke. Tagsüber schauen sie auf uns herunter, man hört sie rascheln und kichern und sobald es dunkel wird, machen sie Ausflüge. Krabbeln schwerfällig die Wände herunter, eine hier, eine dort, manchmal mehrere nebeneinander wie ein vorrückender Trupp, und die besonders Kühnen oder besonders Faulen lassen sich kurzerhand aus dem Loch auf die darunterstehende Pritsche fallen.

Mutter zieht sich die Decke über den Kopf und schläft weiter und ich schäme mich umso mehr ob des Schreikrampfs, den ich in der ersten Nacht bekam, als ich feststellte, dass mein gesamtes Lager *lebte.*

Die Bisse bemerkt man erst am Morgen. Sie jucken zum Zerspringen. Ich wünschte, ich könnte mich besser beherrschen und aufhören, meine Arme und Beine zu zerkratzen. Ich sehe schon aus, als hätte ich die Masern.

Ich wünschte, es gäbe mehr zu lesen als das Neue Testament, das Evangelische Gesangbuch und die Namen an der Zellenwand. Mutter rezitiert Gedichte, singt Löns und Schumann; ich wünschte, ich müsste das nicht den ganzen Tag anhören!

Ich wünschte, wir hätten mehr Licht. Eine halbe Stunde Spazierhof ist alles, was man uns zugesteht, und von Tag zu Tag werden die Gesichter, denen ich begegne, grauer, die Schritte schleppender, während wir schweigend Runde um Runde laufen. Reden ist beim Hofgang nicht erlaubt, man muss einen vorgeschriebenen Abstand einhalten. Zu hören gibt es die Lautsprecherdurchsagen des nahen Bahnhofs, zu sehen die Mauer um den Spazierhof, den Himmel, Baumspitzen und manchmal ein Gesicht in einem Fenster.

Aber mehr als all das wünschte ich, ich wüsste endlich Bescheid. Immer neue Frauen laufen beim Hofgang mit – eine, die auf dem Schwarzmarkt erwischt wurde, eine, die BBC gehört hat und von der Nachbarin verpfiffen wurde, mehrere Französinnen wegen Arbeitsverweigerung. Nachts hört man sie trotzig die Marseillaise singen! Doch keine Spur von Nelly, von Omama und Tante Josi, keine Spur von ihr, deren Namen ich nicht mehr zu denken wage. Ist sie Sippenhäftling wie wir, oder hat man schon entdeckt, dass sie um ein Haar dabei gewesen wäre? Hätte sie denn ein schnelleres Flugzeug gehabt …

Nein! Das reicht! Nicht weiter! Die Vorsehung hat sie bewahrt, wie den Führer! Aber wer weiß noch davon außer Onkel Georg, der nichts mehr verraten kann, Onkel Yps und mir? Können sie Onkel Yps so *unter Druck setzen*, dass er ihren Namen nennt?

Sobald ich auf der Pritsche liege und die Gedanken zu purzeln beginnen, geht es mir nicht aus dem Kopf: dass ich nun noch ein zweites Geheimnis habe, ein lebensgefährliches Geheimnis. Meine Angst, im Verhör etwas Falsches zu sagen, wächst – und das ist nicht meine einzige Sorge.

»Seit wann redest du im Schlaf, Fritzi?«, fragt Mutter wie beiläufig.

»Wieso? Was rede ich denn …?«

»Wirres Zeug. Flugzeuge und Brunnen und irgendetwas von einer Feder.«

»Brunnen? Keine Ahnung. Bitte weck mich beim nächsten Mal!«

Ich versuche mich auszutricksen, indem ich nur an Omama und Nelly denke, von ihnen erzähle, sie vermisse. »Ich wusste ja gar nicht, dass du so an Omama hängst«, freut sich Mutter.

Ich kann zaubern! Lexi ist nie mit mir in Lautlitz gewesen, ich habe sie nie gekannt. Den anderen gegenüber, wenn's drauf ankommt also, funktioniert der Trick.

Der Gefängnisseelsorger von Tegel und Moabit kommt mit ausgebeulten Taschen. Ich frage mich, ob draußen wirklich niemand bemerkt, was er alles hineinschmuggelt, oder ob sie einfach nur sämtliche Augen zudrücken. Die Vorsteherin ist anständig, *eine feine Frau*, das sagen alle, und so etwas kann ja auf das Wachpersonal nicht ohne Einfluss bleiben! Ja, von den Wanzen, der kargen Verpflegung und vielleicht auch dem Umstand einmal abgesehen, dass man eine Zellentür hinter uns zusperrt, obwohl wir selbst keines Verbrechens angeklagt werden, hat niemand von uns irgendeinen Grund, sich zu beklagen.

Der Gefängnispfarrer ist erst zum zweiten Mal bei uns und meine Mutter nennt ihn Harald! Mit nahezu stolzem Lächeln hat sie ihn beim ersten Mal begrüßt: »Nun bin ich tatsächlich hier und es ist nicht einmal meine Schuld!«

Verheißungsvoll lächelnd breitet Harald eine Serviette über den zerkratzten kleinen Tisch und greift in seine Taschen: Kandiszucker, Mohrrüben, Äpfel … und Honigbrötchen, eingewickelt in Stanniolpapier! »Bitte bis auf den letzten Krümel aufessen«, sagt er, »sonst bekomme ich draußen Ärger.«

Honigbrötchen! Mein Gaumen zieht sich zusammen von dem unerwarteten, fast schockierenden Genuss; es ist so viel Honig da, dass er seitlich aus dem Brötchen tropft und ich ihn gierig mit den Fingernägeln aus der Serviette kratzen kann.

»Wie ist es dir in der Zwischenzeit ergangen, Fritzi?«, fragt Harald. Er hat ein offenes, junges Gesicht, blondes Haar und freundliche, von tiefen Schatten umgebene Augen.

»Fritzi träumt schlecht«, antwortet Mutter für mich, »sie hat schreckliche Angst vor einem möglichen Verhör, aber wenn ich ihr vorschlage, sich mit Nähen oder Stopfen abzulenken, will sie das auch nicht.«

Eine Memme von einer Tochter, soll das wohl heißen. »Ich werde sehen, dass ich ihr ein paar spannende Bücher besorge«, meint Harald.

Da sage ich es ihm auf den Kopf: »Sie kannten meine Mutter schon vorher! Sie sind der, der die Lebensmittelmarken für die Taucher sammelt.«

»Fritzi!«, zischt Mutter. »Bist du wohl still!«

»Lass gut sein, Almut«, sagt Harald gelassen, »die Wände

sind dick. Ja, ich bin der mit den Marken, Fritzi, und draußen gibt es ein ganzes Netzwerk von Leuten, die nun auch für euch aktiv werden.«

Für uns? Mit glühenden Wangen starre ich auf den klebrigen Rest Brötchen in meiner Hand. *Leute ...? Leute, die uns gar nicht kennen ...?*

»Ich habe euch Schreibzeug mitgebracht.« Harald legt einen angebrochenen Notizblock und einen Bleistift auf den Tisch. »Vielleicht wollt ihr nächstes Mal eine Botschaft für jemanden mitgeben.«

Eine Botschaft? An wen sollten wir schon eine Botschaft richten! Die ganze Familie sitzt in Haft, für uns kann niemand etwas tun.

Ein ziemlich komischer Pfarrer ist das. Von Gebet keine Rede. Schmuggelt Dinge herein und heraus, selbst Briefe der Männer, die in Tegel und Plötzensee einsitzen. Weiß, wer wo sitzt und wer vor Gericht steht, war derjenige, der Marion Yorck von der Hinrichtung ihres Mannes erzählt hat, und die Sache mit den Lebensmittelmarken hatte ich nur geraten!

Bevor er geht – alle Spuren unseres Gelages restlos beseitigt –, singt er mit Mutter noch einen Choral aus dem Gesangbuch. Wahrscheinlich hätte er sich gefreut, wenn ich mitgesungen hätte, aber mein Mund bleibt so fest verschlossen, dass mir fast der Kiefer knackt.

Beim nächsten Mal vielleicht. Harald Poelchau und seine Frau nennt man in Moabit nur die Schutzengel. Für Mutter und mich ist er die einzige Verbindung nach draußen.

Unser zweiter Engel ist Frau Schleicher, die Kalfaktorin, die sich als *Gefängnisdienerin* vorgestellt hat. Frau Schleicher gehört zu den »Bibelforschern«, Zeugen Jehovas, die Kriegs- und

Arbeitsdienst verweigern, und sitzt seit fast fünf Jahren. Eine abgezehrte ältere Frau in Häftlingskleidung, die uns dreimal täglich das Essen bringt und zweimal täglich den Kübel leert, obwohl es nur einmal vorgeschrieben ist.

»Ihr seid doch zu zweit«, sagt sie, »da wird er doch doppelt so schnell voll.«

»Sie sind eine Heilige, Frau Schleicher«, meint Mutter, worauf sie so heftig und erschrocken abwehrt, als sei Dankbarkeit ein Angriff auf ihre Demut.

Betet für die Seele von Otto und Mia!, steht auf Augenhöhe an der Wand über meiner Pritsche, und dazu das Datum 1903. Ich möchte wissen, was sich Otto und Mia dabei gedacht haben: uns noch nach vierzig Jahren mit ihrem Schicksal zu behelligen! Wer hier einschläft, hat seine eigenen Sorgen, der möchte nicht jeden Abend an Otto und Mia erinnert werden und sich fragen müssen, ob sie womöglich in der anstaltseigenen Hinrichtungsstätte von ihrer Seele getrennt wurden. Überhaupt, müsste es nicht *Seelen* heißen?

Ich finde, wer sich hier verewigt hat, sollte dafür sorgen, dass dazugeschrieben wird, was aus ihm geworden ist!

Vom Boden zu meiner Linken kommt angestrengtes Pusten und Schnaufen: Mutter plagt sich mit ihrer Gymnastik. Wenn ich mich umdrehen würde, könnte ich ihren roten Kopf alle drei Sekunden neben meinem Strohsack hochschwingen sehen, ein dampfendes, zerzaustes Pendel. Auf, ab, auf, ab. Da starre ich doch lieber auf Otto und Mia und warte, bis sie fragt …

»Fritzi, komm schon, willst du nicht mitmachen?«

Ich wusste es! Auf Mutter ist Verlass. In bestimmten Situationen gibt sie das stets gleiche Repertoire mit einer Zuverlässigkeit zum Besten, dass man die Uhr danach stellen könnte.

Oberhalb von Otto und Mia hat jemand auf Russisch gekritzelt. Lange ist das noch nicht her; wenn ich mit dem Zeigefinger reibe, verwischt die Schrift bis auf einen ganz feinen, fast unsichtbaren Strich. Ich setze mich auf und arbeite daran, nehme sogar die Fingernägel zu Hilfe.

Endlich hat Mutter ausgeschwungen. Jetzt sitzt sie auf ihrer Pritsche, lässt den Schweiß auf der Haut trocknen, was gesund sein soll, und beobachtet düster und ratlos, mit welch sinnstiftenden Dingen sich ihre Tochter wieder beschäftigt. Ich brauche nicht hinzusehen, um zu wissen, was als Nächstes kommt: »Du machst das nur, um mich aufzuregen!«

Schade, warum habe ich nicht mitgesprochen? »Wasch dich wenigstens«, knurre ich zurück.

Mutters Stimme bebt. »Ich war zuerst hier. Aber wenn es eine Chance gäbe, mich rauszuekeln, würde ich dir auf der Stelle helfen!«

»Lass mich einfach in Ruhe!«, sage ich zur Wand und schabe weiter.

Geschafft! Eigentlich möchte ich nun doch gern wissen, wen ich da gerade ausradiert habe. Eine Djuna, eine Olga, eine Mascha? Ausradieren geht schnell! Gerade noch gibt man sich Mühe zu lernen, erfüllt seine Pflicht, mit allen Konsequenzen – und von einer Sekunde auf die nächste spielt das alles keine Rolle mehr; niemand fragt, wer du warst, auf wessen Seite du gekämpft hast, was du getan hast für den Sieg und das große Heil. Ausgelöscht, ohne Bedeutung.

Auf jeden von euch kommt es an? *Gelogen!*

Auch deine Treue führt zum Sieg? *Gelogen!*

Der Papi hat sich geirrt, aber dich sperren sie ein wie einen Verbrecher! Das erzählen sie einem nicht in der Hitlerjugend, sonst würde ja niemand mehr mitmachen.

»Brandgeruch«, bemerkt Mutter matt, auch das ist nichts Neues. Bei ungünstigem Wind füllt sich unsere Zelle mit beißendem Qualm, der aus der Stadt herüberzieht. Dass sie deshalb unsere Tür nicht öffnen, nicht einmal auf unser verzweifeltes Klopfen antworten, wissen wir schon, und dass wir davon nicht ersticken, haben wir bei der Gelegenheit auch gleich selbst entdeckt.

Kommt her, Amis! Kommt alle her und macht ein Ende!

Die schlaue, weitblickende Oma Luchterhand. Kann sie da oben nicht ein Wort für uns einlegen? Fliegerangriffe sind unsere einzige Chance, aus diesem stinkenden Loch herauszukommen.

Oder doch nicht ...? Die beiden breiten Riegel, die die Zellentür von außen versperren, werden ohne jede Vorwarnung mit einem einzigen scharfen Ruck zurückgerissen, der wie ein Pistolenschuss in den Ohren klingt. Normalerweise ist man vorbereitet, hört das Knallen der Riegel schon von den acht Zellen, die weiter vorne im Gang liegen, auf uns zukommen: drei Schritte, knall, drei Schritte, knall, drei Schritte, knall.

Heute also nur wir? Sofort schlägt mein Herz bis zum Hals; ich brauche die Aufseherin nur stehen zu sehen und weiß Bescheid.

»Nummer zwei, raustreten!«

»W-warum?«, stottere ich schreckensstarr, obwohl ich es seit Wochen auf mich habe zukommen sehen. Aber diese Aufseherin kenne ich nicht! Ist das Zufall? Oder bedeutet es was?

»Mach dir keine Sorgen, Fritzi«, sagt Mutter mit fester Stimme. »Verhört zu werden ist gar nicht so schlimm, wie du denkst.«

Mutter! Es ist, als fiele ein Schleier von mir ab – all meine Lieblosigkeiten und Bosheiten der letzten Tage, die qualvolle Enge, die Gerüche und Geräusche der anderen, die man keine Sekunde länger zu ertragen glaubte … vergangen, dahin, aufgelöst in einer einzigen großen Furcht: geholt und nicht wieder hergebracht zu werden.

»Geht das ein bisschen schneller?«, mault die Aufseherin.

Mutter steht mit mir auf, hilft mir in die Schuhe und bindet sie zu, holt meine Jacke aus dem Schrank. Meine Jacke? Unausgesprochen steht es im Raum: Man weiß ja nicht, wie lange es dauert …

Ein Kuss noch, ein aufmunterndes Streichen über meinen Rücken und ich bin draußen, allein, und eine mir völlig fremde Frau führt mich in eine andere Richtung als sonst. Über die hallenden Eisentreppen aus dem Gebäude heraus, vorbei an einem nie gesehenen Hof und Rosenbüschen, die einen betörenden Duft verströmen. Über mir steht ein makelloser blauer Himmel.

Nur ruhig! Jetzt gilt es also! Im richtigen Moment die richtige Karte zu ziehen … habe ich das nicht lange genug geübt? Meine Beine sind wie Blei, meine Zunge klebt am Gaumen, aber es sind eine Menge Karten in meinem Ärmel!

»Da geht's lang«, sagt die Aufseherin und hält die Tür eines fremden Seitenflügels auf, und ich werfe einen letzten Blick hinauf zur Sonne, man weiß ja nicht, wie lange es dauert.

Aus dem kleinen Raum, in dem ich allein warten muss, blickt man in die Schreibstube der Anstalt. Ich kann mich nicht entschließen, mich an den Tisch zu setzen – weiß ja auch nicht, welcher der beiden Stühle für mich und welcher für meinen Vernehmer gedacht ist –, sondern beobachte, während mein Herz Purzelbäume schlägt, durchs Fenster erst einmal die zwei gebeugten Dauerwellenköpfe zu beiden Seiten eines großen Schreibtischs. Sie studieren Papiere, reden kurz, dann sehe ich einen Arm, der sich nach einem Stempel reckt.

Wie schnell das geht ... ein Handgriff nur, und ein Stempel auf einem Stück Papier. Was haben sie wohl gerade veranlasst – und für wen? Jemand, den ich kenne?

Mit einem Mal werde ich ganz ruhig, ganz klar. Ein unerwarteter, nicht ganz zutreffender, aber seltsam tröstlicher Gedanke schießt mir durch den Kopf: *Mich kriegt ihr nicht so schnell! Ich bin eine von Lautlitz!*

Ich setze mich an den Tisch. Wenn ich auf dem falschen Stuhl bin, sollen sie es mir sagen. Als sich die Tür öffnet und erst die Aufseherin, dann die zweite Person eintritt, lasse ich mir viel Zeit, den Kopf zu heben und zur Seite zu schauen.

Sie steht in der Tür und rührt sich nicht. Merkwürdige Taktik. Ist nicht groß und nicht klein, weder alt noch jung, in einem grauen Kostüm, an dessen Jackenaufschlag Abzeichen prangen. Weiche, braune Locken. Flache Schuhe.

Die Aufseherin setzt sich auf einen dritten Stuhl in der Ecke, sie hat eine Zeitung mitgebracht. Die Frau in der Tür sagt: »Klexchen« – und alles wird schwarz.

In Oschgau konnte man beim Bootfahren auf dem See in einen Nebel geraten, der so silberweiß und dicht war, dass man nur am Plätschern des Paddels, wenn es ins Wasser eintauchte, überhaupt erkannte, dass es vorwärtsging. Wir orientierten uns durch Rufe von einem Boot zum anderen, wo jemand einen Kompass besaß.

Der Lehrer tobte, als wir zurückkehrten. Drohte unsere Eltern zu verständigen, das Lager aufzulösen, aber natürlich geschah nichts. Der Lehrer, für einige Monate von irgendwo dienstverpflichtet, hatte nichts zu sagen. Er musste Ellen, die siebzehnjährige Ellen, um Erlaubnis fragen, wenn er uns nachmittags eine außerplanmäßige Stunde geben wollte.

»Nein, lassen Sie, sie kommt schon zu sich …«

Aus den Nebelschleiern dringen Worte und Stimmen zu mir. Mit aller Macht reiße ich die Augen auf. »Kannst du aufstehen, Klexchen?«, fragt Lexi und stützt mich unterm Ellenbogen.

Schwankend richte ich mich auf, eine Marionette, der man den Faden durchgeschnitten hat. »Entschuldige«, sagt meine Tante reuevoll, als ich wieder sitze, »ich hatte mich angemeldet, ich dachte, sie hätten es euch mitgeteilt …«

»Gehörst du jetzt zu denen?«, frage ich schwach.

Sehe sie einen Augenblick zurückfahren vor der Ungeheuerlichkeit meiner Worte, dann antwortet sie nicht ohne Mitgefühl: »Schwer zu erkennen, nicht wahr? So viele Leute, die die Seite wechseln.«

»Setzen Sie sich an den Tisch«, befiehlt die Aufseherin. Lexi wirft ihr einen Blick zu, zögert, dann geht sie gehorsam um den Tisch herum und setzt sich mir gegenüber.

Ist das wirklich Lexi …? Meine Gedanken stürzen durcheinander in dem gehetzten Versuch, die Situation neu einzuschätzen. Ja, natürlich ist sie es, aber was in aller Welt tut sie hier? Sie ist in größter Gefahr, wieso kann sie herumspazieren und Besuche machen?

»Ich habe eine Vereinbarung getroffen«, sagt sie so langsam, als wäge sie jedes ihrer Worte noch im Sprechen ab. »Ich arbeite weiter für das Reichsluftfahrtministerium, bilde Nachtjäger aus und führe die Geräteentwicklung fort.«

Ich starre sie an wie einen Geist. Ich merke, wie ich zu zittern beginne, kneife die Lippen zusammen, damit niemand meine Zähne klappern hört. Bestimmt ein Rest von Angst vor dem Verhör und nicht schon eine neue, viel schlimmere Befürchtung …

»Ich mache da weiter, wo ich vor sieben Wochen aufgehört habe, darf nur unseren Namen nicht mehr benutzen. Ich tue das unter einer Bedingung, die sie akzeptiert haben.«

Das ist nicht wahr! Ich zittere jetzt so heftig, als könnte ich abschütteln, was sie sagt. Sie arbeitet nicht für die Leute, die uns einsperren! Sie arbeitet nicht weiter, als wäre nichts geschehen!

Lexi sieht mich scharf an. Wenn sie immer noch Gedanken lesen kann, liest sie: *Und du verrätst sogar unseren Namen!*

»Ich darf für die Familie sorgen, das ist die Bedingung«, sagt sie ruhig. »Ich darf schreiben, euch ab und zu besuchen und Pakete schicken. Dadurch kann ich mehr für euch tun, als wenn ich mit euch zusammen eingesperrt bliebe.«

Ich muss Zeit gewinnen. Zeit, zu verstehen, die richtige Karte zu finden. »Dann warst du …«

»Hier bei euch, in einem anderen Trakt. Ich habe an meinen Auswertungen weitergearbeitet und ein Gesuch nach dem anderen geschrieben. Ein Regierungsrat im Polizeipräsidium hat schließlich mit seinem Leben dafür gebürgt, dass man mich zurück in meine kriegswichtige Arbeit entlässt. Als ob ich versuchen würde zu fliehen … ohne euch!«

Das ist völlig verrückt, denke ich. Sie hat alles gewusst, sie hätte fast mitgemacht, und jetzt geht sie einfach zurück zu denen, die Onkel Georg getötet haben! Onkel Yps kann nichts verraten haben, so viel steht fest, aber was wäre, wenn …

Ein schrecklicher Gedanke drängt sich nach vorn, ein Gedanke, der eben schon da war und sich nicht länger beiseiteschieben lässt: Was wäre, wenn sie Onkel Georg und Onkel Yps nicht die Wahrheit gesagt hätte? Wenn sie ein doppeltes Spiel gespielt hätte, die ganze Zeit?

Die kluge, außergewöhnliche Lexi. Aus welchem Grund schläft *sie* eigentlich so schlecht?

»Glaubst du mir nicht, Klexchen?«, fragt sie, und es klingt weder gekränkt noch ärgerlich, sondern völlig verblüfft. Und schon hat sie es geschafft, ich werde unsicher.

»Ich würde schon gern …!«, antworte ich viel ehrlicher, als ich beabsichtigt hatte.

Lexi lehnt sich zurück und schmunzelt, und zum ersten Mal habe ich das Gefühl, dass sie diejenige sein könnte, die ich kenne. »Ich hätte es mir denken müssen!«, meint sie. »Die anderen haben mir sofort geglaubt, aber dir muss man sich erst einmal beweisen!«

»Die anderen?«

»Max, Nelly, Ina, Omama, Josi …«, zählt sie in einem Atemzug auf, bevor die Aufseherin mit einem »Nun aber! Keine Namen!« dazwischen fährt.

»Entschuldigen Sie!« Lexi hebt abwehrend beide Hände. »Kommt nicht wieder vor!«

»Ich muss abbrechen, wenn Sie sich nicht an die Abmachungen halten!« Die Aufseherin zieht vorwurfsvoll die Nase hoch. »Abbrechen und einen Bericht schreiben!«

»Tut mir leid. Ich passe jetzt auf.«

Einige Sekunden vergehen. Die noch fehlenden Namen sinken auf uns herab wie Zentnersteine. Lexi nimmt meine Hand. »Wie geht es dir und Almut, Klexchen?«

»Wir gehen uns auf die Nerven.«

Sie lacht, eine Spur zu laut. »Erzähl!«

Diesmal verstehe ich sofort. »Nicht dass ich allein eingesperrt sein möchte«, sprudele ich los, »aber die Zelle ist einfach zu eng!« Meine Kopfhaut beginnt vor Aufregung zu prickeln, während Lexi mir mit dem Finger in die Handfläche schreibt. »Den ganzen Tag turnt und singt und näht sie, man hat keinen Moment Ruhe. Und ich? Ich tue eigentlich nichts. Ich bin nur so fies und gemein, wie ich kann!«

»Almut hat ganz Recht mit der Gymnastik.« Lexi sieht mich ernst an. »Man muss in Form bleiben, man weiß nicht, wofür!«

Ich versuche nicht auf meine Hand zu starren. Ein E erkenne ich, ein E wie Eckhardt, und ein T. Aber wieso T …?

»Ich kann dir Übungen zeigen, wenn du willst«, sagt Lexi, ihre Augen glänzen von Tränen. Und im selben Moment fühle ich das zweite Zeichen wie eingebrannt in meiner Hand.

Kein T. Ein Kreuz.

Ich ziehe die Hand weg. »Übungen auf einem Stuhl«, sagt sie kaum hörbar. »Viel unterhaltsamer als Liegestütz.«

Meine Lippen formen das Wort: *Vater.*

»Ich weiß es noch nicht«, flüstert Lexi.

»Sprechen Sie verständlich!«, bellt die Aufseherin. Langsam wird sie wirklich böse.

Lexi beugt sich zur Seite – um ihre Tränen zu verbergen, aber auch um der großen Tasche willen, die sie mitgebracht hat und die ich erst jetzt neben dem Tisch stehen sehe. »Hier ist ein Pullover für deine Mutter, ich weiß von Ina, dass sie einen braucht. Und für dich besorge ich zum nächsten Mal auch etwas. Es wird Herbst, meine Bluse wird dir bald zu kalt werden.«

Verlegen schaue ich an mir herab, und beim Aufblicken in Lexis mühsam lächelndes Gesicht. »Wieder Freunde?«, fragt sie.

»Immer!«, platze ich beinahe heraus.

Wie konnte ich bloß zweifeln? Ich weiß, wie sehr sie an Georg und Eckhardt hing, an all den anderen … Omama, der nur ein Sohn geblieben ist. Max, der seine Brüder verloren hat. Ina, der armen Ina, und Konstantin. Es würgt in meiner Kehle, aber nur nicht heulen, nicht hier! Nicht vor dieser Aufseherin, die dazu übergegangen ist, uns misstrauisch über die Zeitung hinweg anzustarren.

Lexi packt weiter aus, ich sehe zu. Zu denken, dass ich es sein müsste, die uns nun alle zu trösten und zu versorgen hat …

Am Ende liegen die *Schatzinsel* und ein Kartenspiel auf dem Tisch, Sojamehlkekse, Pellkartoffeln und eine verschließbare Dose mit duftenden Bratenstücken an kleinen Knochen. Lexi, der Schrecken der Flugplatzkaninchen. Wieder ganz gefasst, teilt sie mir verheißungsvoll mit, dass demnächst die Pilzsaison beginne.

»Meine warmen Sachen sind zu Hause im Schrank, könntest du vorbeigehen?«

Sie schüttelt bedauernd den Kopf. »Ich fürchte, in eurer

Wohnung haben sich andere breit gemacht. Ausgebombte. Zwei Familien, sie haben mich nicht hineingelassen.«

»In unserer Wohnung? Und wir?«

Lexi antwortet nicht. Ich weiß es ja auch so. Wir besitzen nichts mehr, nichts außer den paar Kleidern, die wir bei uns tragen. Man vergisst es nur manchmal.

Die Aufseherin erhebt sich und faltet die Zeitung zusammen. »Zwei Minuten!«, verkündet sie und baut sich schon einmal neben der Tür auf.

Zwei Minuten? Wir sehen uns an. In zwei Minuten könnte man noch manches erzählen, zumindest damit anfangen … aber es müsste das Wichtigste sein.

»Vergiss nicht«, sagt sie, »alles wird gut.«

»Vergiss nicht«, antworte ich, »wir sprechen uns nach dem Krieg.«

Die Aufseherin beobachtet scharf, wie wir aufstehen, uns umarmen. Was Lexi mir dabei ins Ohr flüstert, hört sie nicht: »Omama Hausarrest! Kinder NSV!«

Die letzte wichtige Nachricht. »Bis bald, Klexchen«, sagt Lexi in der Tür. »Sag Almut, beim nächsten Mal ist sie an der Reihe. Nicht, dass ich auch sie zu Tode erschrecke!«

Ich bin wieder allein. Punkt vier ist es. In der Schreibstube vor dem Fenster des Besucherzimmers machen sie Kaffeepause. Zwei weitere Frauen haben sich eingefunden und zwei weitere Stühle an den Tisch gerückt; in ihrer Mitte, zwischen Stapeln Papier, Schachteln mit Stiften und Gestellen mit Stempeln, steht jetzt ein großer Teller Gebäck.

Meine Mutter! Ich hatte mir gedacht, dass sie außer sich sein würde, allerdings aus einem anderen Grund. »Ich hatte keine Hoffnung mehr für Eckhardt«, bekannte sie nach dem ersten betroffenen Schweigen.

Das war vor fünf Minuten, und jetzt läuft sie unsere zwei

mal vier Schritte auf und ab wie ein Tier im Käfig. Schlägt sogar gegen die Wand vor Zorn und Enttäuschung.

»Lexi hat gesagt, du bist beim nächsten Mal dran!«, versuche ich sie zu beruhigen.

Zwecklos. »Wie kommt sie dazu, dich als Erste zu besuchen?«, ruft Mutter. »Sie hätte zuerst mich besuchen und dann fragen müssen, ob sie dich überhaupt sehen darf!«

Mit wachsender Beklommenheit sehe ich Mutters Raserei zu. Allmählich beginne ich zu ahnen, wie es hinter all der zur Schau getragenen Disziplin die ganze Zeit ausgesehen haben muss – und wie wenig Mühe ich mir gegeben habe, es zu erkennen. Wie aus einem Vulkan kochen zwei Monate Haft aus der Tiefe herauf und entladen sich über Lexi, die sich nicht an die Regeln gehalten hat.

»Sie hat es doch gut gemeint. Sieh mal, jetzt haben wir etwas zu lesen und zu knabbern und können Karten spielen«, beschwichtige ich vergebens.

»Lexi hat schon immer gemacht, was sie will«, sagt Mutter verbittert. »Wenn dich alle wunderbar finden, hast du natürlich Narrenfreiheit.«

Ich überlege, ob ich antworten soll: »Wir sind Freundinnen«, habe aber das untrügliche Gefühl, damit noch mehr Öl ins Feuer zu gießen.

»Du hast uns selbst miteinander bekannt gemacht, erinnerst du dich?«, frage ich stattdessen spitz. »Eine ganze Woche hast du mich mit ihr verbringen lassen, obwohl du genau wusstest, dass sie …«

 »Dass sie was?«

»Halbjüdin ist. Findest du nicht, das hättest du wenigstens mal erwähnen können?«

»Was spielt das für eine Rolle?«, zürnt Mutter. »Diesen Quatsch will ich von dir nicht hören, Philippa. Es sei denn, du kannst mir beantworten, welche Hälfte die jüdische ist. Vorne oder hinten? Links oder rechts? Mit oder ohne Haare?«

»Mit!«, antworte ich wie aus der Pistole geschossen. »Unbedingt!«

Sie setzt sich mir gegenüber auf den Strohsack, bläst sich das Haar aus dem Gesicht und damit wohl auch die Wut, denn plötzlich müssen wir gleichzeitig grinsen. »Auf jeden Fall werden beide Hälften demnächst etwas erleben«, kündigt sie an.

»Was heißt *Kinder NSV*?«, frage ich.

»In Obhut der Nationalsozialistischen Volkswohlfahrt. Ein Kinderheim, nehme ich an, und hoffentlich zusammen …«

»Und Onkel Yps hat sie gar nicht erwähnt! Ist das gut oder schlecht?«

»Ich vermute, sie sind auf ihn aufmerksam geworden, weil er fast ein Jahr bei Eckhardt und Georg gewohnt hat. Aber das ist kein Verbrechen, und solange er nicht beteiligt war …«

Dies ist der Moment, in dem ich endlich sagen könnte, was ich weiß. Ich sage: »Glaubst du, er könnte …?«

»Ach, Fritzi, ich weiß nicht mehr, was ich glauben soll. Der Letzte, von dem ich es geglaubt hätte, ist dein Vater. Er wusste, wie ich zu diesem Gesindel stehe, aber hat er auch nur ein Wort gesagt? Im Frühjahr war er noch auf Fronturlaub. Er hätte mir doch vertrauen und etwas sagen können!«

Mutters Schultern hängen herab. Ich setze mich zu ihr auf die Pritsche und lehne mich an sie. Zum ersten Mal denke ich: Wenn sie Onkel Eckhardt hingerichtet haben, dann gibt es auch keine Hoffnung mehr für Vater.

Neun

Ich hätte es einritzen sollen. So wie es da steht, wird es so schnell verschwinden wie das Andenken an die Russin, die vor uns hier war. *Fritzi und Almut, entlassen 24. X. 44.*

Das wird Mut machen! Das wird denen, die nach uns kommen, zeigen, dass es auch gut ausgehen kann! Erst vor einer halben Stunde ist die Aufseherin hier gewesen und hat es uns gesagt, und in wenigen Minuten sollen wir schon mit den Koffern parat stehen. Zum Einritzen meiner Botschaft blieb keine Zeit.

Als ob wir nicht längst auf die Nachricht gewartet hätten! Fast vier Wochen ist es her, dass Mädy Loringhovens glücklicher Ruf über den Hof schallte: »Ich bin frei, und Frau von Tresckow ist frei, und die Kinder kommen auch zurück!« Seitdem verschwand eine nach der anderen aus unserer Runde, bis schließlich nur noch Tante Ina, Mutter und ich übrig waren und zu fürchten begannen, man hätte uns vergessen.

Der Riegel wird zurückgezogen, die Aufseherin lässt uns ein letztes Mal *raustreten.* In der offenen Tür drehe ich mich noch einmal um.

Die Pritschen, der Kübel, der Klapptisch – ach, denke ich bereits, so schlimm war es doch gar nicht! Wir hatten zu lesen,

wir hatten ein Kartenspiel und zuletzt die Pakete von Lexi, und wir werden für alle Zeit etwas Ungewöhnliches haben, woran wir uns zusammen mit den Lautlitzern erinnern können. *Wisst ihr noch, der Sommer, in dem wir alle im Gefängnis saßen …?*

Ein Zuhause haben wir noch nicht, aber Mutter ist kampfbereit: Die ausgebombten Familien hatten offenbar keinerlei rechtliche Handhabe, sich unsere Wohnung anzueignen! Weiß der Teufel, sagt Mutter, wer ihnen überhaupt erzählt hat, dass die Wohnung leer stand.

Die bevorstehende Begegnung schwebt wie ein Schatten über meiner Freude, kaum dass sich die Zellentür für uns geöffnet hat. Mutter bekommt ein hartes, böses Gesicht, wenn sie mir ausmalt, wie sie sich die Wohnung zurückholen wird – und sie beschwört es seit Wochen. Ich wünschte, das Keifen, Weinen und Schimpfen, das unser erster Nachmittag in Freiheit erwarten lässt, läge schon hinter uns, und das Wiedersehen mit den Nachbarn auch. Bisher waren wir Frau Bredemer und Fritzi aus dem Erdgeschoss, jetzt sind wir die Leute aus der Familie, die versucht hat, den Führer in die Luft zu sprengen.

Vielleicht, sagt Mutter, gehen wir die ersten Tage bei Alarm lieber in den öffentlichen Bunker.

Und dennoch fühlt die Luft in meinen Lungen sich anders an als in den Stunden, in denen wir zum Hofgang vors Haus durften, und der Boden fühlt sich anders an, und meine Schritte auf dem Kies und das Gewicht meines Körpers.

Ein letztes Mal durchqueren wir den Zellentrakt und gelangen über die hallenden Eisentreppen ins Untergeschoss. Rollwagen mit Suppenkesseln werden vorbeigeschoben; es ist Mittagszeit und vermutlich entlassen sie uns gerade jetzt, um unser Essen zu sparen. Im Verwaltungstrakt setzt man uns erst einmal stundenlang auf ein Flurbänkchen, einem müden, unwirschen Mann gegenüber, der nichts anderes zu tun hat, als uns ungeniert anzustarren.

Es ist kein anerkennender Blick. Neun Wochen habe ich mich nicht im Spiegel gesehen, und selbst wenn der allmähliche Verfall der anderen gewisse Rückschlüsse zuließ, habe ich doch tunlichst vermieden, mir mein eigenes Erscheinungsbild vorzustellen. Im Blick des Mannes sehe ich Mutter und mich nun umso deutlicher: zwei bleiche, hungrige, von Wanzen zerbissene Gestalten mit langen strähnigen Haaren.

Sie sollten die Häftlinge nur im Dunkeln entlassen! Hier sitzen und sich anstarren lassen zu müssen, ist so beschämend, dass ich am liebsten eine Decke über mich werfen würde. Endlich erscheint eine ältere, nach Suppe riechende Frau, wünscht dem Mann »Mahlzeit!« und macht sich daran, unsere Papiere zu holen, zwei Bögen auszufüllen und je einen Stempel daraufzudrücken. Zu meinem Befremden steht der Mann auf und sieht dabei zu.

Warum er dies tut, klärt sich jedoch sogleich: Er ist derjenige, der uns nach draußen begleiten soll. Er tut dies ohne ein Wort, geht einfach vor uns her zum noch verschlossenen Tor, und als der Pförtner die Hand ausstreckt und nach den »Überstellungspapieren« fragt, zeigt er ihm die beiden gestempelten Bögen.

Ich spüre, noch bevor ich selbst verstehe, wie durch meine Mutter ein Ruck fährt. »Moment!«, sagt sie, indem sie rasch vortritt, »darf ich mal sehen? Das müsste ein Entlassungsschein sein. Ist es womöglich das falsche Papier?«

»Verrückt geworden? Finger weg!« Der unwirsche Mann gibt ihr einen Stoß.

»Es müsste aber ein Entlassungsschein sein«, beharrt Mutter verzweifelt. »Bitte lassen Sie uns rasch zurückgehen und das aufklären!«

»Sieh mal an! Jetzt wollen sie sogar schon zurück!«, sagt der Pförtner und lacht.

Meine Mutter redet noch vom Entlassungsschein, als sie an den Armen gepackt und ohne Federlesens in die mittlere Zelle einer grünen Minna gestopft wird. Durch die dünne Wand zwischen uns höre ich ihre hohe, entsetzte Stimme, sie will es einfach nicht begreifen.

Flaustrophobie? Raustrophobie? Das Wort für Platzangst fällt mir nicht mehr ein, aber seine Bedeutung erschließt sich augenblicklich, sobald die Zellentür der grünen Minna hinter mir zufällt. Ich bin auf ein niedriges Holzbänkchen gequetscht, die Knie stoßen gegen die Tür, selbst die Arme müssen im Sitzen dicht am Körper bleiben. Immerhin hat die kleine Transportzelle einen Luftschlitz, in dessen Windzug man die Nase halten kann, und unter den entsprechenden Verrenkungen erhascht man durch den Schlitz sogar einen Blick nach draußen.

Und was für einen! Eine eigentümliche, mitleidlose Befriedigung erfüllt mich, während wir uns durch die Straßen schieben: Es ist ja alles noch viel schlimmer geworden …!

Nicht, dass es mich überrascht – keine Nacht und fast kein Tag der letzten Wochen ist ohne Fliegerangriff vergangen. Nun endlich werden wir rumpelnd und stoßend durch die Bilder gefahren, die man uns wochenlang vorenthalten hat: eingestürzte Mauern, verkohlte Bäume, Straßenbahnschienen, die sich aus dem Asphalt biegen wie die Kufen eines Schlittens, und notdürftig zusammengezimmerte Hütten, wo immer sich eine Lücke im Trümmerfeld auftut. Die Straße ist in Bewegung; ein nicht enden wollender, erschöpfter Ameisenzug schiebt sich in beide Richtungen, schleppt Rucksäcke, Koffer, Kleinkinder, Hausrat auf der Suche nach einem unbesetzten Fleckchen Erde.

Flüchtlinge in der eigenen Stadt – geht es uns wirklich schlechter als denen da draußen? Wir haben wenigstens ein Ziel, auch wenn wir es selbst noch nicht kennen. *Überstellung* heißt nichts anderes, als dass sie uns verlegen. Ein neues Gefängnis, mehr nicht! Dass die Familie des Hauptschuldigen länger eingesperrt bleibt als alle anderen, hätte uns eigentlich klar sein müssen.

Vorsichtig klopfe ich an die Wand zwischen Mutter und mir. »Ich bin nebenan!«

Sie antwortet nicht, aber von etwas weiter entfernt höre ich Inas Stimme: »Fritzi? Almut? Gott sei Dank, wenigstens sind wir noch zusammen!« Sofort bellt der Posten, der mit seiner Pistole im Gang vor den Zellen sitzt, wir sollten gefälligst »Maul halten«.

Nach einer halben Stunde stockender Fahrt hält die Minna plötzlich, fährt rückwärts durch ein Tor und bleibt vor einem Gebäude stehen, neben dem Polizeiwagen parken. Ich höre Rumpeln, der ganze Wagen kommt in Bewegung, als weitere Personen in die Großkabine direkt neben meiner Einzelzelle steigen. Zahlreiche Gepäckstücke werden in den schmalen Gang zu unserem gestapelt, der Posten nimmt auf den Koffern Platz. Das Murmeln von Männerstimmen dringt durch die Wand, während wir durchs Tor hinausrollen.

Und schon kommt das erste Klopfzeichen! »Hallo, mit wem haben wir das Vergnügen?«, ruft jemand munter.

»Von Lautlitz, drei Personen«, melde ich mit klopfendem Herzen.

»Na wunderbar, da haben wir hier auch zwei!«, kommt es sofort zurück, und bevor der Posten drohend an die Wand hämmert, höre ich eine überraschte Stimme: »Almut, seid ihr das?«

»Max! *Max!*« Mir wird schwindlig. Hände, Wange, Ohr, mein ganzer Oberkörper presst sich an die Wand in fieberhaftem Lauschen. »Hier ist Fritzi!«

Antwort bekomme ich nicht mehr, nur ein weiteres zartes Klopfen, aber das reicht, für den Rest der Fahrt schwimme ich auf einer Welle seliger Erleichterung. Und als wir endlich an einem lärmenden, überfüllten Bahnhof aussteigen, sehe ich nicht das Gedränge, nicht das rücksichtslose Schubsen und Schimpfen, unter dem das Volk durch Türen und Fenster in den noch kaum eingefahrenen Zug drängt. Ich sehe meinen höchst lebendigen Onkel seine langen Beine aus der Minna falten, sich übertrieben strecken und spöttisch ein Stäubchen von seiner ramponierten Uniform pflücken, und es ist der schönste Anblick seit meinem Flug über das Havelland.

Der andere von Lautlitz ist Onkel Teddy, ein älterer Vetter von Mutter, der ein Gut nahe Schloss Geppingen besitzt und wie Max eine Wehrmachtsuniform trägt. Er hat eine Brille, zerzaustes graues Haar und einen müden, gutmütigen Gesichtsausdruck.

»Lieber Gott«, murmelt Mutter. »Die Geppinger haben sie also auch!«

Einander begrüßen dürfen wir selbstverständlich nicht. Sogleich trennen uns zwei Wachen von den anderen Männern aus dem Transport, eskortieren uns durch eine murrend beiseitetretende Menge und schieben uns in einen Zug, wo mit wenigen scharfen Worten das erstbeste Abteil für uns geräumt wird. Drei totenblasse Jungen in Uniform, zwei Frauen mit Kindern und viel Gepäck, sie alle müssen trotz Flehens und Schimpfens aufstehen und Platz machen.

Wir setzen uns stumm, Onkel Teddy und Max heben die Koffer in die Gepäckablage oder legen, was nicht mehr daraufpasst, auf den Boden zwischen die Sitze.

Eigentlich müssten wir uns entschuldigen, dass wir sitzen dürfen und die Frauen mit ihren kleinen Kindern nicht, die nun im Gang zwischen Koffern, Körben und Kisten eingeklemmt stehen.

Aber uns hat es die Sprache verschlagen, seit wir entdeckt haben, wer uns am Bahnhof in Empfang genommen hat. Bis vor wenigen Minuten waren wir gewöhnliche Gefangene – ab sofort stehen wir unter Bewachung der SS.

Lexis *liebster Schatz* sitzt mir gegenüber, die Beine lässig über den am Boden liegenden Koffern gekreuzt, und liest ein zerfleddertes Bändchen auf Italienisch. Ich weiß nicht, was schwerer zu glauben ist: die fast unverschämt unbekümmerte Erscheinung, die Max zur Schau stellt, oder die Tatsache, dass wir mit zwei Männern unserer Familie reisen. All die furchtbaren Nachrichten der letzten Wochen haben in mir ein Gefühl hinterlassen, als ob niemand mehr übrig sein dürfte.

Ich wünschte, er würde aufblicken und mit mir reden; zwei, drei Worte würden schon reichen. Wenn er nur wüsste, wie vertraut er mir wieder ist! Ich frage mich, wo er eingesperrt war – er sieht erstaunlich gut aus, und die ergrauten Schläfen geben ihm etwas Vertrauenerweckendes, das er vor zwei Jahren noch nicht hatte. Lexi kann nicht auf den Gedanken gekommen sein, dass wir alle miteinander verlegt werden würden; niemals hätte sie sonst um Entlassung ersucht.

Sie könnte hier sein, bei ihm, bei uns! Mein Herz zieht sich zusammen bei der Vorstellung, sie könnten mir in diesem Augenblick zu zweit gegenübersitzen, und ich wende schnell die Augen ab, um Max nicht mehr sehen zu müssen.

Die SS-Wachen haben die Sitze auf der Gangseite des Abteils eingenommen, eine Mauer zwischen uns und dem Volk. Eine der Mütter, die wir von ihrem Platz vertrieben haben, hält ihr Baby im Arm und sein Fuß berührt beinahe die Schulter des neben ihr sitzenden Mannes, aber er denkt nicht daran, für sie aufzustehen. Die drei Jungen in den zu großen Uniformen starren ins Leere, eine Mischung aus Wut und Hoffnungslosigkeit im Gesicht.

An die Front gehen sie also!, erkenne ich mit derselben kalten Gleichgültigkeit, die mich schon bei der Fahrt durch die Stadt befallen hat.

»Ein Verbrechen …!«, flüstert meine Mutter. »Noch halbe Kinder!«

Ohne die Stimme zu senken oder von seinem Buch aufzuschauen, bemerkt Max: »Führers letztes Aufgebot.«

Ich erschrecke, aber die SS beachtet ihn nicht. Was wir sagen, scheint ohne jede Bedeutung für ihren Befehl oder die Pläne zu sein, die man mit uns hat.

Der Zug schiebt sich schwerfällig voran, passiert karge Felder, auf denen Frauen und Kinder liegen gebliebene Kartoffeln stoppeln, Leiterwagen, in denen jemand eine kleine Ausbeute von irgendetwas über die Chaussee zieht. Andere zerhacken völlig unbehelligt die Straßenbäume und springen nur beiseite, um Kettenfahrzeuge und Militärlastwagen vorbeizulassen, die in großer Hast in die immer gleiche Richtung rollen.

Wo mögen wir sein? Ist die Front schon so nah? An jedem Bahnhof steigen Soldaten zu, selbst draußen auf den Trittbrettern stehen sie und halten sich während der Fahrt in der offenen Tür fest. Zurückzubleiben, weil der Zug besetzt ist … auf diese Idee kommt keiner von ihnen. Ein gebrechliches altes Paar mit Rucksack, das noch einen Stehplatz im Inneren unseres Waggons ergattert hatte, zwingen sie sogar wieder auszusteigen.

Protest regt sich. »Lasst die Leute wieder rein!«, schimpft es gedämpft.

»Marschbefehl ist Marschbefehl!«, schreit ein Soldat mit junger, überschnappender Stimme und niemand wagt, ihm noch etwas zu entgegnen, aber das Schweigen, das sich über unseren Waggon legt, knistert vor beiderseitiger Wut.

»Sieh gut hin«, sagt Max plötzlich zu mir. »Sieh gut hin und merk es dir.«

Seine Stimme klingt schleppend und traurig. *Na und?*, würde ich am liebsten antworten. *Was kümmert es mich?*

Aber im selben Moment verstehe ich, und schäme mich, dass ich so lange gebraucht habe. Onkel Georg und Onkel Eckhardt hatten das Töten beenden wollen. Nun ist jedes weitere Leben, das der Krieg verschlingt, ein Zeugnis ihres Scheiterns.

Wir stehen mitten auf der Strecke, weil die Stadt, in die wir einfahren, bombardiert wird; es wird kalt und dunkel, während wir warten, und der rote Widerschein des Angriffs spiegelt sich in den Gesichtern der Mitpassagiere. Wir steigen aus, werden in eine mit liegenden und sitzenden Leibern vollgestopfte Halle gebracht und kauern bis zum frühen Morgen frierend auf dem blanken Boden. Nur etwas lauwarmen Tee gibt man uns, den Frauen in Rotkreuzuniform am Bahnhof verteilen.

Wir steigen in einen offenen Güterzug und sitzen im Stroh, der Himmel über uns öffnet sich und es beginnt zu regnen. Und der Tod meiner Onkel und alles, was man uns abverlangt, ergibt nicht den geringsten Sinn.

»Tut, was ihr wollt«, ruft Mutter, »aber aus dieser Wanne steige ich nie wieder aus!«

Ratlos lege ich mein Ohr an die Tür und höre es plätschern, als sie einen weiteren Schwall heißes Wasser einlässt. »Wir anderen wollen auch noch baden!«, beschwert sich die Frau in meinem Rücken, die ihr Handtuch schon mitgebracht hat. »Und zwar vor dem Abendessen!«

Sie heißt Kuhn und ist mit ihrem Mann vor uns angekommen, aber die Wanne hat Mutter zuerst entdeckt. Sollen sie es unter sich ausmachen! Im Paradies ankommen und sich um eine Badewanne streiten – ohne mich!

Ich gehe zurück ins Zimmer und reiße noch einmal das Fenster auf, wie ich es seit unserer Ankunft ein halbes Dutzend Mal getan habe; ich atme den würzigen Herbstwald so tief ein, dass es mir fast die Brust sprengt. Hinter unserem Fenster rauscht der Wind durch eine hohe Baumgruppe, Tannenspitzen verschwinden im Nebel. Das Hotel *Hindenburgbaude* liegt weit ab vom nächsten Ort an einem Berghang: ein großzügiges, zweistöckiges Haus mit mehreren Giebeln und Winkeln, gemütlich knarrenden Holzdielen und einem schon fast winterlichen Duft nach Tannennadeln und Obstler.

In Niederschlesien sind wir, habe ich auf der kurzen Busfahrt vom Bahnhof Bad Reinerz aufgeschnappt. Vor dem Krieg kamen die Prager und Breslauer zum Wandern her, jetzt hängt ein großes Schild mit der Aufschrift *Geschlossen* im Hoteleingang. Und trotzdem waren bei unserer Ankunft Kaffee und Kuchen für uns vorbereitet und das Zimmer so blitzsauber und warm, dass wir uns noch gar nicht trauten den Koffer auszupacken aus Angst, dies könne entweder ein Irrtum sein oder irgendein grausamer Scherz, der uns um die Ohren fliegt, sobald wir beginnen, daran zu glauben.

Ich werfe einen Blick zurück ins Zimmer, um mich zu vergewissern, dass alles noch da ist. Zwei unberührte weiße Federbetten, zwei Nachttischchen mit Leselampen, ein Kleiderschrank. Wir haben ein eigenes Waschbecken und aus der Leitung kommt warmes Wasser!

»Dich kenne ich!«, sagt plötzlich eine Stimme. »Du bist Philippa, die Tochter von Almut.«

Ich beuge mich wieder vor. Wenige Meter zu meiner Linken lehnt ein Junge am offenen Fenster. Trachtenjacke, braunes, über die Seite gekämmtes Haar, freundliches, neugieriges Gesicht.

»Julius?«, frage ich unsicher. Er sieht aus wie einer meiner Vettern, aber es ist Jahre her, seit ich ihn zuletzt gesehen habe. *Schloss Walcheren haben sie also auch!,* würde Mutter sagen.

»Wann seid ihr angekommen?«, frage ich, als er nickt.

»Vorgestern. Ganz schön verrückt, findest du nicht? Ein Hotel!« Lässig schlingt Julius ein Bein übers Fensterbrett, lehnt im Rahmen und schaut zu mir herüber. »Was soll das?«

»Die Frau am Empfang hat zu Mutter gesagt, an uns sei etwas gutzumachen!«

»Das war die Inhaberin, und das hat sie uns auch erzählt, aber glaubst du das?«

»Ich würde schon gern«, sage ich, »zumindest für ein paar Tage. Also sei so gut und lass mich einfach den Blick hier genießen, ja?«

Julius lacht. »Warst du auch eingesperrt?«, frage ich.

»Klar. Zuerst sechs Wochen allein im Gefängnis in Augsburg, später in Nördlingen im Oberamtsgericht. Von da an wurde es ständig besser. Zuletzt hatten wir den Schlüssel zu unserem Zimmer, die Frau Oberamtsrichter machte uns Kaiserschmarrn und Kompott und ihr Mann führte uns nachts heimlich zu Spaziergängen aus. Aber hier ...? Beunruhigend, sage ich dir. Keine Steigerung mehr möglich. Was kommt wohl als Nächstes?«

»Zu Hause«, schlage ich vor.

»Ach!«, seufzt Julius halb traurig, halb theatralisch.

»Bist du mit deinen Eltern hier?«

»Nein!« Schlagartig wird er ernst. »Sie sind beide krank und waren im Sanatorium und wir hofften, man hätte wenigstens sie in Ruhe gelassen, aber in Nördlingen bekamen wir einen Brief von Papa aus dem Gefängnis Stadelheim. Meine Schwester Nanni ist mit mir hier, aber ziemlich aufgelöst, denn von allen Leuten auf der Welt mussten heute ausgerechnet die Kuhns auftauchen ...«

»Wer sind die Kuhns? Die Frau streitet gerade mit meiner Mutter um die Badewanne.«

»Die Kuhns«, sagt Julius wütend, »sind Nannis Beinahe-Schwiegereltern. Letztes Jahr haben sie ihren Sohn gezwungen, die Verlobung zu lösen – aus keinem besseren Grund als dem, dass wir Katholiken sind und Nanni nicht evangelisch hätte heiraten dürfen! Und nun sind wir ausgerechnet mit denen zusammen eingepfercht.«

»Aber warum sind die Kuhns verhaftet worden?«

»Ihr Sohn, Nannis Verlobter, ist zu den Russen übergelaufen, um der Verhaftung zu entgehen«, erzählt Julius. »So stand es zumindest in der Zeitung. Er war Major im Generalstab, ein guter Freund von Onkel Georg, und soll den Sprengstoff besorgt haben.«

»Arme Nanni«, sage ich, um ihm eine Freude zu machen.

»Die anderen aus Walcheren sind leider noch nicht aufgetaucht. Opa soll in Würzburg im Gefängnis sein, mein Bruder Markus war zu Aufräumarbeiten an seiner Universität eingesetzt. Das war gleich nach dem Attentat, seitdem haben wir nichts mehr von ihm gehört.«

Attentat …! Es ist das erste Mal, dass ich dieses Wort höre; Mutter und Ina sprechen immer nur vom *Unglück*. Ich scheine auf jemanden gestoßen zu sein, mit dem man offen reden kann! Julius ist zwei oder drei Jahre älter als ich, Mutter wird es mir genau sagen können.

»Wer ist sonst noch hier?«, will ich wissen.

»Goerdelers, Hofackers, ein Fräulein Gisevius … und Tante Adele, hast du Tante Adele schon gesehen? Ganz in Schwarz gekleidet, redet wie ein Wasserfall in einer recht sonderbaren Mischung aus Deutsch und Russisch. Nellys Mutter! Sie hatte das Pech, Nellys Wohnung zu hüten, und wurde kurzerhand mitgenommen, weil Nelly mit den Kindern in Lautlitz war.«

»Ich weiß. Ich war dabei, als sie verhaftet wurde, zusammen mit Onkel Yps.«

»Der Arme. Ich muss dauernd daran denken. Stell dir vor,

sie haben Tante Helma die Rechnung für die Hinrichtung geschickt! So hat sie es erfahren.«

»Die … Hinrichtung?«

Jetzt blickt er entsetzt. »Ich dachte, du wüsstest …«

Ich starre ihn reglos an, ich kann nicht einmal den Kopf schütteln.

»Mitte September«, sagt Julius gedämpft. »Er war derjenige, der Georg und Eckhardt angestiftet hat, wer hätte das gedacht? – Philippa? Philippa!«

Er ruft noch mehrmals leise meinen Namen, dann höre ich, wie nebenan das Fenster schließt, kauere auf dem Boden zwischen den Betten und lasse meinen Tränen freien Lauf.

Wir sind falsch hier. Das muss ein Irrtum sein! Niemals ist das alles für uns gedacht – die gedeckten Tische, die Kellner, die uns lächelnd erwarten, der verheißungsvolle Duft aus der Küche. Erschrocken pralle ich im Eingang zum Speisesaal zurück und auch Mutter zögert; selbst als wir Max und Onkel Teddy von einem der Tische winken sehen, glauben wir noch an ein Versehen.

Ein Kellner zieht Mutter den Stuhl zurück; ich schlüpfe rasch und möglichst unauffällig auf einen Platz in der äußersten Ecke. Vergeblicher Versuch. »Du liebe Zeit«, sagt Max und nimmt mein fleckiges, verquollenes Gesicht in Augenschein.

Ich beiße die Zähne zusammen, auch Mutter sagt nichts. Gut so! Wir würden uns doch nur wieder anschreien.

Wir waren zusammen dort! Du hättest es mir sagen müssen!

Ich wusste nicht, wie! Es war doch auch so schon schlimm genug!

Mutter hatte es von Ina gehört, die es wiederum von Lexi bei deren letztem Besuch erfahren hatte. Drei Wochen ist das her und ich habe von nichts gewusst.

»Was ist mit Vater?«, habe ich bitter gefragt. »Ist er auch tot? Verschweigst du mir noch etwas?«

»Glaubst du, das könnte ich vor dir verbergen?«

»Ich glaube dir gar nichts mehr!«

Seitdem herrscht wieder Schweigen zwischen uns, schweigendes Auspacken, schweigendes Umziehen, schweigendes Betreten des Speisesaals, dessen Plätze sich nun rasch füllen und uns von der Notwendigkeit befreien, uns unterhalten zu müssen. Dabei schrillt jede Faser meines Körpers Alarm: Hier stimmt etwas nicht! Hotelzimmer, Restaurant, Kellner ... die einen zu töten und die anderen zu verwöhnen ... warum macht niemand von uns den Mund auf und sagt, dass er das Spiel durchschaut?

Am großen Stammtisch, der den gesamten Raum gut überblickt, haben bereits unsere Bewacher Platz genommen. Ihre Zahl ist auf sechs angewachsen, SS und Gestapo. Sie beobachten uns ohne jede Zurückhaltung, wenden nicht einmal die Augen ab, als ein älterer Herr beim Betreten des Speisesaals ihren Blick eisern erwidert.

»Das ist Dr. Gustav Goerdeler, pensionierter Chefarzt und Bruder von Carl Friedrich Goerdeler«, murmelt Max, der für uns leise den Eintritt jedes Einzelnen kommentiert. »Carl Friedrich Goerdeler sollte an der Spitze der neuen Regierung stehen.«

 Die zwei Stunden, die seit unserer Ankunft vergangen sind, hat Max genutzt, sich mit allen bekannt zu machen. Die Ehefrau von Carl Friedrich Goerdeler kommt mit ihren beiden

Töchtern, ihrer Schwiegertochter und einer jungen Nichte. Sie hält den Kopf gesenkt, während sie neben ihrem Schwager Platz nimmt, es scheint ihr sehr schlecht zu gehen. Die jüngeren Mädchen könnten in meinem Alter sein, sind aber mit sich beschäftigt und beachten mich nicht, die älteste Tochter ist bereits Mitte zwanzig. Sie sei in der Haft misshandelt worden, erzählt Max – man wollte ihrem Vater dadurch Namen entlocken!

Wie gut, dass ich in Moabit nicht auf den Gedanken gekommen bin, dass diese Gefahr jederzeit auch für uns bestand.

Wie man hört, sagt Max gedämpft, soll diese Methode ihr Ziel erreicht haben.

Mutter springt auf, um Tante Ilselotte zu umarmen, die Frau von Onkel Cäsar Hofacker, der zusammen mit seinem Vorgesetzten, einem General Stülpnagel, den Umsturz in Frankreich versucht hat. Anna-Luise und Eberhard lächeln mich an und unwillkürlich recke ich den Hals in der Erwartung, dass auch Christa hinter ihnen durch die Tür kommt, aber sie ist nirgends zu sehen. Christa, die anderthalb Jahre jünger ist als ich; wir hatten uns in Berlin zwei, drei Mal gesehen und dabei ein wenig angefreundet.

»Fritzi, wie gut, dass du auch da bist!«, ruft Tante Ilselotte, doch sie gibt mir nur ganz kurz die Hand, als hätte sie Angst, ich könnte nach Christa fragen.

Als ob ich noch wagen würde, nach irgendjemandem zu fragen!

Ina kommt mit Nanni, mit der sie das Doppelzimmer teilt; hinter ihr Julius, der mir einen verlegen prüfenden Blick zuwirft. Wahrscheinlich hat er Ina schon erzählt, was er angerichtet hat, denn sie kommt auf mich zu und nimmt mich ziemlich heftig in den Arm. »Ach Fritzi«, sagt sie. »Wir konnten es dir einfach nicht sagen …«

Hätte nicht gleichzeitig Tante Adele alle Aufmerksamkeit auf sich gezogen, hätte ich auf der Stelle wieder angefangen zu heulen.

Tante Adele hat nicht die geringste Ähnlichkeit mit ihrer Tochter Nelly. Groß, hager, in ärmliches Altfrauenschwarz gekleidet und eine voluminöse Handtasche am Arm, steuert sie zielstrebig unseren Tisch an, um sich aufatmend auf Mutters Stuhl fallen zu lassen. »Prrrh!«, macht sie mit kratziger Bassstimme. »Ich habe schon viel errrlebt, aberrr diese Rrrundrrreise macht mich rrregelrrrecht sprrrachlos.«

»Das glaube ich kaum, Tante Adele«, meint Ina liebenswürdig. »Dich doch nicht!«

»Wie Rrrecht du hast«, erwidert sie geschmeichelt. »Die Rrrussen haben mich schließlich bestens vorrrberrreitet, nicht wahrrr?«

»Almut!«, flüstert Tante Ilselotte, »sie fängt wieder mit der Russischen Revolution an! Lass uns woanders sitzen!«

Worauf Mutter, nach einem flüchtigen Blick auf ihren nun ohnehin besetzten Stuhl, und ohne einen einzigen verständigenden Blick zu ihrer Tochter, mit Tante Ilselotte, Anna und Eberhard einen neuen Tisch eröffnet! Nanni und Julius sehen aus, als würden sie am liebsten mitgehen, bringen es dann aber doch nicht übers Herz und setzen sich zu mir.

Julius beugt sich vor. »Markus kommt! Wir haben es vorhin draußen gehört!«, teilt er der Runde mit und strahlt übers ganze Gesicht.

»Vielleicht bringen sie die Kinder auch bald«, meint Nanni mit ihrer sanften Stimme.

»Hast du das gehört? Haben sie das gesagt?« Ina springt ihr beinahe über den Tisch entgegen.

»Nein, das nicht!« Die arme Nanni ist zutiefst erschrocken. »Ich dachte nur … wenn wir jetzt hier alle zusammen … es könnte doch sein …«

Sie verstummt. »Könnte. Vielleicht.« Ina beherrscht sich mit sichtlicher Mühe.

Nanni blickt gequält. Meine älteste Kusine ist schon von Natur aus still und ernst und ich vermute, dass sie für den Rest des Abends nun gar nichts mehr sagen wird. Plötzlich fällt mir ein, wie sie mich verpflastert hat, nachdem ich als Sechsjährige in Lautlitz von der Schaukel gefallen war. Der Garten war voller Leute, aber Nanni war die Einzige, die sah, dass ich ernsthaft heulte.

Sämtliche Lautlitzer blicken streng, als das Ehepaar Kuhn den Speisesaal betritt, ein unauffälliges älteres Paar, das halb verlegen, halb trotzig im Eingang stehen bleibt. Nanni zögert ganz kurz, bevor sie winkt und großzügig auf die beiden freien Plätze an unserem Tisch weist.

Man sieht den Kuhns an, dass sie gern zu uns kommen würden, sogar kurz darüber flüstern, aber dann wagen sie es doch nicht. Kleinlaut, allein und verbittert setzen sie sich irgendwohin.

Als Letztes huscht eine junge Frau im dünnen Sommerkleid in den Saal, das ihr an den Oberschenkeln klebt, entschuldigt sich heftig, dass sie zu spät komme, was aber vielleicht gar nicht so schlimm sei, da wir ja auch noch nicht angefangen hätten; sie sei Anneliese Gisevius und entschuldige sich auch dafür, dass ihr Kleid noch nicht ganz trocken sei; das Kleid, in dem sie im Sommer verhaftet wurde, völlig ahnungslos, dass ihr Bruder und so weiter, und ohne jede Chance, einen Koffer zu packen, also habe sie leider nichts anderes dabei.

Atemlos setzt sie sich zu Mutter und Tante Ilselotte, während einer aus der Wachmannschaft aufsteht, um sich als Obersturmführer Klotz vorzustellen, uns als Ehrenhäftlinge der SS zu begrüßen und uns die Regeln unseres Aufenthaltes zu erklären.

Ehrenhäftlinge! Schon will mir ein Stein vom Herzen fallen. Das Wort höre ich zum ersten Mal, aber klingt es nicht unendlich viel besser als das, was wir bis gestern waren?

Philippa Bredemer, Ehrenhäftling. Deshalb also das Hotel! Ich bin so erleichtert, dass ich den Geboten und Verboten, die damit einhergehen, kaum noch Beachtung schenke. Die meisten kenne ich ohnehin: keine Zeitung, kein Radio, kein Kontakt mit Einheimischen oder Bediensteten. *Heil Hitler* dürfen wir auch nicht mehr sagen, der Deutsche Gruß ist für Verräter tabu.

Das Abendessen kann beginnen, wir sind vollzählig. Sind wir das …? Unwillkürlich beginne ich zu zählen, ob die frei gebliebenen Plätze an jedem Tisch aus irgendeinem seltsamen Zufall der Zahl derer entsprechen, die den Familien verloren gegangen sind, aber es geht nicht auf, die Verluste am Lautlitzer Tisch sind zu hoch, selbst wenn ich Vater an Mutters Tisch mitzähle.

»Und nichts davon«, flüstert die tückische kleine Stimme in meinem Kopf, »wäre passiert, wenn du Onkel Yps und Lexi aufgehalten hättest!«

Doch die Stimme ist in den letzten Wochen immer leiser geworden. Eigentlich höre ich sie kaum noch. So viele Beteiligte, so viele Mitwisser an so vielen Stellen … inzwischen bilde ich mir nicht mehr ernstlich ein, dass ich etwas hätte ausrichten können, und ich weiß nicht einmal mehr, ob ich mir noch wünschte, ich hätte es versucht.

An diesem Abend sage ich es mir zum ersten Mal. Es ist kaum mehr als eine Probe, ich bin noch nicht sicher, aber die Worte haben einen überraschend guten Klang.

Ich will nicht mehr auf der anderen Seite stehen nach allem, was ich gehört und gesehen habe.

Zehn

Die Liste der Verbrechen war lang. Der Angeklagte Magnus von Yffingen hat Georg und Eckhardt von Lautlitz überzeugt, dass ein Komplott gegen den Führer geschmiedet werden müsse, er hat für sie den Kontakt zu anderen Verschwörern hergestellt und sich persönlich an der Ausarbeitung von Konzepten für den Staatsstreich beteiligt. Der Angeklagte Magnus von Yffingen war ein toter Mann, noch bevor er den Gerichtshof von Roland Freisler betreten hatte. Am 14. September hat man Onkel Yps hingerichtet.

Max nehme es furchtbar schwer, sagt Julius, und das nicht nur, weil er an seinen Brüdern und Onkel Yps sehr gehangen habe. »Im Gegensatz zu Georg und Eckhardt ist er von Anfang an ein glühender Feind Hitlers gewesen. Er hat sich deshalb sogar mit seinem engsten Freund überworfen – und nun ist er als Einziger nicht an der Tat beteiligt.«

Auch ich versuche jetzt, nur noch *Hitler* zu denken und nicht *Führer*. Nur ab und zu rutscht es mir noch heraus, wenn ich nicht aufpasse.

»Zum Glück war Max weit genug weg«, antworte ich mit rauem Hals. Ich habe einen Schal darum gewickelt, den mir Tante Ilselotte geliehen hat, aber es hilft nichts, die Erkältung ist nicht mehr aufzuhalten. Fast alle von uns, die auf dem Güterwagen waren, hat es erwischt; Mutter liegt sogar mit Fieber im Bett.

»Er ist den dritten Tag hier und ich habe ihn noch nicht ein einziges Mal lachen sehen«, sagt Julius betroffen. »So kenne ich ihn gar nicht. Max und Georg lachen *immer*!«

Julius redet von Georg und Eckhardt, als ob sie noch lebten; vielleicht merkt er es gar nicht. Er rüttelt auch nicht daran, dass das, was die beiden getan haben, richtig war. Behauptet, er habe keinen Augenblick gezweifelt; ja, die Frage habe sich ihm nicht einmal gestellt!

»Wenn du sie gekannt hättest, ginge es dir ebenso«, sagt er. »Was ist mit deinem Vater? Traust du ihm zu, er hätte nicht die besten Motive gehabt?«

Wenn ich das nur wüsste! Ich habe Vater seit Jahren nicht gesehen, wie soll ich wissen, was er gedacht hat? »Vielleicht findest du es ja noch heraus«, meint Julius rätselhaft.

Er legt einen guten Schritt vor, während wir bergan stapfen, und ob ich will oder nicht: Ich muss an einen anderen Berg und die Begegnung mit Lexi und Onkel Yps denken. Die Brücke zwischen mir und dem Unfassbaren; ich stoße immer wieder darauf. »Hättest du es zu verhindern versucht, wenn du davon erfahren hättest?«, frage ich wie beiläufig.

»Keine Ahnung«, bekennt mein Vetter. »Ich hätte vielleicht gefragt, ob sie wissen, in welche Gefahr sie ihre Familien bringen … aber nein, auch das wäre eine dumme Frage gewesen, denn sie werden es sich natürlich wieder und wieder ausgemalt haben.«

»Das glaube ich nicht. Wenn Vater dabei an uns gedacht hätte, hätte er es nicht tun können.«

»Woher willst du das wissen? Du weißt ja nicht einmal, was genau er getan hat. Fritzi, deine Bemerkung stimmt von vorne bis hinten nicht!«

Eingeschnappt gebe ich zurück: »Es kann kein gutes Motiv sein, jemanden zu töten, ob es der Fü… ich meine Hitler ist oder eine andere Person.«

»Und wenn man dadurch größeren Schaden abwenden kann?«, hält Julius dagegen. »Onkel Georg kann sich das nicht leicht gemacht haben. Das fünfte Gebot und so. Außerdem hatten sie ja einen Eid auf Hitler geschworen.«

»Genau! Der Eid! Den hätten sie als Soldaten nicht brechen dürfen.«

»Ja, das dachte ich auch. Aber unterhalte dich mal mit Onkel Teddy! Es gibt einen Notwehrparagrafen im Bürgerlichen Gesetzbuch, der einen Soldaten unter bestimmten Umständen von seinem Eid entbindet.«

Ich bleibe stehen und halte mir die Seite, mich hat in den letzten Monaten schließlich kein freundlicher Oberamtsrichter zu Spaziergängen freigelassen! Julius wartet und lächelt, aber ohne eine Spur von Spott. »Du kannst ganz schön was vertragen«, meint er anerkennend und lässt offen, ob er sich auf unsere Diskussion oder die scharfe Wanderung oder womöglich auf beides bezieht.

An den Julius von früher erinnere ich mich kaum, aber plötzlich bin ich der Überzeugung, dass ich ihn schon immer gemocht haben muss.

»Was hältst du davon«, fordere ich ihn heraus. »Du bist … sagen wir, Offizier. Du warst erst für den Krieg, dann dagegen, du hältst Hitler für einen *Notfall* und schließt dich dem Plan an, ihn loszuwerden. Aber als dieser misslingt, wirst du als Einziger nicht entdeckt. Was nun? Würdest du weiter an der Seite derjenigen kämpfen, die deine Freunde und Verwandten umbringen?«

»Das ist ja ein fantastisches Problem!« Julius ist hingerissen. »Weißt du was? Das diskutieren wir heute Abend am Tisch mit Max und Onkel Teddy.«

Mit Max? Das fehlte gerade noch! Mir wird ganz mulmig bei der Vorstellung, Max so gemein in die Irre zu führen, der wahrscheinlich nicht die geringste Ahnung hat, von wessen *fantastischem Problem* wir in Wirklichkeit sprechen. Lexi soll es ihm selbst sagen, das habe ich längst beschlossen. Von mir erfährt niemand etwas!

»Ist es nicht langsam Zeit zurückzugehen?«, erinnere ich meinen Vetter. »Eine Stunde, haben sie gesagt. Nicht, dass sie uns morgen nicht mehr rauslassen.«

»Hoppla, du hast Recht! Ja, gehen wir lieber zurück und erweisen uns als vertrauenswürdig.«

Unsere Wachmannschaft sitzt vor dem Haus, raucht und genießt die Herbstsonne. »Na, war's schön?«, fragt Obersturmführer Klotz, der uns vor einer knappen Stunde mit den Worten auf den Weg geschickt hatte: »Kurze Spaziergänge im Umkreis der Baude erlaubt, aber keine Gespräche, wenn ihr unterwegs jemandem begegnet!«

»Ja, vielen Dank, Herr Obersturmführer«, antworten wir höflich. Die Wachmannschaft feixt. Am liebsten würde ich sagen: Wir sind *verwandt,* ihr Blödmänner!

Mutter hat sich die Bettdecke bis zur Nasenspitze gezogen; das wenige von ihr, das oben herausschaut, sieht alt und mitgenommen aus. »Vielleicht geben sie dir ein anderes Zimmer, damit du dich nicht ansteckst«, krächzt sie.

Ein widerwärtiger Geruch nach Krankheit und Pfefferminztee hängt im Raum. »Nicht nötig, ich habe bereits meine eigene Erkältung!« Ich reiße das Fenster auf. »Du brauchst frische Luft«, schiebe ich ihren Protest beiseite.

»Wo warst du so lange?«

»Spazieren mit Julius. Das Hotel liegt völlig einsam, wie eine Festung. Heimlich abhauen ist unmöglich, sie können alles überschauen.«

Und ich auch! Aufgeregt recke ich den Hals. »Da kommt ein Auto! Das ist bestimmt Markus!«, rufe ich und eile nach nebenan, um Julius und Nanni Bescheid zu sagen.

»Fenster zu!«, jammert Mutter hinter mir her.

Als der Wagen vor dem Haus zum Halten kommt, stehen wir drei schon atemlos da, aber zu unserer Enttäuschung steigt nicht mein Vetter Markus aus, sondern eine uns unbekannte junge Frau. Ein Mädchen fast noch: sehr gut angezogen, schlank und zart, hübsches, aber verzweifeltes Gesicht. Der Obersturmführer küsst ihr die Hand!

»Signora Pirzio-Biroli«, murmelt er und wir stehen fasziniert und angewurzelt, »ich hoffe, Sie hatten eine gute Reise.«

»Wo sind meine Kinder?«, fragt Signora Pirzio-Biroli und mir schleicht eine Gänsehaut über den Rücken: Auch die Italienerin ist eine von uns!

»Kommen Sie, ich zeige Ihnen alles!« Nanni legt spontan den Arm um sie. »Ich bin Nanni von Lautlitz, das sind mein Bruder Julius und meine Kusine Philippa.«

»Von Lautlitz!«, entfährt es der jungen Frau erschrocken, und ich weiß zwar nicht, woher sie kommt, aber erst in dieser Minute, und direkt vor unseren Augen, scheint ihr klar zu werden, warum sie hier ist.

Wir sehen den Frauen nach, die ins Haus gehen und sämtliche SS-Wachen hinter sich herziehen wie einen halb ehrfürchtigen, halb belustigten Tross. »Diese Schufte!«, flüstert Julius.

Markus kommt kurz vor dem Abendessen. Blass und mager, mit abrasiertem blanken Schädel, die Jacke schlottert ihm um die Schultern, als wäre es gar nicht seine. Geflüstert höre ich das Wort Dachau, während alle um ihn herumstehen und tun, als hätte sein Anblick überhaupt nichts Auffallendes. Ich erinnere mich an Markus' lustige runde Brillengläser. Jetzt stechen sie von einer großen, spitzen Nase wie Fernrohre.

Und Markus kommt nicht allein. Seine Eltern sind bei ihm, Onkel Jasper und Tante Sofie. Onkel Jasper, grau im Gesicht, stützt sich auf Max und setzt mit Mühe einen Fuß vor den anderen, während Max ihm die Treppe hinauf in eins der Zimmer hilft. Ich höre Dr. Goerdelers energische Stimme im Foyer: »Das ist ja unglaublich! Der Mann ist todkrank! Er braucht seine Herzmedikamente, sonst kann ich keinerlei Verantwortung übernehmen!«

Plötzlich bin ich froh, nicht sehen zu müssen, wo mein Vater jetzt ist und wie es ihm geht.

Vielleicht ist die Erkältung schuld, vielleicht die langen Wochen des Alleinseins mit Mutter … nach aller anfänglichen Freude über die wachsende Familie machen mir die durcheinanderredenden Stimmen in dieser Nacht nur noch Kopfschmerzen. Was sie sagen, kann ich kaum auseinanderhalten, wie Pfeile schießen Stimmen durch den Raum und ich bin nicht schnell genug, sie zu fangen. Jeder will gleichzeitig erzählen, was er erlebt oder gerüchteweise gehört hat. Dachau, Ravensbrück, die Gefängnisse Stadelheim, Augsburg, Friedberg, Alexanderplatz und Lehrter Straße – ein Dutzend Personen liegt, sitzt und steht im Zimmer von Onkel Jasper und Tante Sofie und trägt zusammen. Max zündet sich eine Zigarette nach der anderen an und wedelt unablässig Rauch ins Freie, vorgeblich aus Rücksicht auf Onkel Jasper, in Wahrheit wohl eher aus Nervosität.

Nelly ist in Ravensbrück! Sie sei tapfer und gefasst, berichtet Tante Adele, die selbst dort war und Nelly manchmal durch einen Riss in ihrer Zellentür hat vorbeigehen sehen; nur die Kleider passten nicht mehr über den sich rundenden Bauch. Mit ihrem schweren baltischen Dialekt schildert sie den Klang Hunderter Holzschuhe beim Appell, die gestiefelten Aufseherinnen, die den Gang und die Stimme von Männern haben, das Klirren von Hand- und Fußfesseln, wenn Gefangene mitten in der Nacht zum Verhör geführt und am nächsten Morgen zerschlagen zurückgebracht werden. Das Licht in den Zellen der Verschwörer, das Tag und Nacht brennt, die Wachen, die unablässig davor auf- und abgehen. Baron Guttenberg ist in Ravensbrück, der Bruder von Tante Sofie. Der lange, höfliche Graf Moltke.

Tante Adele beginnt zu weinen. Nicht ein einziges Wort konnte sie mit Nelly wechseln! Ihr ersticktes, tiefes Schluchzen hört erst wieder auf, nachdem ihr ein Chor von Stimmen versichert hat, dass Nelly und die Kinder und der Großvater aus Walcheren bald nachkommen werden, ganz bestimmt, sie führten uns doch offenbar alle zusammen!

Omama sitzt – nach mehreren Wochen Einzelhaft im Gefängnis Balingen – in Lautlitz in zwei Zimmern. Mehrere Gestapo-Familien sind im Schloss einquartiert, Ausgebombte, die gleichzeitig auf sie aufpassen sollen. Max weiß es von Lexi, die Omama sofort nach ihrer Entlassung besucht hat. Unbemerkt hat sie bei der Gelegenheit zwei Büsten von Georg und Eckhardt weggeschleppt und in Sicherheit gebracht, bevor jemand auf die Idee kommen kann, sie zu zerstören.

Tante Helma und Tante Josi stehen im beschlagnahmten Schloss Geppingen unter Hausarrest. Ein eigens eingerichteter Treuhandfonds zahlt die Kosten unseres Aufenthalts im Hotel. Jemand holt ein Blatt Papier und schon wird eifrig in den Raum gerufen und notiert, was man sonst noch brauchen und bei den Treuhändern beantragen könnte. Onkel Teddy wird zu unserem Verhandlungsführer mit der Wachmannschaft bestimmt. Hochstimmung bricht aus. Endlich wieder etwas zu organisieren!

Kurz vor Mitternacht schleppe ich mich todmüde zurück in unser Zimmer. Mutters Atem rasselt im Schlaf; ich bin froh, dass ich nichts mehr erzählen muss.

Wir dürfen Briefe schreiben! Ohne Angabe des Absenders natürlich, da unser Aufenthaltsort streng geheim ist, aber die Gestapo leitet unsere Post an die Adressaten weiter.

Zur selben Zeit wie ich gibt Max seinen ersten Brief im Foyer ab. Mein Brief ist an Alexandra Gräfin Lautlitz gerichtet, seiner an Alexandra Gräfin Esch. »Sie darf unseren Namen nicht mehr benutzen«, erinnert er mich und bleibt stehen, während ich meinen Umschlag korrigiere. Dabei könnten sie die Briefe eigentlich in einen einzigen Umschlag stecken – sie werden von der Gestapo ja ohnehin aufgemacht und gelesen.

»Na, was hast du dir gewünscht?«, fragt Max, als ich fertig bin.

»Gewünscht …?«, wiederhole ich und beiße mit Appetit in

den Apfel, den ich mir aus der Schale am Tresen genommen habe.

»Handschuhe, Süßigkeiten, Bücher?« Er sieht mich spöttisch an. »Du willst mir doch nicht weismachen, du schreibst Lexi ohne irgendeine Bitte!«

Der Bissen bleibt mir im Halse stecken. Wortlos gehe ich an Max vorbei ins Freie, wo seine neue Dauerbegleitung Fey an der Hoteltreppe schon auf ihren gemeinsamen Spaziergang wartet. Ihr Gesicht strahlt auf und beleuchtet einen Punkt etwa vierzig Zentimeter über mir, woran unschwer zu erkennen ist, dass Max mir auf dem Fuß gefolgt sein muss.

»Fritzi, ich hab's doch nicht so gemeint«, brummt er.

Wenn er mich am Arm fasst, werde ich ihn abschütteln! Aber das tut er ganz bestimmt nicht, Fey steht ja da. Erst als mindestens fünfzig Meter zwischen uns liegen, drehe ich mich um und sehe erbittert zu, wie sie Richtung Wald schlendern. Vermutlich Italienisch plaudernd – dabei ist Fey gar keine richtige Italienerin. Sie ist bloß die Tochter des früheren deutschen Botschafters in Rom und mit einem Italiener verheiratet.

Natürlich hatte ich überlegt, ob ich irgendetwas benötige. Aber nur ganz kurz! Mir war nichts eingefallen, das wichtig genug gewesen wäre, Lexi damit zu behelligen. Sie leitet ihre Dienststelle, fliegt und forscht und hat unter Beweis zu stellen, dass sich an ihrer Einsatzbereitschaft für die Luftwaffe nichts geändert hat; sie organisiert Winterkleidung, Medikamente und alles, was wir Gefangenen an den unterschiedlichen Orten brauchen. Zurzeit – Max hat es aus ihrem letzten Brief vorgelesen – bemüht sie sich, einen *Schwangerschaftsgürtel* aufzutreiben. Ich wüsste nicht einmal, wonach ich da suchen müsste, geschweige denn, wie jemand es fertigbringt, an so viele Dinge gleichzeitig zu denken.

Das Einzige, worum ich Lexi gebeten habe, ist, dass sie mir zurückschreibt. Und Max? Geht mit fremden jungen Damen spazieren, während seine Frau sich für uns abmüht, und verdächtigt *mich*, ihr das Leben schwer zu machen durch irgendwelche dummen Bitten!

Mein Magen ballt sich zusammen, am liebsten würde ich heulen vor Wut. Max ist die größte Enttäuschung, seit wir in der Hindenburgbaude angekommen sind!

Die zweitgrößte Enttäuschung ist Julius – seit dem Auftauchen von Markus bin ich abgemeldet. Wenn doch Christa hier wäre! Sie und ihre jüngsten Geschwister mussten zurückbleiben, als die Hofackers mit dem Versprechen abgeholt wurden, bald wieder zu Hause zu sein. Das war vor fast drei Monaten, vielleicht ist Christa genauso allein und ohne Freundin wie ich.

»Na, lässt du es dir gut gehen?«, fährt mir unversehens eine Stimme in den Rücken.

Erschrocken drehe ich mich um. Obersturmführer Klotz hat die Arme hinter sich verschränkt und sieht mich lauernd an, dabei wippt er leicht auf den Zehenspitzen wie jemand, der im Begriff ist, einen Vortrag zu halten.

»Ja, vielen Dank, Herr Obersturmführer.«

»Alles in Ordnung? Bettchen? Fresschen? Ein kleines Äpfelchen zwischendurch?«

Die Verachtung in seiner Stimme macht frösteln. »Meine Kinder«, sagt er, »hätten das auch gern. Verstehst du das, hm? Kannst du mir das erklären? Dass ihr es euch gut gehen lasst und meine Kinder haben in Köln kein Dach überm Kopf?«

»Nein, Herr Obersturmführer.«

»Nein? Was heißt nein? Findest du das etwa in Ordnung?«

Er kommt auf mich zu. Unwillkürlich weiche ich zurück, obwohl ich doch versuchen wollte, keine Angst zu zeigen. Leider sind es nur zwei winzige Schritte bis zur Hauswand.

»Nein, Herr Obersturmführer. Ich meine ... ich verstehe es auch nicht ... es tut mir leid.«

»Leid. Aha. Das ist ja lustig. Wie sollen wir denn das wieder verstehen, hm? Dass meine Kinder einer wie dir leidtun.«

Sein dickes, rundes, wütendes Gesicht ist keine zwanzig Zentimeter von meinem entfernt. »Ich bin aus Berlin«, gebe ich mit nur ganz leichtem Beben in der Stimme zur Antwort. »Ich habe gesehen, wie es ist, wenn Leute kein Dach überm Kopf haben. Sie tun mir alle leid.«

Obersturmführer Klotz runzelt die Stirn. Sein Gesicht rückt ein klein wenig von meinem ab, er wirkt überrascht. Dann sagt er: »Sie haben es nicht verdient.«

»Nein«, bestätige ich und füge rasch hinzu: »Herr Obersturmführer.«

In sein Schweigen hinein höre ich das Geräusch schneller Schritte; jemand rennt in großer Hast den Wanderweg hinunter. Obersturmführer Klotz hört es auch und tritt zurück, glättet die Uniform über seinem vorspringenden Bauch. »Du bist doch ein aufgewecktes Mädchen«, sagt er in verändertem Ton. »Dir muss doch klar sein, was dein Vater dir angetan hat.«

Ich mache den Mund auf, aber es kommt kein Wort heraus. Obersturmführer Klotz wirft Max einen harten Blick zu, schüttelt noch einmal den Kopf und geht zurück ins Haus.

Außer Atem packt Max meine Schultern. »Hat er dir etwas getan?«

Erschrocken sehe ich in sein entsetztes Gesicht und fange mit einigen Minuten Verspätung nun doch an zu zittern. »Ich g-g-glaube, ich habe das R-R-Richtige gesagt«, stammle ich und lasse mich widerstandslos in die Arme nehmen, weil mir plötzlich die Knie gummiweich werden und weil …

Vater. Weil ich plötzlich wieder weiß, wie es gewesen sein muss. Weil ich plötzlich so furchtbar weinen muss, und es hat nicht das Geringste mit Obersturmführer Klotz zu tun.

Wenn ich die Augen schließe, kann ich mir vorstellen, ich sei wieder zwölf. Ich wüsste nichts von Piotr, meinem Vater, meinen Onkeln, ich wüsste noch nicht einmal von Fabian. Ich mache Ferien bei Verwandten, die sich blitzschnell und völlig unerwartet in mein Herz geschlichen haben, wir wandern durch den Wald, freuen uns auf das bevorstehende Picknick und Max hält einen Vortrag. Ich möchte so fest die Augen schließen, dass ich aufpassen muss, nicht gegen Bäume zu rennen.

Das Entscheidende, höre ich Max sagen, sei, dass seine Brüder etwas unternommen haben und er nicht. Der Generalstab habe Mitverantwortung an der Katastrophe, die Deutschland über die Welt gebracht habe, und aus dem Generalstab heraus sei der Versuch gekommen, die Katastrophe zu beenden. »Das ist großartig«, meint er. »Ich habe immer nur geredet.«

»Was hättest du denn tun können – ganz allein?«

»Du hast Recht. Es muss unendlich mühsam gewesen sein, Mitstreiter zu finden. Einen Plan zu entwickeln, sich überhaupt klar zu werden, ob man das Richtige tut … natürlich konnten und mussten sie sich gegenseitig bestärken. Aber weißt du, ich glaube, jeder von denen, die dabei waren, war erst einmal und auch zwischendurch immer wieder ganz allein.«

Das ist das Einmalige an Max und Lexi: Sie reden mit mir, als wäre ich nicht nur ein Kind. Sie nehmen einfach an, dass ich von dem, was gesprochen wird, das Wesentliche schon verstehen werde, und genau so ist es dann auch. Die Dinge ordnen sich, und alles wird ganz schlicht und klar.

Ich spreche aus, was mir seit vielen Wochen durch den Kopf geht: »Solange ich denken kann, sagt Vater, Hitler sei gut für Deutschland und der Krieg unvermeidlich. Jetzt wendet er sich plötzlich dagegen!«

»Was würdest du denn tun, wenn du merkst, dass du den falschen Weg eingeschlagen hast?«, gibt Max zurück, und wieder kann ich nur staunen, wie einfach es ist.

Ich kehre um.

»Aber was«, gebe ich zu bedenken, »wenn es schon zu spät ist? Wenn man das, was man angerichtet hat, nicht mehr ändern kann?«

»Trotzdem umdrehen«, sagt er. »Bloß nicht auf dem falschen Weg bleiben! Dadurch wird er ja nicht richtiger, im Gegenteil. Er gabelt und gabelt und gabelt sich, und am Ende bist du hoffnungslos verirrt und weißt weder vor noch zurück.«

»In Oschgau …«, entfährt es mir und sofort würde ich mir am liebsten die Hand vor den Mund schlagen. »Ach ja, dein Exil«, erinnert sich Max. »Was war denn dort?«

»Sie haben die Fremdarbeiter nicht gut behandelt«, bringe ich mit Mühe heraus.

»Sehr gut, Fritzi«, lobt mein Onkel, der Professor, »genau darüber reden wir. Deutschland ist in den Händen von Verbrechern. Verschleppungen, Massenmorde, Gräueltaten an Zivilisten, an Juden, an Kriegsgefangenen … es gibt genügend Dinge, die deinen Vater und meine Brüder dazu gebracht haben können, ihren Standpunkt zu ändern. Zwar konnten sie nichts zurücknehmen von dem, was passiert ist, aber sie wollten auch nicht mehr tatenlos zusehen. Ihr Gewissen gebot ihnen, etwas zu unternehmen.«

»Ein Freund ist gestorben.« Plötzlich sind die Worte heraus, einfach so. »Ich bin abgehauen. Bis zu dem Tag fand ich alles schön.«

»Warst du dabei?«

Ich schüttle heftig den Kopf. Heftig genug, um wieder zu mir zu kommen. »Und du? Hast du Bescheid gewusst?«, lenke ich rasch ab.

»Ich habe Georg und Eckhardt im Juni noch gesehen«, sagt er nur. »Wir haben lange geredet. Und dann war ich zurück in Griechenland, weit ab vom Geschehen.«

Ich spüre, wie sich sekundenlang etwas Dunkles über ihn legt, sein ganzer Gang ändert sich, als liefe er durch eine Wolke aus Traurigkeit. Dann fügt er bitter hinzu: »Einer von uns musste wohl übrig bleiben.«

»Ich bin froh, dass du es bist«, antworte ich aus tiefster Seele.

Max sieht mich groß an und sagt unwillig: »Du weißt ja nicht, wovon du sprichst.«

Mir verschlägt es die Sprache. Bestürzt stolpere ich neben ihm her und er fügt in weicherem Ton hinzu: »Meine Brüder haben geleuchtet. Ich war immer nur der Dritte.«

»Nicht für mich«, erkläre ich fest.

Er lächelt, ich fasse Mut. »Nicht für Lexi!«

»Das will ich allerdings hoffen«, gibt er zu.

»Und nicht für Fey.«

Max bleibt stehen. »Was soll das denn heißen?«, fragt er verdutzt.

»Sie himmelt dich an«, sage ich vorwurfsvoll.

Da legt mein Onkel den Kopf in den Nacken und lacht so laut, dass der Wald jäh in Bewegung gerät; von den Baumkronen bis ins Unterholz setzt eine raschelnde, piepsende Flucht kleiner Tiere ein und ich stehe entzückt und verwundert dabei, als wäre mir ein spektakulärer Zaubertrick geglückt.

»Jetzt weiß ich, was du Lexi geschrieben hast!«, ruft Max.

»Noch nicht!«, entgegne ich. »Ich wollte dir noch eine Chance geben!«

Ein federleichter, wundervoller Moment spannt sich zwischen uns, dann wird mein Onkel wieder ernst. »Fey«, sagt er, »hat in Italien zwei kleine Buben, zwei und drei Jahre alt, die ihr buchstäblich aus den Armen gerissen wurden, einen jungen Ehemann, in den sie noch ganz frisch verliebt und der ohne jedes Lebenszeichen von ihr und den Kindern ist. Sie hat einen Vater, den sie innig liebt und von dem man behauptet, dass er gehenkt wurde ...«

»Schon gut, ich verstehe«, murmele ich beschämt.

»... und der alte Max«, fährt er unbeirrt fort, »sitzt hier wie die Made im Speck, während seine Frau Tag und Nacht ihr Leben aufs Spiel setzt – in einem Dienst, mit dem sie sich schützend erst vor ihre Eltern und Geschwister stellen konnte und nun auch vor uns. Was glaubst du, worüber Fey und ich reden, Fritzi?«

Niedergeschlagen schiebe ich die Hände in die Taschen der warmen Winterjacke, die Lexi für mich organisiert hat, und antworte nicht.

»So wunderbar es ist, dass sie die Gefangenen versorgen darf«, sagt Max, »wann schläft sie eigentlich? Nachts ist sie mit Flugschülern in der Luft, tags rennt sie für uns von einer Behörde zur nächsten. Lexi ist keine zwanzig mehr, so etwas steckt sie nicht einfach weg. Nicht«, fügt er beim Blick in mein bestürztes Gesicht hinzu, »dass sie das je zugeben würde!«

»Ich habe um nichts gebeten«, erkläre ich leise, aber heftig.

Max legt mir die Hand auf den Rücken. »Ich weiß, dass ich nicht der Einzige bin, der sich sorgt. Und ich freue mich, dass du ihr schreibst.«

»Lexi sagt, es sei der Name von Lautlitz, der ihre Familie geschützt hat.«

»Das«, erwidert er, »würde sie gern glauben. Aber sie ist nicht wegen ihres Namens zur Luftwaffe kommandiert worden. Sie ist kommandiert worden, weil sie sich als Ingenieurin so verdammt verdient gemacht hatte, dass das Reich trotz fehlenden Ariernachweises nicht auf sie verzichten wollte. Das kam auch ihrer Familie zugute. Hätte sie sich dem entziehen können? Wir waren damals der Meinung: nein. Wenn man zum Kriegsdienst gerufen wird, spielen persönliche Abneigungen gegen die Machthaber keine Rolle. Dann geht es ums Vaterland, ums ganze Volk, dann hat man anzutreten. Das galt auch für mich.«

Er bleibt stehen und zündet sich eine Zigarette an. »Hätten wir wissen müssen, wohin das alles führt? Nächste Frage, Fritzi! Ich habe keine Antwort darauf.«

»Ich glaube«, höre ich mich stockend sagen, »man kann nicht alles vorher wissen. Wissen kommt doch erst vom Lernen. Und es gibt so viel, das sie einem eintrichtern, dass man gar nicht mehr nachdenkt, nur noch lernt und immer mehr in seinem Kopf herumträgt, ohne zu fragen, ob es eigentlich stimmt. Es steckt da drin fest, und wenn man eines Tages selbst überlegen und entscheiden muss, findet man zuerst nur noch das. Lauter fremde Gedanken.«

»Donnerwetter«, meint Max und sein Gesicht hellt sich auf, doch bevor er dazu kommt, etwas zu erwidern, biegen zwei Frauen aus einem Seitenweg in den unseren, deren Anblick ihm einen leisen, verblüfften Pfiff entlockt.

Die beiden sind so in ihr Gespräch vertieft, dass sie uns erst bemerken, als sie nur noch wenige Meter entfernt sind. Nanni wird tiefrot und lächelt uns im Vorbeigehen glücklich zu. An ihrem Arm spaziert Frau Kuhn!

Wir sehen ihnen lange nach. »Es macht Schule«, sagt mein Onkel leise. »Es sieht aus, als sei noch jemand umgekehrt, nicht wahr?«

An diesem Abend kommt Nanni in unser Zimmer, um es Mutter und mir zu erzählen. Die Eltern Kuhn wollen ihr und Joachim nicht mehr im Wege stehen. Es sei ein großer Fehler gewesen, die Verlobung zu lösen; sie hätten durch ihren Starrsinn zwei junge Menschen unglücklich gemacht und wünschten sich jetzt nur noch eins: dass Nanni der Versöhnung zustimme und ihre Schwiegertochter werde, sobald der Krieg vorüber und ihr Sohn aus der Gefangenschaft zurückgekehrt sei.

Es kann nicht falsch sein, sich mit der Wachmannschaft gut zu stellen, denke ich, als ich Obersturmführer Klotz nach seinen drei Kindern frage. Es kann nicht schaden, ihn zu grüßen und ein freundliches Gesicht zu machen, mich jeden Tag ein paar

Minuten mit ihm zu unterhalten, selbst wenn er nur wieder in mich dringt, dass ich Vater für sein Tun verdamme. Es kann nicht schaden, dazu beizutragen, dass die Wachmannschaft uns gewogen bleibt. Die Bitte, die Sonntagsmesse im Dorf zu besuchen, wird abgelehnt, ansonsten lassen sie uns mittlerweile tun, was wir wollen. An manchen Tagen bekommen wir sie kaum zu Gesicht.

Fey erteilt Italienisch-Unterricht, Julius und Markus organisieren ein Schachturnier, Max hält Vorträge. Ich bin das Vorprogramm zum Thema »Illusionen« – ich zeige einige Zaubertricks und bringe damit alle zum Lachen. Dr. Goerdeler erhält Medikamente, um Onkel Jasper zu behandeln, Nanni darf die Hotelküche benutzen, um ihm Tee und Diätkost zuzubereiten. Ina und Tante Adele reden heimlich auf Russisch mit den Kellnern, allesamt Fremdarbeiter, die den Kriegsverlauf mit stiller Freude beobachten. Sie sind fest überzeugt, bald zu ihren Familien zurückkehren zu können.

Als wir aus einem Brief erfahren, dass der Großvater aus Walcheren nicht mehr kommt, als wir um eine Kerze für ihn bitten und Onkel Jasper, sein Sohn, ein Bibelwort vorliest, steht die Wachmannschaft betreten im Hintergrund. Vielleicht ist selbst ihnen unerklärlich, weshalb ein vierundachtzigjähriger, nachweislich unschuldiger alter Mann, dessen einzige Verfehlung darin bestand, das Familienoberhaupt derer von Lautlitz zu sein, im Gefängnis in Würzburg sterben musste.

Der Inhalt einer Rede kommt mir erst jetzt zu Ohren, einer Rede, die Himmler schon im August vor Gauleitern in Posen gehalten haben soll. Unser Blut sei schlecht, behauptet er, Verräterblut, und die Sippe der Grafen von Lautlitz werde »ausgelöscht bis ins letzte Glied«. Doch es wird Winter und uns geschieht nichts, wir bleiben allein mit unseren Bewachern und dem Hotelpersonal, nur einmal machen für wenige Tage weitere Familien in der Baude halt, mit denen uns jeder Kontakt streng verboten wird. Sie sind Angehörige der Truppen des Generals von Seydlitz, der sich – entgegen Hitlers ausdrücklichem Befehl – mitsamt seinen Soldaten in sowjetische Kriegsgefangenschaft begeben hat.

Die Seydlitz-Familien werden weitertransportiert, wir dürfen bleiben. Der General ist wegen der Befehlsverweigerung in Abwesenheit zum Tode verurteilt worden.

Nein, es kann nicht schaden, sich mit der Wachmannschaft gutzustellen.

Seit dem langen Spaziergang mit Max träume ich kaum noch von Piotr, dafür manchmal von meinem Vater, und ich träume in so klaren, lebhaften Bildern, dass ich sicher sein kann, sie wirklich erlebt zu haben. Vater steht unter einer Kletterstange und fängt mich auf, er hebt mich in ein Ruderboot, er rennt neben meinem Fahrrad her, während ich panisch in die Pedale trete und schneller und schneller werde. Da pflückt er mich mit einem einzigen Griff vom Rad und nimmt mich in den Arm!

»Du redest gar nicht mehr im Schlaf«, sagt Mutter wie nebenher.

Ich bekomme einen lustigen, kurzen Brief von Lexi und einen Auftrag: »Gib Max einen Kuss von mir, ich darf ihn noch nicht besuchen, obwohl sie es mir versprochen hatten«,

schreibt sie. »Magst du das für mich tun?«

Mit dem Brief wedelnd suche ich meinen verblüfften Onkel, schlinge vor aller Augen die Arme um seinen Hals und gebe ihm genüsslich seinen Kuss. Seitdem fragt er mich manchmal augenzwinkernd, ob ich nicht wieder einen Auftrag von Lexi habe.

Dass ich aus Oschgau weggegangen bin, war gut. Ich kann nichts von dem zurücknehmen, was passiert ist, aber ich bin nicht mehr auf dem falschen Weg.

»Fritzi, wach auf! Da stimmt etwas nicht!«

Mutters aufgeregtes Flüstern schreckt mich aus dem Schlaf. Sie sitzt aufrecht im Bett und lauscht, durch einen Spalt im Vorhang fallen die ersten morgendlichen Sonnenstrahlen und im Flur wird gebellt.

Zumindest glaube ich es sekundenlang, bevor ich Stimmen erkenne, und die knappen, scharfen Befehle. An jede Tür hämmern sie: »Aufstehen! Fertig machen zum Transport!«

Wir sehen uns an, stumm, ungläubig, mit offenem Mund. Die Schläge aus dem Flur fahren so tief in mich, dass ich wie festgenagelt liegen bleibe. Mutter ist die Erste, die aus dem Bett springt. »Die Koffer! Beeil dich!«

Endlich fliege ich aus dem Bett, reiße meinen Koffer vom Schrank. Nun sind sie auch bei uns, trommeln und rufen mit fremden Stimmen.

»Das ist nicht unsere Wachmannschaft!«, flüstere ich Mutter zu.

»Großer Gott, großer Gott, großer Gott«, wispert sie und stopft mit zitternden Händen Kleidung in ihren Koffer, und ich sehe sie weiter die Lippen bewegen, während ihre Worte schon untergehen im Poltern der Stiefel auf der Treppe.

Vor dem Hotel warten zwei Lastwagen, die mit dunklen Planen verhängt sind; ein halbes Dutzend SS-Wachen steht mit Maschinenpistolen im Anschlag, als müssten sie die LKW vor uns verteidigen. »Rauf!«, sagt einer und schlägt die Plane zurück.

Niemand bewegt sich. »Hören Sie«, sagt Onkel Teddy ganz ruhig, »so können Sie mit kranken und alten Leuten nicht umgehen!«

»Wird's bald!«, schreit der Mann an der Plane.

Sie sehen sich alle ähnlich!, durchfährt es mich. Frisur, Haltung, Uniform, die eckigen Gesichter, die zornigen kleinen Augen …

Onkel Teddy sagt nichts mehr. Er und Max helfen uns auf den Lastwagen und finden zusammen mit dem Gepäck nur noch im zweiten Wagen Platz. Die Plane wird heruntergelassen und festgezurrt. Im Halbdunkel hocken wir auf dem Boden und ich muss an Fliegerangriffe denken, an die Lehrter Straße und den dritten Stock, doch ich höre keinen einzigen Laut, bis der Motor angelassen wird und wir langsam losrumpeln. Erst jetzt beginnt jemand leise zu weinen, doch ich kann nicht erkennen, wer es ist, und bis wir am Bahnhof eintreffen, hat sich diejenige wieder gefasst.

Wer sieht uns aussteigen? Bewegt sich nirgends eine Gardine? Der Zug wartet schon; wir schleppen unser Gepäck zwischen zwei Reihen Soldaten hindurch, die schweigend ihre Pistolen auf uns richten. Die Koffer müssen wir neben dem Zug stehen lassen, dann drängt man uns in ein einziges Abteil, obwohl der Rest des Waggons leer ist. Ein Versuch, uns umzusetzen, wird sofort unterbunden.

»Wie lächerlich!«, flüstert Fey. »Habt ihr mal gezählt? Es sind einundzwanzig Wachposten, auf jeden von uns kommt einer. Womit rechnen sie?«

»Nahkampf«, meint Max, bewegungslos eingeklemmt zwischen Julius und Tante Sofie, und erntet nervöses Kichern.

Ich selbst wäre bis zu diesem Augenblick nicht auf den Gedanken gekommen, unsere Lage *lächerlich* zu finden, doch dass einige sie von der komischen Seite nehmen, macht Mut. Draußen koppeln sie einen weiteren Wagen für unser Gepäck an, in dem auch die Militäreskorte Platz nimmt. Nur zwei Posten steigen bei uns ein. Keine SS mehr, immerhin.

»Wohin geht's denn?«, fragt Onkel Teddy verbindlich.

Die Antwort des Soldaten folgt prompt: »Einfach Maul halten und abwarten.«

Wenigstens Holz haben sie uns hingeworfen, damit wir den winzigen Ofen befeuern können, und das matte Glühbirnchen an der Decke der Baracke spendet ein wenig Licht. Sobald von außen der Schlüssel im Schloss gedreht wird und die Schritte des wachhabenden Soldaten sich entfernen, setzt ein, was ich schon bestens kenne: das große gleichzeitige Reden, Mutmaßen und Rätselraten.

Bahnhof Breslau! Sie fahren uns hinter die Front!

Hier wartet bestimmt kein Hotel.

Wenn wir den Russen in die Hände fallen, kommen wir alle nach Sibirien!

Himmel, hoffentlich wird es kein KZ.

Von draußen dringt gedämpft das Poltern und Scharren von Stiefeln herein, rufende Stimmen, das Quietschen der Räder und ein scharfes, metallisches Krachen, wenn Wagen umgekoppelt werden. Von Reinerz nach Breslau zu gelangen, auf der Karte im Hotel nur ein Katzensprung, ist jetzt eine Tagesreise. Ich habe aufgehört zu zählen, wie oft wir unterwegs anhalten, wie viele Stunden wir auf der Strecke warten mussten, weil alle Bahnhöfe und Zufahrtswege von Truppentransporten verstopft sind. Jetzt ist es Nacht und ich habe meine eigene Befürchtung: Bestimmt sitzen wir noch tagelang in diesem Schuppen!

Die eisige Kälte in der Baracke macht allmählich einer bulligen, schneidenden Wärme Platz. Funktioniert das Abzugsrohr? Der kleine Ofen raucht unaufhörlich. Dr. Goerdeler müht sich um Onkel Jasper, dessen pfeifendes Atmen jede Ecke des Raumes füllt.

»Ist das nicht gefährlich?«, fragt Fräulein Gisevius nervös. »Wir könnten alle ersticken!«

Max und Onkel Teddy machen sich an dem Ding zu schaffen, klopfen und stochern und die Luft wird ein wenig besser – zumindest bilde ich es mir ein, weil jemand etwas unternommen hat und ich gern glauben möchte, dass es hilft, sich selbst zu helfen.

Fey und Tante Ilselotte verteilen Decken, die wir auf dem Boden der Baracke vorgefunden haben, und hängen eine quer vor die freistehende Toilette, worauf die Ersten wagen, diese verschämt zu benutzen. Mutter duckt sich angestrengt, um auch ihre obere Hälfte während des Geschäfts zu verdecken, was die Peinlichkeit ihrer Absichten noch unterstreicht.

Ich möchte im Boden versinken. Kann sie es nicht einfach hinter sich bringen? »Wirrrf dirrr eine Decke überrr den Kopf!«, empfiehlt Tante Adele und plötzlich gibt es kein Halten mehr, die Anspannung der letzten Stunden entlädt sich in schallendem Gelächter. Ich hoffe, sie hören es draußen.

Später erzählen wir uns Witze und Geschichten, niemand verliert die Beherrschung. Tante Adele gibt zum Besten, wie sie während der *Rrrussischen Rrrevolution* Tag und Nacht an der Gefängnismauer ausharrte, um Nellys Vater, der im *Kerrrker* saß, bei seiner Flucht zu helfen. Die meisten kennen die Geschichte schon, aber diesmal unterbricht niemand. Aufrecht und triumphierend sitzt Tante Adele anschließend auf ihrer Decke.

Allmählich werden die Stimmen leiser und verstummen eine nach der anderen, bis auch die Letzten, am Boden liegend oder sitzend, eindösen. Das Bild, mit dem ich in den Schlaf hinübergleite, ist von Fey, wie sie noch einmal den Blick schweifen lässt und jeden Einzelnen von uns lange und voll Stolz betrachtet.

»Runter mit den Abzeichen!«

An den barschen Ton der Soldaten, die uns begleiten, haben wir uns fast schon gewöhnt. Den dritten Tag sind wir mit ihnen unterwegs und sie geben sich alle Mühe zu zeigen, wer die Herrscher über den Zug sind. Nicht einmal aufs Klo dürfen wir, ohne demütig um Erlaubnis zu bitten, und sie machen sich einen Spaß daraus, uns zusammengedrängt sitzen zu lassen, während sie sich der Länge nach über die freien Bänke flegeln. Immerhin hat der SS-Trupp, der uns in Breslau übernommen hat, offenbar nicht die Auflage erhalten zu schweigen. Im Gegenteil: Sie machen kein Hehl daraus, dass sie zwar nicht wissen, wohin man uns bringt, aber keinen Zweifel hegen, dass uns das Schlimmste erwartet.

»Am besten, ihr esst alle Vorräte auf«, sagt einer. »Es wäre schade drum.«

»Versucht zu schlafen. Das ist das Beste für euch«, orakelt ein anderer.

Wenn sie beabsichtigen, uns mit ihren Andeutungen nervös zu machen, dann haben sie Erfolg. Die Anspannung wächst, steigert sich ins Unerträgliche, Angst hängt in der Luft und perlt in kleinen Tautropfen von den Wänden. Einige beginnen tatsächlich, ihre Vorräte zu essen; ich weiß nicht, wie sie es fertigbringen, etwas zu schlucken.

Und nun das. Der Kommandant der SS-Eskorte steht vor Max und Onkel Teddy, weist herrisch auf die Abzeichen und Schulterstücke an ihren Uniformen und fordert sie auf, diese abzureißen. »Das kommt überhaupt nicht infrage«, erklärt Onkel Teddy.

Der Kommandant läuft rot an. »Was erlauben Sie sich!«, brüllt er so schneidend, dass wir alle zusammenfahren.

»Das mag Ihnen nicht passen, aber wir sind immer noch Offiziere der deutschen Wehrmacht«, antwortet Onkel Teddy ruhig.

»Sie sind eine Schande für die deutsche Wehrmacht!«, brüllt der Kommandant.

Weiter kommt er nicht. Es ist, als legten seine Worte einen Schalter um, wir sind auf dem Schlachtfeld und aus meinem liebenswürdigen Onkel Max springt ohne jede Vorwarnung der Oberleutnant der Artillerie von Lautlitz hervor, zweimal verwundet und zurück in den Kampf geworfen. »Der Oberst und ich sind weder eines Vergehens beschuldigt noch degradiert worden!«, donnert er zurück.

War das Geschrei des SS-Mannes Furcht einflößend, so trifft mich Max' Attacke bis ins Mark. Seine Stimme ist fremd, voll Hass und Angriffslust, und die Hand des Kommandanten zuckt zu seiner Waffe, während sie brüllend aufeinander zutreten, reißt sich mit Gewalt wieder davon los und ballt sich zur Faust; er hat einen anderen Befehl, als einen von uns zu erschießen, aber was würde ihm schon passieren, wenn er es dennoch täte?

Endlich geht Onkel Teddy dazwischen und hält Max zurück. Es wird still, gefährlich still, einige höre ich weinen. »Runter mit den Schulterstücken!«, knirscht der Kommandant. An seiner Schläfe tritt eine fast fingerdicke Ader hervor.

»Das müssen Sie schon selber tun!«, entgegnet Max sofort.

Am liebsten würde ich schreien: *Bitte! Es ist nur ein Stück Stoff!*

Als das Unglaubliche geschieht: Der Kommandant dreht sich ohne ein weiteres Wort auf dem Absatz um und geht zum hinteren Teil des Waggons, wo er leise mit seinem Stellvertreter redet.

Max und Onkel Teddy setzen sich. Max sieht niemanden an, sein Kiefer mahlt. Ich weiß nicht, welchen Kampf er da gerade gefochten hat, aber mit heißer Empörung weiß ich plötzlich, wie sehr ich den Krieg hasse, jede einzelne Minute dieses Krieges, und wie sehr ich hasse, was er aus den Menschen macht.

Kurz vor dem Ziel einigen sich meine Onkel und der SS-Kommandant darauf, dass die beiden ihre Uniformen gegen Zivilkleidung tauschen. Dagegen ist offenbar nichts einzuwenden, sie stehen auf und gehen mit nach nebenan, wo sich das Gepäck befindet.

»Nun ist alles klar«, sagt Dr. Goerdeler nüchtern. »Es geht ins KZ! Natürlich wollen sie vertuschen, dass sie Wehrmachtsoffiziere inhaftieren.«

Der Zug hält, wir steigen – *schneller! schneller!* – auf einen weiteren geschlossenen Lastwagen. Wohin? Niemand braucht mehr zu fragen. Als die Plane zurückgeschlagen wird und wir abspringen, sehe ich den hohen, mit Starkstrom geladenen Stacheldrahtzaun und dass in unserem Rücken das Tor bereits geschlossen wird.

Wir befinden uns in einem abgezäunten Hof, offenbar am Rande eines größeren Lagers, aber ein hoher Bretterzaun hinter dem Stacheldraht verhindert die Sicht hinaus. Vier Wachtürme umgeben den Hof, von denen bewaffnete Posten auf uns hinunterschauen. Im hinteren Bereich steht nahe dem Zaun eine große Baracke.

Der Kommandant persönlich nimmt uns in Augenschein. Verblüfft sehe ich ihn näher kommen, kann den Blick nicht abwenden von seinen blütenweißen Handschuhen. Dann bleibt er vor uns stehen und begrüßt uns mit ironischem Lächeln als Gäste des Konzentrationslagers Stutthof.

Elf

Der Ausblick von den Wachtürmen muss unterhaltsam sein. In der Mitte des Hofes steht zusammengedrängt eine graue, schmutzige, zu Tode erschöpfte Gruppe Häftlinge neben einem Berg von Gepäck. Abgestellt und mit knappen Worten sich selbst überlassen.

»Euer Grafschaft warten wohl auf Ihren Diener!«, ruft der Posten hinten links und die anderen brechen in hämisches Keckern aus. Interessiert sehen sie zu, wie zwei Männer, die dadurch auffallen, dass sie als Einzige saubere Kleidung tragen, sich aus der Gruppe lösen und beginnen, jedem sein Gepäckstück in die Hand zu geben.

Almut … Frau Kuhn … Frau Goerdeler … Leise ruft Max uns beim Namen, während er einem nach dem anderen die Koffer reicht, obwohl der Kommandant ausdrücklich verboten hat, Nachnamen zu nennen. Und einer nach dem anderen fällt ins Leben zurück, wir sind immer noch wir selbst. *Julius, Ina, Fritzi …* nie dürfen wir das vergessen.

Die Ersten treten so vorsichtig über die Schwelle der Baracke, als warte dahinter ein schwarzes Loch, uns zu verschlingen. Doch wir stehen in einem sauberen Flur, der auf einen großen offenen Raum zuläuft und rechts und links mehrere Türen hat.

Es ist so still, dass ich es um mich herum atmen hören kann. Jemand greift zaghaft nach dem Türgriff neben ihm, ich recke den Hals. Ein Zimmer mit Fenster zum Zaun. Spinde, zwei Doppelstockbetten aus Eisengitter. Alles nagelneu.

Die Schritte werden schneller. Hinter jeder Tür verbirgt sich eine Überraschung: eine Küche, ein Abstellraum, eine leere Speisekammer. Ein Waschraum mit sauberen Blechwaschbecken und einer Reihe offen nebeneinanderstehender Toiletten. Ein großer, heller Gemeinschaftsraum mit mehreren Tischen, Stühlen und einem Ofen. Das Murmeln schwillt an.

Richtige Betten! Und wir dürfen unsere eigenen Kleider tragen!

Sogar ein Radio kriegen wir, hat er gesagt! Bücher aus der Lagerbibliothek!

Es sind Toiletten und nicht bloß ein Kübel!

Und ich dachte, KZ wäre das Ende!

»Schauen wir doch mal nach, wie viele Betten es gibt«, übernimmt Onkel Teddy das Kommando und die kleinen Gruppen, die sich in Reinerz gebildet hatten, finden gleich wieder zusammen, als es darum geht, Schlafräume zu belegen.

»Fritzi«, Mutter nimmt mich beiseite, »was hältst du von getrennten Zimmern …? Ich glaube, es täte uns beiden ganz gut.«

Ich sehe sie perplex an.

»Ich liebe dich deshalb nicht ein Fünkchen weniger«, fügt sie schlicht hinzu und sofort weiß ich, dass sie mit ihrem Vorschlag Recht hat, und wie viel Überwindung es sie gekostet haben muss, mich zu fragen. Die anderen Mütter werden es sicher nicht verstehen, sie werden ihr Vorwürfe machen.

Ich kann nicht antworten, also gebe ich ihr einfach einen

Kuss. Dann frage ich Nanni, Ina und Fey, ob ich in ihr Zimmer kommen darf.

»Endlich verstehe ich, warum wir in dem Hotel waren«, sagt Julius später zu mir. »Die ganze Zeit haben wir, ohne es zu wissen, darauf gewartet, dass diese Baracke fertig wird.«

»Ihr müsst die Baracke selber putzen, morgens um acht ist Kontrolle. Ihr bekommt Lebensmittel und müsst euch selbst bekochen. Ihr müsst Wäsche waschen, ausbessern und Holz hacken.« Der Kommandant sagte dies in barschem Ton – als wäre es eine Strafe, nach Monaten erzwungener Untätigkeit endlich wieder selbst zuständig zu sein!

Durch die dünne Bretterwand unserer Stube klingt, während wir noch auspacken, das Geräusch einer Axt, die durch Holzscheite fährt – es ist ein lustvoller Klang. Spontan klettere ich von der oberen Hälfte des Etagenbettes, das ich mit Ina teile, und gehe nachsehen.

Auf einem schmalen Streifen Hof zwischen dem Zaun und dem rückwärtigen Teil der Baracke haben sie Holz für uns abgeladen. »Ziemlich feucht, das Ganze«, meint Max und nimmt Schwung mit der Axt, »aber es wird schon brennen.«

Ich sehe ihm an, wie müde er ist, aber auch wie froh, etwas tun zu können. Die Holzscheite fallen rechts und links vom Block, ich bücke mich, um sie aufzuheben und an der Barackenwand zu stapeln, aber langsam, ganz langsam; vor meinen Augen flirrt es, wenn ich mich zu schnell bewege, und das eine Ende meines übergeworfenen Schals rutscht immer wieder von der Schulter auf den Boden, der bretthart ist von Frost.

Einige Meter entfernt liegt ein armdicker Ast, wohl beim Transport vom Karren gefallen, und minutenlang kann ich die

Augen kaum abwenden und kämpfe mit mir, ob ich die zusätzliche Anstrengung auf mich nehmen soll, ihn zu holen. Es ist ja genügend Holz da, zumindest für heute … aber wer weiß, ob sie wie versprochen neues bringen, und bis morgen könnte der Ast, ungeschützt, wie er dort liegt, noch feuchter und womöglich unbrauchbar werden … ja, vielleicht ist es gerade dieser Ast, der uns fehlen wird, der uns die zusätzliche halbe Stunde warm gehalten hätte, in der wir auf Nachschub warten!

Nein, ich halte es nicht aus, den Ast dort liegen zu sehen, gleich neben dem Zaun, es sind ja nur wenige Schritte! Und während ich mich danach bücke, höre ich hinter der Bretterwand plötzlich Stimmen in einer fremden Sprache.

Sofort, ohne nachzudenken, trete ich näher. In einem Bretterzaun muss es doch irgendwo ein Loch oder einen Spalt …

»WEG DA VOM ZAUN!«

Eine scharfe Stimme springt mich an, eine Stimme, die von überall her kommt und wie Donnerhall auf die Erde schlägt. Holzscheite fliegen aus meinem Arm, als ich einen meterweiten Satz rückwärts tue. Der Wachposten auf dem Turm zu unserer Rechten hat ein Megafon vor dem Gesicht und ich stolpere, krieche und falle hastig zurück zur Baracke, aus lauter Angst, er könne ein zweites Mal hineinbrüllen.

Max lässt die Axt in den Block krachen, dreht sich zum Posten und holt Luft, überstürzt gehe ich dazwischen: »Nicht! Still! Es war doch meine Schuld!«

Und die Holzscheite verloren habe ich auch. Erschrocken sehe ich sie auf meinem Fluchtweg verstreut. Vier Stück … nein, das geht nicht! Die Augen unverwandt auf den Posten gerichtet, der das Megafon senkt und argwöhnisch zusieht, gehe ich Schritt für Schritt von Neuem los, bücke mich nach dem ersten Holzscheit, dem zweiten, zum Schluss nach dem Ast. Es bleibt ganz still, und zu meiner Überraschung fühle ich, wie zum ersten Mal seit unserem Aufbruch aus Reinerz meinen Händen warm wird, meinen Armen. Als hätte bis zu diesem Moment mein Blut gestockt.

Aufatmend lege ich meine Beute zu den Holzscheiten neben der Baracke. Die Axt steckt immer noch im Block, Max steht wie angefroren. »Ich glaube, sie tun einem nichts, wenn man ihnen genau zeigt, was man vorhat«, teile ich ihm flüsternd mit.

Ein schiefes Lächeln huscht über sein Gesicht, er schüttelt den Kopf, kommt auf mich zu. »Auftrag von Lexi«, sagt er und nimmt mich in den Arm.

Statt der angekündigten Lebensmittel zum Selberkochen gibt es an diesem Abend ein herzliches Wiedersehen mit wässriger Brühe, dazu einem Laib Schwarzbrot und etwas Muckefuck. Wir zelebrieren das Abendessen wie ein großes Mahl, jeder hat sich umgezogen, der Ofen bollert. Das Schwarzbrot schneidet Julius, der das größte Geschick dafür hat, aus einem kleinen Brot einundzwanzig dünnste Schnitten zu zaubern. Onkel Teddy spricht ein Dankgebet für unsere sichere Ankunft, für das Dach über dem Kopf und das Essen auf dem Tisch; er betet für unsere Verstorbenen und alle, die sich in Not und Angst befinden, ohne unser großes Glück zu haben: zusammen zu sein und einander stützen zu können.

Zum Schluss bittet mein Onkel um Bewahrung für jene, die uns zur Seite stehen, Lexi und Baronin Guttenberg und andere, deren Namen wir nicht kennen. Er endet mit einem kräftigen Amen, doch noch die ersten Minuten unserer Mahlzeit stehen unter dankbarem, fast andächtigem Schweigen.

Angekommen zu sein, egal wo! Einander nicht verloren zu haben! Nicht mehr im Zug zu sitzen, die verächtlichen Gesichter der SS vor Augen!

Auch in unserer Viererstube gibt es einen kleinen Ofen, der tapfer, aber vergeblich gegen den strengen Frost anheizt. Als wir vom Abendessen kommen, zeichnen sich bereits die schönsten Eisblumen ans Fenster und wir gehen voll bekleidet zu Bett, mit Schal um den Hals und dicken Wollstrümpfen an den Füßen. Matratze und Kissen sind mit Stroh gefüllte, kratzige Jutesäcke, das Gewicht der Wolldecke kaum zu spüren, aber etwas von der Wärme des Aufenthaltsraums scheint sich in meinem Körper halten zu wollen. Mit dem Gesicht zur Wand, um dem Scheinwerferlicht vor dem Fenster zu entgehen, schlafe ich fast auf der Stelle ein.

Ich habe Erfahrung mit schlechten Träumen. Mit den Bildern und Stimmen, die mir schier den Kopf sprengen, der Luft abschneidenden Angst auf der Brust, der entsetzten Starre der Beine. In dieser Nacht kommt eine neue Erfahrung hinzu: von einem schlechten Traum aufzuwachen, um zu entdecken, dass er Wirklichkeit ist.

Nanni, Ina und Fey drängen sich bereits am Fenster, als ich aus dem Etagenbett springe. Sie können nicht wirklich erwartet haben, etwas anderes zu sehen als den Zaun, aber den Albtraum im Bett liegend zu erleben, würde nichts anderes bedeuten, als dass keine von uns in einem Bett je wieder Ruhe fände.

Hinter dem Zaun geifern Hunde. Ich hätte mir denken können, dass es im Lager welche gibt, obwohl wir den ganzen

Nachmittag nichts von ihnen bemerkt haben. Doch nun sind sie da, rennen unsichtbar auf und ab und steigern sich in hysterisches Bellen und Heulen. Die Lagersirene blökt einen immer gleichen dumpfen, abgehackten Ton; Stimmen und Gebrüll fallen dazwischen. Ich möchte mir die Ohren zuhalten, laut aus meinem Kopf schreien, was hineindrängt und schon beginnt sich festzusetzen. Stattdessen klammere ich mich stumm an den nächstbesten Arm wie an ein Rettungsfloß.

»Ausbrecher!«, flüstert Nanni. »Gott helfe ihnen!«

Aber Gott kann nicht hier sein in dieser Nacht. Das Bellen der Hunde schwillt an, mischt sich mit schrillen, entsetzten Schreien, und hätte ich diese Schreie nicht woanders schon gehört, wäre ich überzeugt gewesen, dass sie weder von einem Mensch noch einem Tier stammen können.

Nach einer Minute ist alles still. Nur die Sirene brüllt weiter, bevor auch sie mitten im Ton abbricht. Starr vor Angst klammern wir uns aneinander. Nanni murmelt ein Gebet – für den Unglücklichen? Für uns? Hinter dem grellweiß angestrahlten Hof liegt eine Mauer aus kalter, undurchdringlicher Schwärze.

Aus dem Radio, das uns der Lagerkommandant versprochen hatte, ist ein Lautsprecher geworden, und der überträgt nur, was man uns zu hören gestattet: den Heeresbericht und die Durchhalteparolen ans deutsche Volk. Kunstvolle Worte sind es, die Goebbels auftürmt, und dennoch lassen Heeresbericht und Reden nur einen Schluss zu: Die Front befindet sich fast hinterm Lagertor.

»Sie werden überrollt«, meint Onkel Teddy zufrieden. »Als sie vor ein paar Wochen begannen, unsere Baracke zu bauen, können sie nicht damit gerechnet haben, dass es so schnell geht. Sonst hätten sie uns doch gleich woanders hingebracht!«

»Du meinst, wir müssen wieder weg?«, fragt Ina erschrocken.

Furcht durchfährt mich. Wieder weg …? Wir sind doch gerade erst angekommen! Haben uns eingerichtet, Wasser erhitzt, gebadet und die Haare gewaschen, just in diesem Augenblick sind zwei Häftlinge aus dem Hauptlager damit beschäftigt, hölzerne Trennwände zwischen unsere offenen Toiletten zu bauen!

»Nur nicht wieder ein Transport!« Ina spricht aus, was wir alle denken. Aber Onkel Teddy meint: »Früher oder später werden sie Entscheidungen treffen müssen.«

Entscheidungen? Den Rest des Satzes dürfen wir selbst hinzudenken: *das Lager zu evakuieren oder den Russen in die Hände zu fallen.* Ich finde mich vor der Eingangstür zur Baracke wieder und wünschte, ich hätte einfach nicht zugehört.

»Wir müssen bei Kräften bleiben, Fritzi«, sagt Mutter hinter mir. »Lass uns ein paar Schritte gehen.«

»Und die da?« Verzweifelt deute ich auf unsere Wachen, die erwartungsvoll von den Türmen schauen, sobald sich im Hof Bewegung zeigt. Nach Anbruch der Dunkelheit, wenn uns das Verlassen der Baracke streng verboten ist, dürfen sie auf uns schießen.

Einige Versuche, unter ihren Augen spazieren zu gehen, habe ich bereits hinter mir, aber jedes Mal bin ich nach wenigen Minuten zurück in die Baracke geflüchtet. Sie verfolgen nicht nur jeden unserer Schritte, sie rufen uns sogar Beschimpfungen zu.

»Was scheren uns diese Hohlköpfe? Tu, als seien sie nicht da, sonst fühlen sie sich am Ende noch wichtig!« Mutter wirft den Posten einen so hochmütigen Blick zu, dass ich beinahe lachen muss.

Sie hält mir den Arm hin, ich hake mich ein. »Du bist eine richtige Aristokratin!«, ziehe ich sie auf. »Seit du in der Patsche sitzt, ist es nicht mehr zu übersehen!«

»Nichts verhilft zur Haltung wie eine ordentliche Patsche!«, stimmt sie zu. Ich lehne mich an ihre Schulter, sie legt den Arm um meine Hüfte. Wie dünn und knochig sie geworden ist seit unserer letzten Umarmung! »Ich glaube, Vater wäre zufrieden mit uns«, meint sie. »Bisher halten wir uns gut.«

»Bist du ihm böse? Wenigstens ein bisschen?«

»Böse! Ich wünschte, ich könnte ihm sagen, wie einverstanden ich bin mit dem, was er versucht hat. Ich hoffe, er weiß es, wo immer er jetzt ist.«

»Aber es war doch vergebens.«

»Das können wir nicht wissen, Fritzi. Vielleicht bringt es andere zum Handeln. Vergiss nicht, wer da gestorben ist – die Besten der Besten! Das allein muss doch, verdammt noch mal, jemanden zum Handeln bringen!«

Einen Augenblick zieht sie mich so heftig und verzweifelt an sich, dass ich vor Schreck und Schmerz fast aufschreie. Vorsichtig wende ich ein, dass das Volk sich hinter Hitler gestellt hat, alle Rückschläge an der Front werden jetzt den »Verrätern« angelastet.

»Die Tat hat der Gegenseite noch *geholfen*, Mutter!«

»Man darf dennoch nicht glauben, dass es vergebens war. Auf den ersten Blick sieht es danach aus, aber vielleicht haben sie viel weiter in die Zukunft gedacht, als wir ahnen.«

Die beiden Männer, die unsere Toilettenkabinen gebaut haben, treten aus der Baracke und werfen uns einen neugierigen Blick zu. Die Lagerleitung hat dafür gesorgt, dass wir nicht mit ihnen reden können – es sind Tschechen –, aber wir grüßen einander mit einem Nicken und Lächeln. Sie tragen Holzpantoffeln über ihren bloßen Füßen und trotz der eisigen Witterung nur einen dünnen, gestreiften Häftlingskittel.

Was mögen sie über uns denken – uns, die Privilegierten, die sich über die Unzumutbarkeit offener Toiletten beschwert haben? »Sonderhäftlinge« heißen wir nun und befinden uns in einem streng abgeschirmten »Sonderlager«. Wie es im Hauptlager auf der anderen Seite des Zauns zugeht, können wir nach dem nächtlichen Erlebnis nur ahnen, aber es reicht, um sich unseren Helfern gegenüber schuldig zu fühlen.

»Danke.« Mutter legt die Hand auf ihr Herz, und die beiden verstehen und lächeln.

Ich helfe Fey, Fotos an die Wand rechts und links neben unserem Stubenfenster zu pinnen. Geistesgegenwärtig hat sie bei ihrer Verhaftung ein Album eingepackt.

»Als ob du es geahnt hättest«, meine ich.

»Nein, zum Glück nicht«, antwortet sie. »Ich weiß selbst nicht, warum ich das Album mitgenommen habe. Ich dachte allen Ernstes, in wenigen Tagen wäre ich wieder zu Hause, da ich doch nichts von dem Attentat wusste. Wie hätte ich ahnen sollen, dass sie mich nach Deutschland verschleppen?«

Fey und ihr Mann besitzen einen Gutshof bei Friaul, ihr Mann Detalmo kämpft aufseiten der italienischen Partisanen. Auf Fotos sieht er aus wie ein großer Junge, und die beiden Söhne sind bildhübsch mit runden mädchenhaften Gesichtern und blonden Locken. Nur die Bilder ihrer Eltern traut Fey sich nicht aufzuhängen, da die beiden Sturmbannführer, wenn sie zur Kontrolle kommen, ihren Vater erkennen und die Fotos beschlagnahmen könnten.

Feys Vater, Ulrich von Hassell, ist ein eleganter älterer Herr mit Schnurrbart, klug und freundlich blickend, ihr ganzer Stolz. Bei ihrer Verhaftung wurde ihr ohne Umschweife mitgeteilt, er sei gehenkt worden. »Aber diese Leute lügen und betrügen, ich glaube ihnen kein Wort«, erklärt sie zornig.

Fey hat zwei Brüder in Deutschland, die nicht verhaftet wurden, selbst nachdem sich einer von ihnen der Gestapo im Austausch für sie angeboten hatte. Warum es dennoch sie getroffen hat, warum sie den ganzen Weg aus Italien hergeschleppt wurde, obwohl sie ihren Vater seit über einem Jahr nicht gesehen hatte, bleibt ein Rätsel. Jeden Morgen sehe ich sie die Bilder ihrer Kinder und ihres Mannes verzweifelt, trotzig und sehnsüchtig betrachten, bevor sie das Zimmer verlässt und zu der hilfsbereiten, humorvollen Fey wird, die alle ins Herz geschlossen haben. Sie scherzt, heitert andere auf, sie lacht das Böse einfach fort! Max, der stundenlang düster und schwermütig vor dem Ofen sitzt und die Gefangenschaft in ein langes Gedicht zu fassen versucht, macht ein vergnügtes Gesicht und legt sein Schreibzeug beiseite, sobald sie nur auftaucht.

Kann man gegen das Böse anlachen? »Man muss!«, behauptet Onkel Teddy. »Nichts kann der Teufel weniger leiden, als dass man über ihn lacht.«

Nanni summt, während sie die Medizin für ihren Vater zerstampft. Sie kocht Tee, löst das Pulver darin auf, bringt es ihm und wartet, bis er getrunken hat; sie prüft das Glas, damit kein

Rest darin verbleibt. Wenn Dr. Goerdeler in Onkel Jaspers Zimmer kommt, um ihm seine tägliche Spritze zu geben, hat sie diese schon aufgezogen und er kann sich darauf verlassen, dass alles penibel stimmt.

Sie wäscht, stopft und flickt unermüdlich – nicht nur für ihre eigenen Eltern und Brüder, sondern nun auch für die »Eltern Kuhn«. Ich selbst finde Frau Kuhn anstrengend in ihrem Kummer; das Grämliche ist auf bestem Wege, sich dauerhaft in ihre Gesichtszüge zu graben. Aber Nanni schaut über all dies hinweg, ist geduldig und freundlich, ja, ich habe fast den Eindruck, je unangenehmer die Umstände, desto liebevoller ist Nanni, und oft gelingt es ihr, den Dingen damit doch noch eine Wendung zum Guten zu geben.

Wir sind einundzwanzig in der Baracke – einundzwanzig Häftlinge, einundzwanzig Weisen, das Böse zu überstehen.

Goerdelers lesen Rilke, rezitieren Gedichte aus dem Kopf und reden lange und ernsthaft darüber, was diese über den Menschen und unsere jetzige Lage aussagen. Ihnen zuzuhören, aber auch Julius, Eberhard und Anna, die bei Max Unterricht nehmen, beunruhigt mich. Alle außer mir sind so gebildet, so belesen, finden Trost und Antwort in Gedanken, die andere vor langer Zeit aufgeschrieben haben. Es ist wie eine gemeinsame Sprache, die ich als Einzige nicht gelernt habe. Mir hat man in den letzten Jahren bloß die Parolen der Hitlerjugend beigebracht, und es nützt mir nicht das Geringste.

»Willst du nicht mitmachen, Fritzi?«, lädt Max mich ein. »Heute soll es um Dante gehen.«

»Ein andermal vielleicht«, lehne ich rasch ab, damit niemand merkt, wie erbärmlich es um mein »Mitmachen« bestellt wäre.

Aber lernen will ich – sobald wir hier herauskommen! Ich nehme es mir fest vor. Heimlich versuche ich, einige Gedichtzeilen aufzuschnappen und in Erinnerung zu behalten, einen Anfang zu machen.

Ich lebe mein Leben in wachsenden Ringen,
die sich über die Dinge ziehn.
Ich werde den letzten vielleicht nicht vollbringen,
aber versuchen will ich ihn …

Im Einschlafen flüstere ich die Worte vor mich hin, um hinter ihr Geheimnis zu kommen.

Tante Adele schwelgt in vergangenen Abenteuern. »Kann man so viel Grrrauen erfahrrren in einem einzigen Leben?«, ruft sie in der Toilettenkabine neben meiner, nachdem sie mir minutenlang stinkende Leichen in der Newa, gefledderte Leichen in der *Gorochowaja Uliza* und zerschmetterte Leichen am Fuße der Feste Petersburg ausgemalt hat, aus denen sich Hungernde *Batzen* schnitten.

Wie ein Maschinengewehr knallt das Stakkato ihrer rauen Stimme an die Trennwand zwischen uns. Die Toilette ist der Ort, an dem man Tante Adele nicht entkommt. »Mann oder Frrrau?«, forscht sie, sobald jemand beim Anblick ihrer riesigen Pantoffeln, die unter der Klotür hervorschauen, nicht wieder das Weite sucht. Gibt sich eine Frau zu erkennen, rattern Wortsalven auf sie nieder, verschwindet ein Mann im Verschlag nebenan, herrscht peinlich berührtes Schweigen.

Ich verstehe gar nicht, warum die anderen flüchten. Wenn nur die Hälfte all dessen stimmt, was Tante Adele *perrrsönlich* erlebt haben will, halte ich es für durchaus möglich, dass sie unbesiegbar ist – und dann wäre es doch kein schlechter

Plan, sich in ihrer Nähe aufzuhalten! Im Übrigen schafft sie es durch ihre lebensnahen Schilderungen unappetitlichster *Grrräuel* immer wieder, dass mein nagendes Hungergefühl zumindest vorübergehend verschwindet.

Markus zeichnet. Die Umrisse hat er dünn mit Bleistift skizziert, nun verfolge ich fasziniert die Striche der zierlichen Feder. Unter leisem Kratzen entstehen der Zaun mit dem dahinterliegenden hohen Kiefernwald, die Wachtürme mit dem Schatten eines Soldaten, die dicken Holzlatten, aus denen die Baracke gezimmert ist. Die breite Eingangstür mit den beiden vergitterten Fenstern links und rechts, das spitz zulaufende Dach mit einer weiteren kleinen Luke. Mit Punkten und feinen Strichen tüpfelt er den kahlen Sand- und Lehmboden des Hofes und den Pfad, der sich auf dem Weg von der Eingangstür zum Holzplatz gebildet hat, seit wir vor zwei Wochen in Stutthof angekommen sind.

Weiter vorne im Zeichenblock sind die Bilder, die Markus niemandem zeigt, Bilder aus der Sanitätsbaracke in Dachau, wo er arbeiten musste, bevor er nach Reinerz gebracht wurde.

»Mein Bruder hat auch gezeichnet«, sage ich zu ihm.

»Ich weiß«, erwidert er, »ich erinnere mich gut an ihn! Ich war schockiert, als ich von seinem Tod erfuhr. Fabian war doch genauso alt wie ich.«

»Stimmt das? Dann wäret ihr jetzt …«

»Dreiundzwanzig«, sagt Markus und tupft seinen Federkiel in die Tinte, und plötzlich ertrage ich es nicht mehr, ihm zuzusehen, muss aufstehen und zum Fenster, irgendetwas anderes betrachten, und wenn es nur der Zaun ist. Ich habe schon sehr, sehr lange nicht mehr an Fabian gedacht, oder daran, dass auch ich früher gern gezeichnet habe. Wie dumm von mir, es aufzugeben – nur weil meine Bemühungen angesichts seiner Kunst so plump wirkten!

»Gibst du mir wohl ein Blatt?«, frage ich Markus.

»Aber bitte«, sagt er und schiebt gleich auch seine Stifte zu mir hinüber.

Tante Sofie deckt den Abendtisch. Sie richtet die Blechnäpfe für den Tee aus, als ob es Kristallgläser von unschätzbarem Wert wären, legt aus Papier ausgeschnittene Blüten und Blätter zwischen die Teller und schiebt sie prüfend hin und her.

»Ich denke daran, die Kerzen heute einmal etwas anders zu stellen«, sagt sie und betrachtet kritisch ihr Werk.

Wilhelm, der älteste Sohn von Tante Sofie und Onkel Jasper, ist in Russland gefallen, und in letzter Zeit sehe ich Tante Sofie häufig mit Mutter im Hof auf- und abgehen. Zwei schlanke, beherrschte Frauen, die Anmut und Würde ausstrahlen, ins Gespräch vertieft, einander völlig zugewandt. Noch nie hat einer der Posten ihnen etwas zugerufen.

»Stell dir vor«, sagt Tante Sofie und platziert ihre Kerzen in mehreren Dreiergruppen, die uns an die dritte Adventswoche erinnern sollen, »die Baracke sei ein Schloss! Nicht unversehrt, dafür hat der Feind zu viele Steine herausgebrochen. Aber zum Innersten muss er erst einmal vordringen!«

Zwölf

Dass es ausgerechnet Nanni als Erste trifft – damit hat wohl niemand gerechnet. Seit Tagen hatte sie kaum geredet, um ihren schmerzenden Hals zu schonen, sich aber ansonsten nichts anmerken lassen, sodass ihr Zusammenbruch völlig überraschend kommt. Hohes Fieber, Schwindel, Kopfschmerzen … Dr. Goerdeler macht ein bedenkliches Gesicht, er vermutet Scharlach und weist an, Nanni getrennt von uns unterzubringen. So schwach und angegriffen, wie die meisten bereits sind, wäre mit einer Epidemie nicht zu spaßen.

Unter bedrücktem Schweigen vollzieht sich der kleine Umzug; man merkt der armen Nanni an, wie unangenehm ihr der Aufwand ist, der ihretwegen betrieben werden muss, aber zum Protestieren ist sie bereits zu krank.

Akribisch kontrollieren wir in den nächsten Tagen unsere Zungen nach dem verräterischen Belag, gucken uns gegenseitig in den Hals und versichern einander erleichtert, dass nicht das Geringste zu erkennen sei. Aber was im Essen zu uns kommt, den verdreckten Erbsen und schwarz verfaulten Kartoffeln, die in der Suppe schwimmen – das können wir nicht beeinflussen. Drei Tage, nachdem Nanni sich zu Bett legte, hat die halbe Baracke die Ruhr.

Unter elenden Krämpfen krümme ich mich auf der Toilette und spüre das Leben aus mir herausfließen. Zum Zimmer muss ich auf allen vieren zurückkriechen und versuche gar nicht erst, ins Etagenbett zu klettern. Mit letzter Kraft falle ich in Nannis freies unteres Bett.

»Wie lange kann ein Mensch überdauern, der das bisschen, was er zu essen bekommt, nicht bei sich behält?«, krächze ich Ina zu.

Sie antwortet nicht. Ich versuche mich aufzusetzen. Ina hat die Augen geschlossen und atmet flach, rote Flecken bedecken ihr Gesicht und ihren Hals.

Na wunderbar, denke ich verzagt. Rote Flecken haben wir jetzt also auch!

Meine Hüftknochen habe ich Spitzbergen getauft. Im Liegen muss ich ständig danach tasten; jedes Mal fürchte ich, sie wären womöglich schon dabei, sich durch die Haut zu bohren. Weh genug tun sie, und die Haut darüber fühlt sich an wie Papier. Bestimmt habe ich es durch mein häufiges Drüberstreichen noch schlimmer gemacht! Haut schabt auf Knochen … man muss keine große Fantasie entwickeln, um vorherzusehen, dass das nicht gut ausgehen kann.

Wächst es wieder zu, wenn ich es in Ruhe lasse? Kann ich es vor den anderen verbergen oder wird mich bald der Geruch faulenden, offenen Fleisches verraten? Ich blinke eine Träne weg. Ein abstoßender, stinkender Tod. *Das habe ich nicht verdient, Piotr!*

Die Arme fest über der Decke verschränkt, starre ich gegen das Gitter des Bettes über mir. Fey ist nicht da, sie ist als eine der wenigen noch auf den Beinen und kümmert sich um Nanni. Wie viele von uns sind überhaupt noch in der Lage, die anfallenden Arbeiten zu tun? Ich höre die Vordertür zuschlagen, kurz darauf das Geräusch des Holzspaltens vor dem Fenster und – fast lauter noch – die quälenden Pausen zwischen den Schlägen. Von Tag zu Tag braucht Max länger für unsere tägliche Fuhre Holz; erschrocken höre ich, dass er jetzt mehrmals schlägt, um ein einziges Scheit zu spalten.

Sorgen muss er sich auch wieder machen. Alle zwei Wochen dürfen wir Briefe schreiben und haben das auch gleich nach der Ankunft eifrig getan, aber die Lebensmittel, die daraufhin eintrafen, waren schnell verbraucht und seitdem kam nichts mehr. Es sieht Lexi nicht ähnlich, uns zu vernachlässigen, und ich ahne, was Max sich jetzt vorstellt. Luftangriffe, Tieffliegerbeschuss ihres Flugzeugs, ein Unfall bei den Sturzversuchen … die Bandbreite schlimmstmöglicher Ereignisse ist in ihrem Fall so beträchtlich, dass ich augenblicklich aufhören muss, daran zu denken. Inständig bete ich, dass die Sendungen an uns lediglich in der Küche der Lagerkommandantur landen.

Mutter lässt sich nicht blicken. Es habe sie ebenfalls erwischt, berichtet Fey.

Irgendwo im Flur höre ich leise Stimmen. Tante Sofie? Tante Ilselotte? Seltsam, so abseits allen Geschehens zu sein. Seltsam, zu denken, dass das Leben draußen ganz genauso weiterginge, wenn ich nicht mehr wäre!

Ein tröstlicher Gedanke ist es nicht, immerhin. Ein Fünkchen Auflehnung ist noch da. Vielleicht sollte ich etwas weniger an Spitzbergen denken und etwas mehr an all meine unerledigten Dinge: Vater wiedersehen und so vieles lernen und *Wir sprechen uns nach dem Krieg*.

Aber das sind große Pläne, und allzu weit entfernt. Etwas bescheidener klingt es so: Fey und Julius basteln an einer Weihnachtskrippe, die würde ich schon gern noch sehen.

Wo in aller Welt haben wir das Bäumchen her? Ich kann meine Augen gar nicht abwenden. Es ist klein und ein wenig krumm, macht nicht viel her und scheint das zu wissen, so tapfer, wie es die Spitzen seiner dünnen Äste in die Höhe reckt.

Es ist der würdevollste kleine Weihnachtsbaum, den ich je gesehen habe, und es gibt nur eine, die ihn uns geschickt haben könnte.

Alles ist gut! Ihr ist nichts passiert, sie hat uns einen Baum geschickt!

»Ach, Fritzi«, sagt Max, »glaubst du wirklich, man kann in diesen Tagen einen Weihnachtsbaum von Berlin in ein KZ im Osten schicken?«

»Glaubst du wirklich«, gebe ich kühl zurück, »der Baum sei ein Geschenk der SS?«

Er muss lächeln. »Schön, dass es dir wieder so gut geht«, meint er nachsichtig.

Ich hatte es bereits geahnt: Die anderen über eine Woche nicht zu sehen bedeutete, sich auf eine gewisse Verschlimmerung gefasst zu machen. Trotzdem kann ich kaum verbergen, wie sehr mich der Anblick unserer heruntergekommenen kleinen Schar erschreckt. Ich blicke in erschöpfte Gesichter, die nur noch aus Augen zu bestehen scheinen, sehe abgemagerte Schultern und Arme, an denen Kleidung schlaff herabhängt. Als wäre der dauernde Hunger nicht verheerend genug, müssen uns nun auch noch Krankheiten erwischen!

Und dennoch sind alle gekommen. Alle bis auf Nanni und Ina, denen es noch nicht besser geht, haben sich so fein gemacht wie irgend möglich, es gibt einen Baum, in dem Sterne aus Stanniolpapier hängen, eine Krippe mit aus Pappe geschnittenen Figuren, einen kleinen Teller Plätzchen. Kerzen stehen vor der Krippe, auf den Tischen und im Fenster und tauchen den Raum in warmes, festliches Licht.

Die sechste Kriegsweihnacht! Julius und Markus lesen die Weihnachtsgeschichte, Onkel Teddy spricht über die Heilige Familie, die Hunger und Kälte kannte wie wir, die ihr Kind in einem schmutzigen Stall zur Welt bringen und eine beschwerliche, gefahrvolle Flucht antreten musste, um sein Leben zu retten.

Ein Kloß sitzt mir in der Kehle. Nelly! Wo mag sie jetzt sein, wie mag es ihr gehen? Ist sie allein? Ist ihr Jüngstes vielleicht schon auf der Welt?

Die Posten draußen auf den Türmen sehen die Lichter im Fenster funkeln, durch die dünnen Wände der Baracke können sie uns Lieder singen hören. Aber ahnen sie, was wir zu feiern haben? Habe ich es im Vorjahr in Oschgau geahnt? Es gab selbst gebastelte Geschenke und reichlich zu essen, Spiele und gegenseitige Besuche und am zweiten Feiertag ein großes gemeinsames Fest der Hitlerjugend, bei dem Ellen uns die Fülle des deutschen Winterbrauchtums erschloss. Der immergrüne Baum, der Weihnachtsstern, die Äpfel und Nüsse.

Aber Weihnachten wird erst jetzt, wo ich verstehe. Gott wird Mensch und teilt unser Leid, sagt Onkel Teddy, und wenn wir fallen, fallen wir in seine Hände.

Es ist Tante Adele, die das Wort aufschnappt, denn sie kann sich mit den russischen Häftlingen verständigen, die uns Holz bringen. Im Lager kursiert ein Gerücht über uns. Wir seien

Geiseln, heißt es, und Himmler, der im Sommer noch sämtliche Träger des Namens von Lautlitz auslöschen wollte, habe den Befehl gegeben, dass wir unter allen Umständen am Leben zu bleiben hätten. Dasselbe gelte für eine Gruppe aus Skandinavien – die fremden Stimmen hinter unserem Zaun, die wir manchmal hören, obwohl nach meinem anfänglichen Erlebnis niemand mehr wagt, einen Schritt näher zu treten.

Geiseln! Nach Sippenhäftling, Ehrenhäftling und Sonderhäftling nun also wieder etwas Neues. Ich bin skeptisch, ob der ständige Wechsel unserer Bezeichnung zu irgendeiner Veränderung unserer Lage führt – wenn Himmler wollte, dass wir am Leben bleiben, würde er für ausreichend Nahrung und Medikamente sorgen! Aber wir bekommen nach wie vor nur die Spritzen für Onkel Jasper und müssen sehen, wie wir zurechtkommen. Nanni fühlt sich etwas wohler, Ina ist kaum noch ansprechbar, Mutter hat sich nach wenigen Tagen der Besserung erneut mit hohem Fieber hingelegt, Anna und Tante Ilselotte ebenso.

Geiseln! Auf die meisten unserer Gruppe wirkt die Nachricht augenblicklich belebend, obwohl niemand so recht weiß, was man mit uns überhaupt bezwecken könnte. Sicher ist bloß, dass Geiseln nur lebendig von Wert sind und dass, wenn Himmler tatsächlich einen solchen Befehl ausgegeben hat, bei der Lagerleitung allergrößte Nervosität herrschen muss angesichts der vielen Krankheitsfälle in unserer Baracke.

»Wenn das Gerücht stimmt«, meint Dr. Goerdeler, »dann werden sie sich schnell etwas einfallen lassen müssen. Wir haben eine Todkranke unter uns, das habe ich den Sturmbannführern heute Morgen noch gesagt.«

Eine Todkranke! Das Wort, nüchtern und direkt, wie es plötzlich im Raum steht, fährt mir ins Herz, und mehr noch: Am stummen Nicken der anderen, die sich im Aufenthaltsraum versammelt haben – Max, Onkel Teddy, Tante Sofie und

Markus – erkenne ich, dass ich offenbar die Einzige bin, die noch nichts davon wusste.

Unbeachtet stehle ich mich zurück ins Zimmer und schaue Ina ins Gesicht. Es ist fleckig und eingefallen, die Lippen gesprungen; eine faltige, klauenartige, glühend heiße Hand hält einen Zipfel der Decke umklammert. Unmöglich sich vorzustellen, dass es dieselbe Ina ist, die noch vor wenigen Monaten übermütig einem Federball hinterhergerannt ist, mit wehenden Haaren und tiefem, fröhlichem Lachen. Konstantin und Caroline würden ihre Mutter nicht wiedererkennen!

Ich spüre, wie es in mir dunkel wird. »Du willst nach Lautlitz zurück!«, flüstere ich ihr verzweifelt zu. »Du siehst die Kinder wieder, du musst! Schau mich an, ich war mit dir krank und laufe schon wieder herum. Das kannst du auch!«

Auf dem gegenüberliegenden oberen Etagenbett sitzt Fey an die Wand gelehnt und presst ein feuchtes Tuch gegen die Stirn. »Das kann nicht die Ruhr sein, Fritzi«, sagt sie matt. »Ich weiß nicht, was es ist, aber solche Kopfschmerzen hatte ich noch nie.«

»Du auch?« Ich bin starr vor Entsetzen. »Warum hast du nichts gesagt?«

»Ich hatte noch etwas Chinin im Koffer, das habe ich genommen, als die Halsschmerzen anfingen. Ich wollte niemanden beunruhigen.« Ihre Stimme bricht. »So dumm …! Nun habe ich vielleicht meinerseits jemanden angesteckt.«

Sie weint. Am liebsten würde ich mir die Ohren zuhalten. Mit jedem ihrer Schluchzer gerät ein Weiteres außer Kontrolle, worauf ich fest gezählt hatte: Fey bleibt stark! Fey weint nicht! Wie kann sie mir das bloß antun?

Mit bleischweren Beinen schleppe ich die Katastrophe in

den Aufenthaltsraum. Es kommt mir vor, als hätte ich eine Fahne nach unten gesenkt.

Zwei Stunden später öffnet sich das Tor zu unserem Innenhof, um zwei Männer in Weiß einzulassen, die wir zum ersten Mal zu Gesicht bekommen. Es sind der Lagerarzt und ein Assistent, herbeibeordert, um sämtlichen Häftlingen der Baracke Blut abzunehmen. Sie tun dies mit einem unverkennbaren Ausdruck des Widerwillens, aber das Ergebnis der Untersuchung erreicht uns schnell. Nanni, Tante Ilselotte und Anna leiden an Scharlach, fast alle anderen an Ruhr.

Was Ina, Mutter und Fey betrifft, zögern die Sturmbannführer ein wenig, bevor sie eingestehen, dass im Lager bereits seit Wochen eine Epidemie herrscht, von der sie uns nicht unterrichtet hatten. Ina, Mutter und Fey haben Typhus.

Klüger zu sein, das weiß ich jetzt, ist nicht unter allen Umständen hilfreich. Wenige Tage nachdem die Sturmbannführer uns mit der Diagnose und einigen Medikamenten ausgestattet haben, um anschließend fast im Laufschritt die Baracke zu verlassen, kann ich nicht mehr sagen, was zuerst kam: das Wort Typhus oder der ungebremste Ausbruch der Krankheit. Mir ist, als habe Mutter sich im selben Moment aufgegeben, als sie hörte, was ihr fehlt. Apathisch liegt sie mit den anderen Kranken im Isolierzimmer und lässt kaum erkennen, ob sie noch weiß, wer ich bin.

»Du solltest gar nicht hier sein, Fritzi«, sorgt sich Tante Sofie, während ich ihr helfe, die nass geschwitzten Decken zu wechseln.

Ich antworte nicht. Soll ich ihr etwa sagen, dass ich Gott herausgefordert habe?

Wenn schon, dann nimm uns beide! Lieber mich anstecken und sterben, als allein übrig zu bleiben!

Sobald ich das erzähle, wird Tante Sofie versuchen, mich vom Gegenteil zu überzeugen – und was dann?

Sitze ich still an Mutters Bett, erfüllt mich manchmal ein ganz sonderbarer, tiefer Friede und ich begreife, dass es gar nichts Erschreckendes hätte, unser Leben hier zu beenden: hier unter all den lieb gewordenen Menschen, mit denen wir seit fünf Monaten hoffen und ausharren. Der besten Familie, die ich je hatte! Tief in mir sehne ich mich nach diesem Frieden, möchte ihn geschehen lassen …

… und bin jählings wieder voll Verzweiflung und würde am liebsten aus dem Zimmer rennen. Es macht ja doch keinen Unterschied, ob ich bei Mutter und Ina bleibe! Bilde ich mir wirklich ein, meine Gegenwart könne sie daran erinnern, dass sie für ihre Kinder am Leben bleiben müssen? Mutter habe ich schon einmal nicht genügt. Jetzt, wo ihre Kräfte zu Ende gehen, wird sie sich umso mehr danach sehnen, Fabian wiederzusehen.

Vielleicht müsste ich es ihr sogar wünschen. Aber sitze ich nicht auch für Konstantin und Caroline hier? Ich könnte ihnen nicht mehr in die Augen sehen, wenn ich einfach aufgäbe.

Die Ruhr- und Scharlachkranken dösen vor sich hin, lesen ein wenig oder schreiben Briefe. Alle Kranken sind in einem einzigen Zimmer, die Erreger quasi aufeinander losgelassen, aber vielleicht schüchtern sie sich gegenseitig ein – weiter ausgebreitet hat sich noch keiner. Jeden Morgen kommt Dr. Goerdeler, um fiebersenkende Spritzen zu verabreichen, mehrmals Tante Sofie, die Brot, Tee oder die Bettpfannen bringt, und zweimal am Tag Max mit dem Ofenholz. Manchmal steckt er Fey ein Briefchen zu, um sie aufzuheitern. Er hat ihr sogar ein Gedicht geschrieben! Ich glaube, auf seine Art versucht er dasselbe wie ich.

»Liebst du Max?«, habe ich Fey ganz direkt gefragt.

»Natürlich«, erwiderte sie müde. »Ich weiß nicht, wie ich die letzten Monate ohne ihn durchgestanden hätte. Alles Schlechte verliert an Bedeutung, wenn man sich auf jemanden freuen kann. Und nein«, setzte sie hinzu, als ob ich nicht sofort verstanden hätte, »es hat nicht das Geringste mit seiner Frau oder meinem Mann zu tun.«

Es muss wohl stimmen, denn als Max eines Morgens in unserer Tür steht, um ein Wunder zu verkünden, gerät sie fast ebenso aus dem Häuschen wie er.

»Ich bekomme«, jubelt er, »Besuch von meiner Frau!«

»Nein! Wann? Woher weißt du?«, ruft es durcheinander.

»Gleich! Jeden Augenblick! Sie haben gesagt, ich soll mich am Tor bereithalten!« Max' Gesicht ist ein einziges Leuchten. »Himmel, hoffentlich ist das kein schlechter Scherz. Kann ich mich überhaupt sehen lassen?«

Die Glückseligkeit fällt sekundenlang von ihm ab, während er bestürzt an seiner Jacke zupft, über sein schmal gewordenes, stoppeliges Gesicht streicht – als fiele ihm erst jetzt auf, wie verwahrlost wir alle aussehen!

»Das ist ihr völlig egal«, behauptet Fey liebevoll.

Aber für einen kurzen Moment sehe ich Max mit Lexis Augen und ich weiß, dass es ihr ins Herz schneiden wird.

Vom Eingang aus beobachte ich, wie er angespannt vor dem Tor auf und ab läuft, bis es endlich einen Spalt geöffnet wird und er hinausschießt wie eine Kanonenkugel. Seine Unruhe bleibt zurück und summt in der Baracke weiter: der erste Besuch seit drei Monaten! Was bedeutet das für uns? Was, wenn es nur eine Finte ist und sie Max nicht zurückbringen?

Nein, beruhigt jemand, dazu brauchen sie keine Finte. Sie können jeden von uns jederzeit holen, wenn ihnen danach ist.

»Fritzi, du musst dich desinfizieren, wenn du von den Kranken kommst!«, erinnert mich Tante Sofie streng. Aber ich gehe ja schon wieder! Ich wollte nur sehen, ob es wirklich wahr ist.

Erst nach der Rückkehr ins Krankenzimmer schleicht sich die Enttäuschung an und wirft eine feine Schlinge um meinen Hals. Nur Max darf Lexi sehen! Ich weiß, dass es so ausgemacht ist, dass die Besuche im Gefängnis lediglich ein Zugeständnis waren, ermöglicht durch jenen ominösen Regierungsrat in Berlin, der Lexi verehrt – *ihr weißer Rabe Opitz*, wie Max ihn nicht ohne Spitze nennt. Aber mir vorzustellen, dass sie jetzt hier ist, irgendwo draußen, so nahe bei uns, ist kaum zu ertragen.

»Selbst wenn sie könnte, dürfte sie nicht zu uns hinein, Fritzi«, sagt Nanni, die spürt, wie mir zumute ist. »Diese Baracke ist ein Bazillen-Mutterschiff.«

Ich muss fast wieder lachen. Ob ich denn wenigstens einen Brief bekomme?

Eine Stunde verstreicht, dann die zweite, und in die Freude, dass Max offenbar ausgiebig mit Lexi sprechen darf, sickert von Neuem Sorge. Zwei Stunden! Kann das mit rechten Dingen zugehen?

 Ich riskiere einen Blick in den Flur. An der Eingangstür halten sie schon murmelnd Ausschau: vielleicht doch nur ein Vorwand? Werden am Ende etwa beide festgehalten?

»Langsam«, beschwichtigt Onkel Teddy. »Vielleicht treffen sie sich außerhalb des Lagers – dann müssen wir die Hin- und Rückfahrt bedenken.«

Endlich, nach fast zweieinhalb Stunden, öffnet sich unser Tor und Max kommt mit großen Schritten durch den Hof. So eilig er es eben hatte hinauszugelangen, so zielstrebig läuft er nun wieder zurück, wortlos vorbei an der verblüfften Versammlung im Flur, schnurstracks auf mich zu, die wie angewurzelt in der Tür zum Krankenzimmer steht …

… und an mir vorbei und quer durchs Zimmer. Max, der eine Heidenangst vor Ansteckung hat, der nicht schnell genug verschwinden kann, sobald er das Holz gebracht hat! Ohne zu zögern, steuert er auf Ina zu, setzt sich an ihr Bett, nimmt ihre Hand. »Ina«, sagt er und schaut ihr ins Gesicht, »Lexi hat die Kinder gefunden!«

Am Anfang steht eine merkwürdige Geschichte. In einer psychiatrischen Klinik war im Herbst eine SS-Führerin aufgetaucht, die an einen geheimen Ort verschleppte Kinder zu betreuen hatte. Die Frau redete und weinte, wollte ihr Gewissen erleichtern, mit dem Namen des Heims aber nicht heraus und die Ärzte im Sanatorium wollten nicht in sie dringen.

Doch Lexi hatte nie aufgehört, herumzuhorchen und zu fragen, bis ihr kurz vor Weihnachten zu Ohren kam, dass die Kinder Schwerin, Tresckow und andere bereits im Oktober nach Hause zurückgekehrt waren. Und diese konnten zwar nicht sagen, wo genau sich das Kinderheim befand, in dem sie mit den jungen Goerdelers, von Lautlitz und Hofackers monatelang gelebt hatten, aber selbstverständlich erinnerten sie sich an den Namen der Heimleiterin!

Und so kommt es, dass Tante Ilselotte, Anna und Eberhard am Tisch sitzen und wieder und wieder einen Brief von Christa lesen, und ich glaube, auch Ina hat genau verstanden, was Max ihr erzählt hat, denn sie hat ihn angeschaut und ungläubig den Kopf geschüttelt, und plötzlich liefen dicke Tränen über ihr Gesicht.

Max glüht vor Stolz. Der vielen Fragen wird er kaum Herr. Ja, Lexi war Weihnachten bei den Kindern, sie hat ihnen Geschenke gebracht und zwei Tage mit ihnen verbringen dürfen, es gehe ihnen gut, sie würden liebevoll betreut und alles stehe in dem Brief an Nelly, dessen Kopie dort auf dem Tisch liege. Ja, Nelly werde regelmäßig von Lexi besucht; Lexi verpflege Nelly mit ihrer Schwerstarbeiter-Lebensmittelkarte und bessere ihre eigene Mahlzeiten durch Pilze, Beeren, Kaninchen und alles irgend Essbare auf, das sie im Freien findet.

Nein, das Baby sei noch nicht da, werde aber jeden Tag erwartet, und nein, Lexi werde das alles nicht zu viel, sagt Max und fügt verwundert hinzu: »Sie sah gut aus. So zuversichtlich, so absolut mit sich im Reinen … so habe ich sie lange nicht gesehen. Als ob alles, was sie in den letzten Jahren getan hat, auf einmal seinen wahren Sinn offenbare.«

Seinen wahren Sinn? »Uns durch ihre Kriegswichtigkeit helfen zu können. Nelly beizustehen, die Kinder zu finden«, sagt er und fügt so leise hinzu, als müsse er sich selbst erst mit dem Gedanken vertraut machen: »Vielleicht lief es in Wahrheit immer nur auf dieses eine hinaus.«

Später kehre ich ins Krankenzimmer zurück, um zu berichten. Auch Fey hört tapfer zu, obwohl sie bestimmt lieber weinen würde. Ihre Kinder sind nicht in dem Heim.

Ist es ein Zufall, dass dies der kälteste Winter seit Jahren ist? Oder kann es gar nicht anders als kalt und dunkel bleiben, solange dieser Krieg die Menschen beherrscht, solange die SS gleich hinter unserem Zaun quält und mordet und Gefangene mit Hunden hetzt?

Solange das rachlüsterne Töten nicht abreißt. Mitte Januar wird Tante Ilselotte in knappen Worten mitgeteilt, dass man Onkel Cäsar hingerichtet hat.

Ich weiß nicht, wie ich Anna und Eberhard begegnen soll. Es bleibt bei scheuen, ernsten Blicken; es ist, als habe sich eine Glocke über sie gelegt, die sie und ihre Mutter einschließt in einem Schmerz, den sie mit keinem Außenstehenden teilen können.

Und mein Vater? Auch für Mutter und mich hatte Lexi eine Nachricht. Vater ist von Ravensbrück, wo er seit dem Sommer inhaftiert war, nach Berlin verlegt worden – ins Gefängnis Lehrter Straße! Über den Gefängnispfarrer Harald Poelchau hat Lexi ihm übermitteln lassen, dass Mutter und ich mit den anderen Lautlitzern in Haft und am Leben sind.

Ich schreibe ihm, die Worte fließen nur so aus der Feder. Briefe an Vater waren mir in den letzten Jahren eine Last geworden – seine Abwesenheit, Fabians Tod, Oschgau … gab es überhaupt noch etwas, das uns verband?

Vorbei! Mit einem Mal ist Vater wieder gegenwärtig, sieht, was wir gesehen haben, hört dieselben Geräusche, trifft dieselben Menschen. In wenigen Wochen wird Lexi wiederkommen, dann wird sie meinen Brief mitnehmen und vielleicht sogar einen für uns haben.

Hoffentlich ist es bis dahin nicht zu spät. Ich versuche, beim Schreiben nicht zu Anna und Eberhard zu sehen. Mir vorzustellen, dass man mir Vater jetzt wegnehmen könnte – nachdem ich ihn gerade wiederfinde!

Mutter und Ina geht es besser, sie sind ansprechbar und das Fieber schwankt weniger stark. Auf den Beinen sind sie allerdings noch nicht, was beunruhigend ist, denn eine andere Gefahr rückt näher und näher und nur die SS tut noch so, als ob nichts wäre.

Vor einer Woche haben sie unseren Lautsprecher entfernt, wir sollen den Heeresbericht nicht mehr verfolgen können. Halten sie uns für so dumm? Als ob wir nicht mit eigenen Ohren hörten, wie die Front näher rückt! Zwanzig Kilometer, schätzt Onkel Teddy, und auch jetzt, während ich Vater schreibe, höre ich in der Ferne das Donnern schwerer Artillerie.

In der letzten Nacht hatten wir zum ersten Mal Fliegerangriffe. Mehrere Stunden hockten wir unter den Türpfosten, vage hoffend, dass diese wenigstens einen kleinen Schutz bieten. Die ganze Baracke wackelte von nahen Bombeneinschlägen, im Nachthimmel zuckten Lichter wie schwaches Wetterleuchten.

»Eine verdammte Mausefalle«, brummte Max. »Vor uns die Rote Armee, im Rücken die SS!«

Ich versuchte meine Angst umzulenken, indem ich an die Kranken dachte, die in noch größerer Gefahr schwebten, da sie im Falle eines Falles nicht einmal selbst aufstehen und sich in Sicherheit bringen konnten. Ich stellte mir vor, wie sie hellwach in ihren Betten lagen, horchend und zitternd, während Ina sich aufrichtete und fantasierte – kein Grund zur Beunruhigung, meint Dr. Goerdeler, beim Abklingen von Typhus komme es manchmal zu Hirnstörungen. Aber es ist gespenstisch mit anzusehen, und wenn ich während der Fliegerangriffe im Krankenzimmer gewesen wäre, hätte es mir den Rest gegeben.

Befreit werden wollen wir, schließe ich aus den fortwährenden nervösen Diskussionen – aber nicht von denen, die da näher rücken. Auf keinen Fall von den Russen!

Die meisten beginnen schon zu packen, versuchen in kleinere Koffer zu stopfen, was irgend geht, sortieren aus. Die abgetragenen Sommersachen … werden wir sie noch brauchen? Nein, unvorstellbar, dass wir im nächsten Sommer noch unterwegs sein werden! Die Sommersachen bleiben hier, wenn das große Gepäck nicht mitgenommen werden kann.

In der allgemeinen Auflösung schlägt Tante Adeles große Stunde. *Imprrrovisation* ist ein Thema, das sich durch ihr ganzes Leben zieht, und unter diesem Motto packt sie schwungvoll Mutters Koffer. Eigentlich erstaunlich, dass gerade die Älteren so gut durchhalten … Es sind die Jungen, die umgefallen sind, während Tante Adele, Onkel Teddy und Dr. Goerdeler allen Krankheiten widerstanden haben.

Am Abend wird Onkel Teddy zum Kommandanten bestellt. Unsere Vorahnung war richtig. Bei seiner Rückkehr erfahren wir, dass die Verlegung der Sippenhäftlinge unmittelbar bevorsteht. Im Laufe des nächstens Tages sollen wir in einem geheizten Waggon nach Danzig gebracht und von dort ins Innere des Reichs weitertransportiert werden.

Himmler bringt uns in Sicherheit!

Dreizehn

Hätten wir die Decken nicht, wir müssten wohl erfrieren. Die Fenster der Kleinbahn sind zersprungen, Schnee liegt auf den Sitzen und weht durch den Gang, draußen herrschen fast dreißig Grad unter null. Zitternd kauern wir nebeneinander und warten, warten. Seit Stunden warten wir auf unsere Männer.

Im Sturm vor der Tür kann man kaum die Hand vor Augen sehen. Zwei Sankas haben uns am frühen Abend abgeholt – nur zwei Sanitätswagen für die Kranken, die Frauen und das Gepäck; die Männer wurden zu Fuß auf den Weg geschickt. Wir sahen sie im Dunkeln abmarschieren, den langen Mantel von Max, die Jacke von Julius, Dr. Goerdeler im Pelz, begleitet von SS mit Maschinenpistolen und sofort vom Schneegestöber verschluckt. Ich rang einen Anflug von Panik nieder. Getrennt zu sein, zum ersten Mal nach drei Monaten!

Und ganz ohne Schutz. Wer mit mir im Wagen sitzt, kann sich kaum auf den Beinen halten. Ich blicke in starre, blau gefrorene Gesichter, und eine Katastrophe: Onkel Teddy, glühend vor Fieber. In letzter Sekunde hat es ihn noch erwischt. Typhus? Niemand wagt den Gedanken zu Ende zu denken angesichts der Reise, die uns bevorsteht.

Von der Bedrohung durch die näher rückende Front abgesehen, war es uns so gut gegangen in den letzten beiden Wochen! Die Nachricht von den Kindern wirkte wie Medizin, mehrere Pakete mit Lebensmitteln und warmer Kleidung, die

Lexi bei Verwandten eingesammelt hatte, wurden nach gründlicher Durchsicht durch die Lagerleitung komplett bei uns abgeliefert, zwei Häftlinge kamen, um beim Wäschewaschen und Holzhacken zu helfen.

Kurze Freude! Sie macht den neuerlichen Rückschlag umso schlimmer. Ich hatte an den geheizten Waggon *geglaubt*! Zum Glück sind es nur dreißig Kilometer bis Danzig, wo die Fähre über die Weichsel setzt. Das kann ja nicht ewig dauern.

Da. Durchs Fenster klingt das Knirschen vieler Stiefel im Schnee, ich halte den Atem an. Als Erster schiebt sich Julius durch die Tür, mit zu Schneelocken gedrehtem Haar und einem Eiszapfen an der Nase. »Ach, habt ihr's gemütlich«, entfährt es ihm, während er sich entgeistert umsieht.

Nach und nach schaffen es auch die anderen, über den hohen, glatten Einstieg in den Waggon zu klettern. Sie sind erschöpft und durchgefroren, Wasser tropft von Mänteln und Schuhen und wird am Boden zu Eis. Mit uns nehmen acht SS-Wachen Platz, auch eine Frau ist darunter. Als der Zug sich quietschend in Bewegung setzt, spürt man unser Aufatmen wie einen Luftzug durch die Reihen gehen.

Leider fahren wir nur wenige Minuten. Die Wache geht nachsehen, warum wir anhalten. Wasserkessel leer, heißt es, Lokomotivendefekt. Wind und Schneeflocken wirbeln durchs Fenster, wir stehen ungeschützt auf freier Strecke und Markus hantiert mit steif gefrorenen Fingern an dem kleinen Ofen, aber was nützt es, wir haben ja keine Kohlen. Es dauert Stunden, bis wir endlich weiterfahren.

Habe ich nicht irgendwo gehört, Erfrieren sei ein angenehmer Tod? Ich kauere unter meiner Decke und habe das Gefühl, dass ich bald mehr wissen werde. Tante Adele schlägt vor, einen Freiwilligen längs über die Knie in jeder Reihe zu legen, um für zusätzliche Wärme zu sorgen, ein aus meiner Sicht äußerst kluger Einfall, aber niemand scheint sich aufrappeln zu können, ein *Freiwilliger* zu werden.

Der Zug rumpelt und poltert, wir stehen schon wieder! Im Licht eines prallen Vollmonds, der durchs Fenster scheint, sehe ich unsere reglose, schicksalsergebene kleine Schar.

»Kohlen sind aus!«, ruft es draußen. Die Wachmannschaft flucht, sie frieren nicht weniger als wir. Besonders nahe fühle ich mich ihnen deshalb aber nicht.

Wind und Schnee malen pulverzarte Muster in den Gang. Man könnte die ganze Nacht zusehen. Man wird es müssen! Erst gegen Morgen kommt ein Wagen aus Stutthof und bringt Kohlen für die Lok.

Als ich klein war, hing am dicksten Ast der Eiche in unserem Garten eine Hängematte. Es lagen Kissen darin, und da war eine kleine grau-weiße Katze. Minka! Ich höre es Fabian über den Rasen rufen: Minka, jag das Stöckchen!

Dann kommt er auf mich zu. Mein großer Bruder ist schon dreizehn, er hat strubbeliges blondes Haar, das noch nass ist vom Schwimmen. Mach mal Platz!, sagt er zu mir.

Platz? Ich war zuerst da! Ich klammere mich an den Rand der Hängematte und will nach Mutter schreien. Mensch, Fritzi!, meint Fabian. Letzten Sommer haben wir doch auch zusammen in der Hängematte gelegen!

So? Ich klappe den Mund wieder zu. Irgendwo in meinem Kopf ist ein Bild, das mir sagt, dass er Recht hat, aber was heißt »letzter Sommer«? Ich hocke in einer Ecke der Matte und sehe zu, wie er hineinklettert, sich ausstreckt …

… und plötzlich erinnere ich mich! Kichernd krabble ich über ihn, wühle und rutsche ein wenig, bis ich bequem rücklings auf seinem Bauch liege.

Bist du schwer geworden, seufzt Fabian, aber ärgerlich klingt es nicht. Gutmütig streicht er mir übers Haar und erzählt von einem großen Stör, den sie im Kanal gesehen haben.

Einige Jahre später zogen wir nach Charlottenburg und hatten keinen Garten mehr und keine Minka, aber die Hängematte hing noch lange in unserem Speicher und Fabians Hand, die über mein Haar streicht, kann ich – nicht aufwachen! – bis heute spüren.

Gegen graues Morgenlicht beginnen sich die Umrisse vermummter Gestalten abzuzeichnen, die mir gegenübersitzen, reglose, spitz zulaufende Berge mit Atemwölkchen um den Gipfel. Gut, so leben wir also noch! Aber auf wessen Knien liege ich eigentlich …? Mutters können es nicht sein, sie sitzt links von mir – also Max. Und es ist seine Hand, nicht die von Fabian.

Mir wird ganz warm. Mein Haar muss sich anfühlen wie Stroh! Hastig schwenke ich zurück in Sitzposition, stocksteif wie ein Geist, der sich aus dem Grab erhebt, und tue, als würde ich jetzt erst wach und hätte nicht das Geringste bemerkt.

Leider stelle – aller gewonnenen Wettbewerbe im Nichtpinkeln zum Trotz – auch ich nun fest, dass ich »hinter den Wagen muss«. »Hinter den Wagen müssen« ist die diskrete Umschreibung für nichts anderes, als neben der Mündung einer Pistole im Schnee zu hocken, während der Wachposten aus unerfindlichen Gründen Spaß daran hat zuzusehen. Von der taumelnden Ina, die von Nanni gestützt werden muss, bis zur eiskalt verächtlichen Tante Adele, die den Posten mit Blicken in den Boden nagelt, muss sich jeder dieser demütigenden Prozedur unterziehen, indes der Schnee von oben und unten durch die Kleider fegt. Wo Weg, wo Gleis, wo Landschaft, ist nicht zu erkennen, unsere ramponierte kleine Bahn steht im Niemandsland, als hätte man sie aus dem Himmel fallen lassen.

Doch der Anbruch des Tageslichts hält auch eine freudige Überraschung bereit: Wir können das Innere des Waggons in Augenschein nehmen und entdecken dabei, dass direkt unter unseren Sitzen eine Kohlenkiste steht. Wir hätten gar nicht frieren müssen in der Nacht!

Viel Zeit bleibt nicht, uns zu freuen. Schon fliegt die Tür auf: »Drei Mann raus zum Schneeschippen!«

Es ist ein quälendes Unterfangen. Alle paar Minuten schiebt sich der Zug einen Meter voran. Nach zwei Stunden hat der Hauptscharführer ein Einsehen und telefoniert mit Stutthof, und wir helfen Max, Markus und Eberhard zurück in den Wagen. Sie sind halb erfroren, am Ende ihrer Kräfte. Noch schlechter geht es nur Onkel Teddy, er hat sich quer über eine der freien Sitzreihen gelegt und die Augen geschlossen.

Tante Sofie und Tante Ilselotte dürfen an unser Gepäck, die letzten Sojamehlplätzchen aus den Verwandtenpaketen holen; Wasser dazu verteilt jemand von der Wachmannschaft in unsere aus Stutthof mitgebrachten Blechnäpfe. Und während ich so langsam wie möglich mein Plätzchen lutsche, ja, den Morgen mit Frühstück und warmem Ofen schon beinahe gemütlich zu finden beginne, bemerke ich, dass sich der Sturm verzieht.

Wie schön! Nach wochenlangem Ausblick auf einen Zaun

werden wir endlich wieder Landschaft sehen! Etwa hundert Meter zu unserer Rechten ist bereits schemenhaft ein dunkler Streifen zu erkennen.

Ein Streifen in Bewegung. »Psst!«, mache ich erschrocken. »Hört doch mal!«

Neben uns ist ein einziges Klappern, Quietschen und Rumpeln, ein müdes, monotones Geräusch, wie ich es noch nie zuvor gehört habe. Es zieht von rechts nach links in die Richtung, in die auch wir wollen, aber es hört nicht auf, es nimmt und nimmt kein Ende. Und erst als ich über dem Klappern plötzlich das Weinen eines kleinen Kindes höre, weiß ich, was es ist, und warum es sich in Richtung Danzig schleppt.

Die Bevölkerung Ostpreußens ist auf der Flucht.

Und Oschgau ist nah, so nah!

Im Lager hatte ich kaum daran gedacht. Oschgau ist die Weite einer Sommerwiese, ein Dorfteich mit jungen Gänsen, ein Duft von Heu und Stall. Oschgau ist Vergangenheit, ein Märchen, nur Piotr und Ellen sind mitgekommen nach Berlin, nach Lautlitz, nach Reinerz und Stutthof.

Doch ein Märchen ist es nicht, das neben uns vorbeizieht. Neben uns ziehen Mensch und Tier, die ein Teil von mir sind, neben uns zieht die Fritzi, die einmal war und die nicht hier in der Kleinbahn, sondern dort auf dem Treck sitzen würde, wenn Piotr nicht gewesen wäre.

Ich hatte nicht damit gerechnet, dass ich dieser Fritzi noch einmal begegnen würde.

Hätte es nur nicht zu schneien aufgehört! Gegen Mittag trifft der Häftlingstrupp aus Stutthof ein, der die Gleise freischaufeln soll, und mit ihnen kommen zusätzliche Wagen, die zur

Weiterfahrt angehängt werden. Direkt hinter uns reisen nun die mysteriösen Skandinavier, von denen wir im Lager bereits gehört hatten, hinter ihnen hängen die Viehwaggons.

Viehwaggons? Seitlich sehen wir im nunmehr klaren Winterlicht längliche, schlaffe Bündel in den Schnee fliegen, von je zwei Wachen an Händen und Füßen gepackt und mit Schwung geworfen. Ich wünschte, ich könnte die Augen abwenden. Zu Dutzenden schleudern sie erfrorene Häftlinge aus den Viehwaggons an den Wegesrand.

Sieh gut hin! Sieh gut hin und merk es dir!

Und die ganze Zeit rumpelt Fuhrwerk an Fuhrwerk vorüber, ein Lindwurm aus Pferdewagen, Ochsenwagen, von Menschen gezogenen Wagen, Wagen mit Planen, Wagen mit Großmüttern auf Matratzen und kleinen Kindern auf einem Haufen Stroh. Auch Fußgänger sind dabei, Kinderwagen, Hunde, Ziegen.

Zwei Elendszüge, einer auf der Straße, einer auf dem Gleis. Meterweise kommen wir voran – ich habe die Häftlinge vorbeigehen sehen, die nun vorne schuften müssen, ausgemergelte Gestalten in den gestreiften Kitteln des Lagers. Stutthof wird, wie es scheint, evakuiert, aber das heißt offenbar nicht, dass man auch mit allen am Ziel ankommen muss.

Vor uns, bei einem Streifen Wald, machen die Gleise einen Schlenker nach rechts und ich ahne: Von da an werden sie direkt neben der Straße verlaufen. Ängstlich sehe ich den Abstand kleiner werden. Amerikaner von vorne, noch ein Schneesturm von oben … bevor ich mich entschieden habe, auf welches Wunder ich hoffen soll, finden wir uns Auge in Auge mit jenem anderen Zug, und so Unheil verkündend der Treck als Ganzes, so erschreckend ist es nun, in Gesichter zu blicken.

Maifest! Die letzte schöne Erinnerung an Oschgau, bevor Antonia und ich alles zerschlugen. Lampions hingen in den Bäumen, überall im Gau tanzten Frauen auf Märkten und Plätzen und auch die Kriegsgefangenen und Fremdarbeiter waren da, hatten ihren eigenen Tisch und wurden von uns Jungmädeln bewirtet.

Hat jemand geahnt, dass es das letzte Fest sein könnte? Die damals ausgelassen tanzten, sind halb tot vor Erschöpfung und Kälte, ihre Kinder schon zu schwach zum Weinen. Frauen, Mädchen und Großeltern führen die Wagen, begleitet von wenigen jüngeren Männern, die nur Fremdarbeiter sein können. Manche tragen Kinder auf dem Rücken und laufen neben dem Fuhrwerk, um warm zu bleiben. Auch Piotr hätte geholfen, ich weiß es.

Lieber Gott, lass mich niemanden erkennen.

Auch uns treffen Blicke – dass wir ein Häftlingstransport sind, ist wohl nicht zu übersehen. Aber die Blicke verraten nichts, weder unser mühsam erkämpfter Weg noch die Anwesenheit der SS stößt auf mehr als Teilnahmslosigkeit.

Wem sollte man es verübeln? Das Volk, das Volk!, hat man uns jahrelang zugerufen. Jetzt ist jeder Flüchtlingswagen eine eigene Welt voll Kummer.

Als wir ums Wäldchen gekrochen kommen, hocken dort zwei um eine zusammengerollte blaue Decke und die helle Stimme eines Jungen sagt: »Lass uns die Decke doch mitnehmen, Mama, die braucht der Jakob nicht mehr.«

Und seine Mutter, die vor der Decke gekniet hat, nimmt das Bündel in den Arm, packt es aus und legt einen blassen kleinen Buben in den Schnee, und als die beiden längst wieder zur Straße hinaufgeklettert sind, stehen wir immer noch auf der

Stelle und schauen stumm in das ernste, marmorne Gesichtchen vor unserem Fenster.

Sehen eine zweite Frau den Hang hinab und fast gelaufen kommen, um nach den Füßen des Kleinen zu greifen und ihm die Stiefel auszuziehen. »Fritzi«, sagt Mutter leise und nimmt mich in den Arm, und erst da merke ich, dass mein Gesicht nass von Tränen ist.

Ein doppelter Vollmond wacht über dieser Nacht, leuchtet prall und rund vom Himmel und glitzert noch viel schöner in den kleinen Wellen des Flusses, die so ruhig dahinfließen, dass man glauben könnte, sie schwebten. Fast meine ich, das andere Weichselufer zu erkennen, Dächer, das Häuschen des Fähranlegers. Nur eine Fähre ist nirgends zu sehen.

Vor uns steht Wagen an Wagen der Flüchtlingstreck, den wir den ganzen Tag über an uns vorbeiziehen sahen. Es ist fast Mitternacht, für die dreißig Kilometer von Stutthof haben wir siebenunddreißig Stunden gebraucht, und wenn alle diese Leute vor uns in der Schlange stehen, dann sehe ich uns übermorgen noch hier warten.

Eine Vermutung, die keinerlei Empfindung in mir auslöst. Wie betäubt starre ich nach vorn zum gemächlich fließenden Wasser und eine Stunde ist wie ein Tag wie ein Jahr.

Doch plötzlich gerät Bewegung in die weiter vorn stehenden Wagen, alles scheint um Zentimeter vorzuruckeln. Hat jemand die Fähre gesehen? Nein, doch es nähert sich das Puckern eines Motors, und endlich gleitet von rechts ein flaches Gefährt heran.

»Ach-tung! Der Zug zuerst!«

Dumpfe Fausthiebe donnern von außen gegen die Wand.

Wütende Rufe. Gilt das uns? Ja, natürlich werden sie protestieren, dass sie, die zuerst da waren, uns den Vortritt lassen müssen. »Scheiß SS!«, brüllt es in unser Fenster; offenbar hat jemand aus unserem Begleittross verbreitet, wir seien Angehörige der Wachmannschaft.

In den frühen Morgenstunden des neuen Tages sind wir auf der anderen Seite der Weichsel. Viermal noch heißt es warten, bis sämtliche Waggons eingetroffen sind. Mir fallen die Augen zu, ich sacke mal nach links gegen Mutter, mal nach rechts gegen Max. Irgendwo weiter vorn wird fürchterlich gehustet, quälend und trocken; das kann, das darf nicht Tante Adele sein.

Wohin wir unterwegs sind, sagt uns niemand, doch am 6. Februar wissen wir, dass wir nicht gemeinsam ankommen werden. Die viertägige Fahrt durch Eis und Schnee, der Fußmarsch hinauf zum Straflager Matzkau, die stinkende Baracke, in der durchmarschierende Truppen Dreck und Ungeziefer hinterlassen hatten … bis zu diesem Tag hatte ich nicht geahnt, wie schnell ein zwar geschwächter, aber eigentlich vollkommen gesunder Mensch vergehen kann. Alle Entbehrungen und Gefahren hatten ihr nichts anhaben können, der Wunsch, Nelly wiederzusehen, war so viel stärker gewesen. Doch körperliche Strapazen, sagt Mutter leise, treffen die Ältesten und die Jüngsten immer zuerst.

Am 7. Februar folgen wir Tante Adeles Sarg bis zum Lagertor, man hat versprochen, sie in Danzig zu beerdigen. In der Baracke liegt Onkel Teddy mit Typhus und erkennt uns nicht mehr. Am 8. Februar werden wir weitertransportiert und lassen ihn zurück.

Wenigstens warm haben wir es. Dicht an dicht liegen wir im Stroh des geschlossenen Viehwaggons; ich starre hinauf zu dem kleinen, vergitterten Fenster, hinter dem ein Stück weißgrauen Himmels zu erkennen ist, und denke an Olesia. Wenn sie wüsste, was draußen vor sich geht – wir würden sie zum ersten Mal lachen sehen!

Danzig ist Chaos, nackte Panik. Die Angst vor der Roten Armee hängt wie eine Giftwolke über der Stadt. Flüchtlinge, Soldaten und Verwundete, Panzer, Lastwagen und Sankas versperren einander den Weg, seit drei Tagen sitzen wir auf einem Nebengleis des Bahnhofs fest und können weder vor noch zurück. Einmal am Tag dürfen wir am Gleis entlang auf- und abgehen, vorbei an einem Viehwaggon nach dem anderen, aus dem Gefangene uns um Wasser anbetteln. Vorbei an offenen Güterwagen, in denen halb erfrorene Flüchtlinge ihren Platz verteidigen, ohne zu merken, dass vor ihrem Zug keine Lok hängt.

Auf den Straßen rund um den Bahnhof marschieren Truppen, doch nicht an die Front: In ungeordneten Reihen kehren sie überstürzt von dort zurück und kapern rücksichtslos sämtliche Fortbewegungsmittel Richtung Westen. Reihe an Reihe stehen auch die zurückgelassenen Fuhrwerke, ineinander verkeilte Gespanne mit aufgetürmtem, nutzlos gewordenem Besitz und erschöpften, im Stehen verendenden Pferden.

Wir haben einen Platz im Wagen, einen Ofen und eine Petroleumfunzel. Die Flüchtlinge draußen haben nichts. Kopflos stürmen sie am vierten Abend, als es endlich losgehen soll, gegen unsere verschlossene Tür, eine wild verzweifelte Horde Menschen. »Hier ist kein Platz, versuchen Sie's woanders!«, schreit die Pattke, die mit uns reist.

Die Pattke ist SS-Helferin und nach Hauptscharführer Kupfer die Verantwortliche für unseren Transport. Sie ist um die dreißig, eine stämmige, schlecht gelaunte Person mit herrischer Stimme und brauchbaren Ideen. Ihrem Rat folgend, haben wir beim Abtransport aus Matzkau alles geklaut, was nicht niet- und nagelfest war: Nägel, Schrauben, sogar die Haken aus den Schränken. Jetzt haben wir etwas, woran wir unsere Mäntel, Proviant und allerlei kleinere Gegenstände an der Zugwand aufhängen können.

»Hier sind halb erfrorene Frauen und Kinder!«, brüllt es von draußen.

Ich höre Fäuste trommeln, jemand scheint mit einem Messer ins Holz zu hacken. Aber die Pattke bleibt hart. »Hier sind Schutzhäftlinge des SS-Reichsführers Himmler«, brummt sie und legt sich wieder hin. Sie ist persönlich für unsere Sicherheit verantwortlich, und wenn sie die Tür nur einen Spaltbreit öffnete, wären wir binnen Sekunden überrannt.

Schutzhäftlinge!, denke ich müde. Schon wieder etwas Neues! Das Heulen und Betteln der Flüchtlinge klingt mir noch in den Ohren, als wir – ein kaum noch erwartetes Wunder – tatsächlich losfahren und das gleichmäßige Klappern der Räder auf den Bahnschwellen jedes andere Geräusch übertönt.

Wir haben zwei verloren. Die acht, die hinzugekommen sind, bedeuten mir nichts. Dabei sprechen fast alle der Ungarn, als die »die Skandinavier« sich entpuppt haben, Deutsch. Es sind Mitglieder der letzten ordentlichen ungarischen Regierung, die von den Nazis abgesetzt und entführt worden sind. Sie tragen Pelzmützen und gefütterte Husarenmäntel und sind unglaublich vornehm und höflich.

Tante Adele hätte die Ungarn geliebt. Auch Onkel Teddy hätte sich wunderbar mit ihnen verstanden. Zwei sind fort, zwei sind fort!, raunt der Zug.

Ans Klauen gewöhnt man sich schnell. Als es am frühen Morgen des fünften Tages heißt, wir müssten die gerade erst angetretene Fahrt schon wieder beenden, der Zugverkehr sei unterbrochen, nehmen wir den Ofen aus unserem Waggon kurzerhand mit.

Lastwagen warten. Ungefragt teilt einer der Fahrer uns beim Einsteigen mit, wir seien im Bezirk Köslin in Pommern und sollten vorübergehend in der Provinzheilanstalt zu Lauenburg unterkommen. Auch hier scheint man uns für SS-Angehörige zu halten.

Die Plane wird festgezurrt, wir sitzen wieder mal im Dunkeln. Vorn steigt das Fräulein Pattke beim Fahrer ein und wir hören ihre Stimmen durch die Zwischenwand.

»Der Russe ist über die Oder«, sagt der Mann. »Vom Lager Stutthof ist nichts mehr übrig – Luftangriff, alles kaputt!«

Die Kommandostimme der Pattke forscht: »Und wo steht der Russe jetzt?«

»Bei Neu-Stettin. In Bromberg soll er alle SS-Angehörigen umgebracht haben!«

Da wird die Pattke still. Kreidebleich ist sie, als wir in Lauenburg aussteigen.

In dem großen, leeren, ungeheizten Haus werden uns zwei klirrend kalte Zimmer zugewiesen – Zimmer mit Betten und Matratzen! Am Ende eines langen Gangs liegen Toiletten und ein Waschraum, aus dessen Hähnen zwar nur kaltes Wasser fließt, aber nach vier Tagen in Gesellschaft des bewährten Kübels und ohne einen einzigen Tropfen zum Waschen kommt es mir wie der reinste Luxus vor.

Die Ungarn sind in einem separaten Zimmer untergebracht und der Kontakt mit ihnen ist verboten, aber nachdem die Wachmannschaft ihre Pflicht erfüllt und das Verbot ausgesprochen hat, verliert sie das Interesse an uns und lässt uns allein. Durchs Treppenhaus hören wir ihre besoffenen Stimmen ein Stockwerk tiefer.

»Die plündern Vorräte!« Julius steht an der Treppe und lauscht. »Meine Güte«, sagt er angewidert. »Die Frauen sind betrunkener als die Männer.«

»Die haben auch mehr Angst vor den Russen.«

»*Dem*!«, verbessert mein Vetter. »*Dem* Russen. Ein singuläres Wesen, eine Urgewalt. Das macht es noch schlimmer, nicht wahr? Als ob keine einzelnen menschlichen Gestalten dazwischen wären, auf deren Barmherzigkeit man hoffen könnte.«

»Hör auf!«, falle ich ihm schaudernd ins Wort.

»Willst du etwas richtig Schönes sehen?«, fragt Julius zurück.

Hinterm Haus glitzern tausend Lichter. Schnee liegt schwer auf Ästen und Zweigen, der große Park der Heilanstalt ist in der matten Morgensonne unberührt und strahlend weiß. »Meinst du, wir dürfen hinaus?«, flüstere ich.

»Warum nicht? Die Tür steht offen … wir bleiben hinter der Mauer …«

»Und wir sind Schutzhäftlinge!« Schon spüre ich, wie der Triumph des neuen Wortes sich über alle Gefahren erhebt. »Sie dürfen uns gar nichts tun.«

»Wir könnten«, überlegt Julius, »vielleicht erst mal auf dem Weg bleiben ...«

Aber da laufen wir auch schon, rennen um die Wette, versinken bis zu den Knien im Schnee, jagen uns um die Bäume, beginnen die tollste Schlacht ...

Im Haus fliegt ein Fenster auf. »Julius!«, donnert eine aufgebrachte Stimme.

»Kommt runter!«, winke ich übermütig.

Das Fenster knallt zu. Mein Vetter, Schnee im Haar und auf den Schultern, blickt zerknirscht: »Oh weh! Am besten gehen wir rein, bevor er rauskommt.«

Spielverderber! Enttäuscht folge ich ihm ins Haus. Oben am Treppenabsatz steht Max und bebt vor Zorn. »Bist du von allen guten Geistern verlassen?«, knurrt er Julius an und packt ihn am Arm. »Willst du, dass die besoffenen Idioten auf euch schießen?«

Jetzt, wo Onkel Teddy nicht mehr da und Onkel Jasper zu krank ist, hält er sich anscheinend für das Familienoberhaupt.

»Tut mir leid. War meine Schuld«, sagt Julius ritterlich und macht es damit nur noch schlimmer – als ob es eine Sache unter Männern und ich zu blöd wäre, selbst zu entscheiden!

»Ihr habt ja einen Knall!«, rufe ich empört. »Wir haben doch gar nichts getan!«

Wie so oft, wenn ich sie wirklich gebraucht hätte, versagt meine Stimme den Dienst und fängt in der entscheidenden Argumentation an zu zittern. Nur bis zum *Knall* ist alles noch klar herausgekommen, ein Wort, das wie ein Blitz in meinen Onkel fährt.

Und nicht nur in ihn. »Philippa!«, spuckt Mutter und löst sich aus dem Chor entgeisterter Verwandter, die aus dem Hintergrund herbeieilen. Der erste Streit! Schlagartig wird mir klar, dass ich gleich zwei ungeschriebene Gesetze gebrochen habe. Sie beginnen mit: *Beleidige nie einen älteren Verwandten!* und enden: *Wenn wir nicht zusammenhalten, haben die anderen schon gewonnen.*

Und das alles, weil wir ein paar Minuten im Park waren? In mir schlägt es heiß zusammen.

»Was ist denn das für ein Leben?«, schreie ich sie alle an. »Eingesperrt und rumgehetzt, dauernd bewacht, dauernd im Dunkeln, und wenn *sie* nicht aufpassen, lasst ihr uns nicht raus! Sollen sie mich doch erschießen! Ich mach nicht mehr mit!«

Fange an zu heulen, drehe mich um und renne zurück ins Zimmer.

Oder vielmehr: würde gern zurück ins Zimmer rennen. Leider sind wir eben erst angekommen und ich habe vor lauter Wut vergessen, welche der vielen Türen in diesem Flur die unsere ist. Hinter der ersten steht ein Haufen Spinde und Bettgestelle, hinter der zweiten erheben sich acht Ungarn und lupfen den Hut. Hinter der dritten finde ich endlich unsere Betten und unser Gepäck, aber da habe ich mich bereits restlos lächerlich gemacht.

Ich klettere ins Etagenbett und ziehe mir die Decke bis an die Ohren. Ich kann hören, wie sie nebenan ins Männerzimmer zurückkehren. Da Onkel Jasper es warm haben muss, steht der Ofen dort und macht das Zimmer gleichzeitig zum Aufenthaltsraum.

Jetzt heule ich erst recht. Alle sind nebenan, nur ich liege allein hier herum, obwohl ich doch *eigentlich wirklich Recht hatte!*

Nach einer Weile klopft es an die Tür. Irgendwie ahne ich schon, dass es Max ist. Mutter würde schließlich nicht klopfen.

»Ich hab mit Fräulein Pattke gesprochen«, höre ich seine Stimme neben mir. »Wir dürfen im Park spazieren gehen. Wir dürfen uns auch mit Schnee bewerfen. Wir müssen nur vorher um Erlaubnis fragen.«

»Na also!«, schlucke ich, was wahrscheinlich wieder nicht der richtige Ton ist.

»Fritzi, Fritzi.« Ich fühle eine warme Hand auf meiner Schulter. »Jetzt haben ausgerechnet wir beide Krach!«

Womit er es endgültig geschafft hat. Riesige Schluchzer brechen aus mir hervor. »Lass mich doch mal ausreden«, sagt er irritiert, was ich wiederum so komisch finde, dass ich gleichzeitig nun auch noch lachen muss. Oh Gott, ist das alles anstrengend.

Und Tante Adele tot und Onkel Teddy wer-weiß-wo.

»Ich will nur sagen, bei uns beiden ist das doch gar nicht weiter schlimm«, redet Max mir zu. »Wir sind uns doch gleich wieder gut oder etwa nicht? Und deshalb stehst du jetzt bitte auf und wäschst dir das Gesicht und kommst hinüber ins Warme.«

Er klopft mir aufmunternd auf den Rücken und geht. Ich beuge mich über das Waschbecken und lasse kaltes Wasser über mein verheultes Gesicht laufen, neben mir steht Ina und lächelt mir Zähne putzend zu, die Angelegenheit ist vergessen.

Ich werde es mal schwer haben mit dem Heiraten. Der netteste Mann ist schon weg.

Wenn wir geglaubt hatten, in den ersten richtigen Betten seit Langem gut schlafen zu können, so werden wir in dieser Nacht eines Besseren belehrt. Kreischen und Lachen dringen durchs Haus, grölende Stimmen, die in höhnischem Tonfall Marschlieder absingen. Jemand scheint Goebbels zu imitieren, beklatscht und bejohlt von seinen Kumpanen.

»Da war mir das Schnarchkonzert im Zug ja noch lieber.«

Fey sitzt aufrecht im Bett. Wir sind wieder einmal in Kleidern und Mänteln schlafen gegangen; im Zimmer ist es nur knapp über null Grad.

»Ich persönlich bin dort immer nur von deinen Protestpfiffen aufgewacht«, meint Ina und ich höre es hier und da zustimmend kichern.

Fey steht auf, macht Licht und gibt eine Runde Zigaretten aus. Zigaretten sind auf unserer mehrmonatigen Reise zwar manchmal knapp, aber irgendwo können die Raucher fast immer kaufen oder tauschen.

Draußen toben einige durch Treppenhaus und Flure, offenbar Pärchen auf der Suche nach einem Zimmer. Hoffentlich kommen sie nicht zu uns! Was würde sie daran hindern, uns einfach hinauszuwerfen?

»Sie sind so wütend«, sagt Nanni beklommen. »Wütend und unberechenbar. Der Russe steht vor der Tür und jetzt haben sie nur noch das bisschen Macht über Leute wie uns.«

»Sie haben Order, uns zu schützen«, wendet Fräulein Gisevius erschrocken ein.

»Und noch gehorchen sie«, meint Mutter. »Aber wer weiß, ob einige nicht schon anfangen, selbst zu denken.«

»Wie unser Schutzherr Himmler! Die Geschichte ist merkwürdig, findet ihr nicht?« Fey schlüpft fröstelnd zurück ins

Bett. »Diese Geheimnistuerei und dass alle denken sollen, wir seien SS-Angehörige …«

»Hitler muss glauben, wir seien längst tot«, vermutet Ina. »Und hinter seinem Rücken bringt Himmler sein persönliches kleines Faustpfand in Stellung.«

»Ich bezweifle, dass wir als Geiseln von Wert sind«, sagt Tante Ilselotte müde. »Die Briten und Amerikaner waren nicht im Geringsten daran interessiert, mit dem deutschen Widerstand zusammenzuarbeiten – oder ihn auch nur zur Kenntnis zu nehmen. Kontaktversuche hat es, weiß Gott, genug gegeben, aber anständige Deutsche passten wohl nicht in deren Konzept. Unsretwegen kann Himmler kein Entgegenkommen erwarten.«

»Ja, aber weiß er das?«, gibt Fey zurück.

Auf dem Gang schlagen Türen, wir hören jemanden laufen. »Licht aus! Macht das Licht aus!«, flüstert es atemlos und Nanni, die am nächsten bei der Tür liegt, huscht zum Schalter. Unruhig lauschen wir, aber die Schritte entfernen sich wieder.

Erst gegen Morgen legt sich Stille über das Haus, doch es ist eine Stille, die nichts Friedliches verheißt. Es ist eine atemlose, ängstliche Stille, ein wie gelähmtes Warten auf Sturm. Wir dürfen den Heeresbericht hören und stellen mit Blick auf die Umgebungskarte, die an der Schrankwand unseres Zimmers hängt, erleichtert fest, dass die Stelle, an der »der Russe steht«, darauf noch nicht zu finden ist. Aber von Weiterfahrt ist nicht die Rede.

Die Vorstellung, dass niemand erfahren soll, wer wir sind, ist ebenfalls alles andere als beruhigend. Bedeutet das nicht auch, dass niemand draußen weiß, *wo* wir sind? Lexi muss unsere Spur komplett verloren haben. Sie muss völlig verzweifelt sein!

Der Gedanke zermürbt mich. Ich wünschte, ich könnte ihr eine Nachricht zukommen lassen, aber solange wir in der Heilanstalt festsitzen, ist daran allenfalls zu denken.

»Was schreibst und klebst du da eigentlich dauernd?«, fragt Mutter neugierig.

Ich sitze im geheizten Schlafraum der Männer auf einem der unteren Etagenbetten. Wenn der ständige Damenbesuch nicht wäre, meint Julius, könnte man glauben, man sei in einem Truppenzelt. Einige liegen auf den Betten und lesen, andere sitzen und spielen Karten, flicken Socken oder schneiden einander die Haare. Kleidungsstücke hängen zum Trocknen an Bettrahmen, über Stuhllehnen und offenen Schranktüren.

»Wenn wir weiterfahren, werfe ich Briefe aus dem Fenster«, erkläre ich. »Ich will sie hier fertig schreiben, im Zug ist es zu dunkel und zu wacklig.«

Mutter setzt sich neben mich und ich zeige ihr den kleinen Stapel gefalteter und zusammengeklebter Blätter. Alle tragen Lexis Anschrift und die Querzeile: *Bitte dringend weiterleiten bei späterer Belohnung!*

Im Nu steht ein halbes Dutzend um mich herum. In diesem engen, mit Verwandten vollgestopften Zimmer hat man keinerlei Privatsphäre!

Mutter schüttelt lächeln den Kopf. »Eine wunderbare Idee«, meint sie. »Ich hoffe nur, der Finder fordert die Belohnung nicht gleich von Lexi ein!«

Max fischt über Mutter hinweg nach dem obersten Zettel, klappt ihn aber schnell wieder zu, als er bemerkt, dass er noch nicht zugeklebt ist. »Das hoffe ich auch«, entgegnet er. »Wenn sie einen dieser Briefe bekommt, könnte sie so erleichtert sein, dass sie dem Überbringer alles schenkt, was wir besitzen.«

Inmitten des Durcheinanders im Männerzimmer liegt der herzkranke Onkel Jasper auf seinem Bett und ringt nach Luft. Nie hört man ihn klagen, aber seine Hände, Beine und Füße schwellen nicht mehr ab und sehen aus, als müssten sie ihm höllisch wehtun. Mittlerweile kann er sich kaum noch bewegen.

»So geht das nicht weiter«, setzt Dr. Goerdeler der Pattke auseinander. »Graf Lautlitz muss dringend in ein Krankenhaus, ich kann hier nichts mehr für ihn tun.«

Ich höre sie unten vor der Küche reden, Nanni steht still dabei. Unbeirrt pflegt sie ihren Vater und hat die Erlaubnis erwirkt, auch hier seine Diät kochen zu dürfen. Zwischendurch macht sie Dauerlauf auf dem Gang, um sich warm zu halten.

Doch es ist nicht zu übersehen, dass sie von Tag zu Tag verzweifelter wird. Wenn Dr. Goerdeler nicht wäre, hätten wir Onkel Jasper längst verloren, das ist allen klar.

»Ich werde sehen, was sich tun lässt«, sagt Fräulein Pattke widerwillig. »Aber ins Reichsinnere wird er mitmüssen, hier gibt es keine Möglichkeit mehr.«

»Werden wir also weitertransportiert?«

»Na, was denken Sie denn?«, gibt sie patzig zurück.

Auf die Behauptungen unserer Bewacher geben wir nicht mehr viel; die meiste Zeit scheinen sie selbst auf Anweisungen zu warten und keinerlei Vorstellung zu haben, was aus ihnen und uns werden soll. Aber diesmal scheint die Pattke Recht zu behalten: Am Mittwoch, unserem neunten Tag in Lauenburg, werden Julius, Markus und Eberhard aufgefordert, mit Hauptscharführer Kupfer zum Bahnhof zu fahren und unseren Waggon herzurichten.

»Der Waggon steht noch genauso da, wie wir ihn verlassen haben.«, berichtet Julius nach seiner Rückkehr. »Dabei ist die Strecke voller Flüchtlinge und Soldaten. Ein Wunder, dass ihn niemand gekapert hat!«

»Hat es mit dem Bett für Papi geklappt?«, sorgt sich Tante Sofie.

»Ja, es steht in der Ecke, in der er während der Fahrt am meisten Frischluft bekommen dürfte. Aber für alle anderen wird es nun noch enger werden.«

»Hauptsache«, sagt Mutter, »wir kommen endlich wieder auf den Weg!«

In Vorfreude werden die Koffer gepackt, und als hätte sie auf bessere Stimmung gewartet, erscheint draußen eine herrliche, fast schon wärmende Sonne. Kleine Gruppen flanieren langsam durch den Park – Mutter und Tante Sofie, Fey und Max, die Hofackers und Goerdelers wie immer alle zusammen – vorbei an dem Schneemann, den wir gebaut haben und der am Kopf bereits zu glänzen und zu schmelzen beginnt.

Frühling! Die Natur hat sich nicht beeindrucken lassen. Schlagt ihr ruhig alles kaputt!, scheint sie sagen zu wollen. Ich habe meinen Auftrag von einem anderen.

Morgen werden wir wieder in einem dunklen, stickigen Waggon liegen, Seite an Seite und so eng, dass man sich beim Schlafen nicht einmal umdrehen kann. Links die Männer, rechts die Frauen, in der Mitte der mit einer Decke verhängte Kübel.

Morgen vielleicht! Heute will ich nicht daran denken. Ganz tief ziehe ich die frische Luft in meine Lungen. Ich fühle die Sonne auf meinen Wangen. Die Welt ist so schön!

Ein schriller Ton zerreißt meine Andacht. Fliegeralarm? Hier? Die letzten Tage habe ich uns beinahe am Ende der Welt gewähnt! Eilig laufen wir zurück zum Haus und werden in den Keller gescheucht, Markus und Max schleppen Onkel Jasper. Es sind Tiefflieger, die über das Haus hinwegdonnern, wir hören sie bis unten, aber Bomben fallen nicht.

Die Bombenüberraschung steht oben im Flur, als wir ins Zimmer zurückkehren. Schmaler geworden, die Haare eine Spur weißer, Freudentränen in den Augen … und jählings überrannt von einem Dutzend glücklicher Verwandter, die ihn gleichzeitig umarmen wollen.

So viele haben wir verloren in den letzten sieben Monaten. Dies ist das erste Mal, dass wir jemanden zurückbekommen. Onkel Teddy ist wieder bei uns!

Vierzehn

Es muss der längste Zug der Welt sein. Offene Güterwagen und geschlossene Viehwaggons, so weit das Auge reicht; vom einen bis zum anderen Ende ist man eine Viertelstunde unterwegs. In den Wagen sind Häftlinge, Flüchtlinge und sogar Kühe gepfercht, deren Brüllen mir durch Mark und Bein geht. Ihre Euter scheinen zu platzen, aber niemanden interessiert's.

»Stell dir vor, wie viele hungrige Babys man von all der Milch füttern könnte!«, sage ich zu Julius.

Wir stehen neben dem Zug und blicken ratlos zu mehreren sabbernden Mäulern auf, die sich verzweifelt hinter dem Gitterfenster drängen. Es ist der dritte Tag unserer Weiterreise und wir sind noch nicht über Rummelsburg hinaus gekommen. Die meiste Zeit stehen wir und warten den nächsten Fliegeralarm ab.

Und alles, was ich diesbezüglich bisher kennengelernt habe, verblasst vor dem Erlebnis, die Bomber und Tiefflieger direkt über dem Kopf zu wissen, mit nichts als einem hölzernen Zugdach zwischen uns und einer Menge Stroh zu meinen Füßen, das beim kleinsten Funkensprung brennen würde wie Zunder. *Runter! Arme über den Kopf!* Der Boden hebt und schüttelt sich, ob von den Geschützsalven oder vom Widerhall der Jagdflugzeuge, kann ich nicht sagen. Durch den offenen Spalt in der Zugtür sehen wir schnurgerade Linien aus Erde aufspritzen und mit Wucht ins Gleisbett prasseln.

Die Pattke verliert langsam die Nerven. Bei jedem Halt reißt sie die Tür auf und stürzt hinaus, um sich zu vergewissern, dass sie noch festen Boden unter den Füßen hat. Gut für uns! Im Gegensatz zu anderen Häftlingen, die in ihren engen, schmutzigen Waggons ausharren müssen, dürfen wir hinaus, während der Zug steht, und machen davon regen Gebrauch.

Und das liegt nicht nur an dem Bedürfnis, nach einem überstandenen Alarm Luft und Leben atmen zu wollen, oder daran, dass wir auf diese Weise vermeiden können, den Kübel zu benutzen. Es liegt in erster Linie daran, dass Dr. Goerdeler Onkel Jasper aufgegeben hat. Im stickigen Halbdunkel des Waggons, zwischen dicht gedrängt stehenden und sitzenden Menschen, liegt Julius' Vater im Sterben.

In Matzkau hat Dr. Goerdeler mir leidgetan. Man konnte sehen, wie betroffen er war, dass er Tante Adele nicht zu retten vermochte. Einen Tag schien sie noch ganz erfreut, weil sie wegen ihrer Lungenentzündung in ein Einzelzimmer verlegt wurde – getragen von zwei jungen Männern auf einer Bahre, was sie sichtlich genoss! Den nächsten Tag stellte man Typhus bei ihr fest und drei weitere Tage später war sie tot.

Dass Onkel Teddy sich erholt und zu uns zurückgekehrt ist, sei ein Wunder, sagt Dr. Goerdeler. Doch ist da, wo ein Wunder herkam, noch ein zweites …? Onkel Jasper verfällt vor unseren Augen und *sein* Wunder ist vielleicht, dass er überhaupt so lange durchgehalten hat, obwohl er im Herbst schon schwer krank in der Haft ankam.

Ich müsste mich schämen, dass ich die Kühe bedaure. Als ob Julius neben mir keine anderen Sorgen hätte! Aber ihr Waggon steht nicht weit von unserem entfernt und ihr »Muh« klingt für mich immer mehr wie »Tu!«.

Vom Waggon der Ungarn springt Hauptscharführer Kupfer ab, geht zur Pattke hinüber, die vor unserer Tür raucht, und wechselt einige Worte mit ihr. Wir sehen, wie sie die Schultern hebt und den Kopf schüttelt und beide betreten zu Julius schauen.

Furcht durchzuckt mich. Ist Onkel Jasper gestorben? Nein, denke ich, dann würde doch jemand von uns hinauskommen, das würden sie doch nicht der Pattke überlassen …

»Fragen wir einfach«, meint Julius und einen Moment glaube ich, er spräche von seinem Vater, aber da geht er bereits auf unsere Bewacher zu und sagt: »Entschuldigung … die Kühe, Herr Hauptscharführer. Kann man da nichts tun?«

»Was willst du denn da tun?«, erwidert der Kupfer nicht unfreundlich.

»Melken«, entgegnet mein Vetter kühn.

»Du?« Der Mann lacht, und ich höre mich sagen: »*Wir!* So schwer ist es nicht. Ich kann es, und die anderen lernen es ganz schnell.«

Hinter der Pattke springt Eberhard vom Wagen. »Ich hab es auch schon gemacht, Herr Hauptscharführer!«

Der Kupfer überlegt. »Und wenn der Zug losfährt, hockt ihr da drin bei den Kühen«, wendet er ein. »Was, wenn sie in Panik geraten? Das kann ich nicht verantworten.«

Nun kommen auch Markus und Anna vom Wagen geklettert. »Wir gehen hinaus aufs Trittbrett, wenn der Zug anfährt«, schlägt Markus vor.

Erwartungsvoll stehen wir vor ihm. Der Hauptscharführer legt die Stirn in Falten. Man sieht ihm an, dass er uns für ziemlich seltsame Leute halten muss, aber er brummt: »Ich werde sehen, ob ich ein paar Eimer organisieren kann«, und stapft davon in Richtung des Wagens, in dem der Großteil unserer Wachmannschaft fährt.

Wir grinsen uns an. Selbst die Pattke grinst. Und in unserem Waggon hören wir es scheppern, als ob schon alles eingesammelt würde, was sich als Trinkgefäß eignet.

Die Kühe stellen sich fast von selber auf, als die Tür zu ihrem Waggon geöffnet wird. Keine tritt oder schlägt mit dem Schwanz, die Euter sind so prall, dass schon beim Draufklopfen Milch aus den Zitzen läuft. Es sind nette ostpreußische Kühe und ich fühle mich zu Hause. Am liebsten würde ich zu einer Gabel greifen und ausmisten! Leider reisen sie ohne Gabel, und auch am Stroh hat man gespart.

An der Seite der dankbaren Kühe sehe ich, während dicke Strahlen von Milch in Eimer und Schüsseln prasseln, die gebeugten Rücken meiner Vettern und Annas bunte Strickmütze und fühle einen verrückten kleinen Anflug von Glück. So müsste es weitergehen! Die Kuh, die Milch, der Eimer … so selbstverständlich, dass Zug, Transport und Todesgefahr, während wir bei den Tieren sind, wie ein bizarrer Traum anmuten, aus dem man bereits im Begriff ist zu erwachen. Unbedeutend! Nicht von Dauer! Auf keinen Fall unser Leben …

Mehrere Eimer und kleinere Gefäße voll Milch nehmen wir am Ende mit zurück in den Waggon, den Rest verspricht Hauptscharführer Kupfer zu verteilen. Wir hoffen, er bringt ihn zu Flüchtlingen mit kleinen Kindern und nicht etwa der Wachmannschaft, aber die Hand würden wir dafür nicht ins Feuer legen.

Sechster Tag. Der falsche Donner dröhnt wieder aus der Ferne; wir stehen bei Eberswalde, vierzig Kilometer vor Berlin, und von meiner Heimatstadt ist offenbar immer noch etwas übrig, worauf man Bomben werfen kann. Eine Rundreise haben wir also gemacht: von Berlin nach Schlesien und über Ostpreußen und Pommern wieder zurück, und es ist, als sei die Zeit stehen geblieben, während wir fort waren. Berlin wurde bombardiert, als wir gingen, und wird bombardiert, als wir nun, vier Monate später, wieder vorbeifahren. Unser Haus wird längst nicht mehr stehen. Seltsam, ständig unterwegs zu sein mit dieser großen Familie … aber nicht mehr zu wissen, wo »zu Hause« ist.

In Lautlitz, sagt Mutter. Wenn der Krieg vorbei ist, treffen wir uns alle in Lautlitz.

Alle?, denke ich traurig. Eine Petroleumlampe beleuchtet die gespenstische Szenerie in unserem Waggon. Zwei SS-Männer heben den bewusstlosen Onkel Jasper auf eine Bahre. Am Nachmittag war ein Arzt bei uns, der meinen Onkel untersucht und für nicht transportfähig erklärt hat. Hauptscharführer Kupfer hat es mit der Angst zu tun bekommen. Wo immer unser Ziel ist, er soll uns lebend dort abliefern und ihm reicht, dass er Tante Adele verloren hat. Nun steht ein Sanka bereit, um Onkel Jasper ins Krankenhaus des KZ Sachsenhausen zu fahren. Ihn und Tante Sofie, die zu seiner Pflege abgestellt wird.

Wie schafft sie es, nicht zu weinen? Nanni, Julius und Markus bleiben zurück, ohne zu wissen, ob sie ihre Eltern je wiedersehen. Ich sehe die vier leise miteinander sprechen und sich an den Händen halten, dann verlässt Tante Sofie aufrecht und gefasst den Zug und die Tür des Krankenwagens fällt hinter ihr zu.

Im Waggon ist es ganz still. Onkel Jaspers gequältes Atmen

ist verstummt. Wie eisiger Nebel senkt sich diese Stille über uns, und bevor sie in mich hineinkriechen kann, rette ich mich mit einem Sprung ins Freie.

Fey steht schon vor dem Eingang und raucht. »Hörst du das?«, fragt sie mit zitternder Stimme.

Aus einem der Waggons weiter vorn erklingt eine Ziehharmonika, vielstimmig dazu ein sehnsüchtiges altes Lied. Vielleicht ein Dorf, das miteinander unterwegs ist.

»Wie viele fahren wohl in ihren Tod?«, sagt sie leise. »Auf die Häftlinge wartet das nächste KZ. Die Flüchtlinge werden statt in Ostpreußen vielleicht in Thüringen vom Krieg überrollt. Die zum Tode Verurteilten hoffen auf einen Bombenangriff, ihre letzte Chance zu fliehen …«

Neben uns klettern noch andere aus dem Waggon; stumm stehen wir und lauschen dem Gesang. An den dunkelroten Horizont, den der Donner hinterlassen hat, malen sich die Umrisse unseres Zuges, matt beleuchtet von vielen kleinen, abgedunkelten Laternen.

Mein letzter Brief an Lexi fliegt vor Weimar aus dem Fenster. Ich hoffe, er hat eine bessere Chance als die, die bei Stettin, Angermünde, Eberswalde, Runo, Reidnitz, Rüdnitz, Stargard, Großbeeren und Halle von Bord gegangen sind. Kaum hatten wir einen Bahnhof erreicht, erhielt die Pattke auch schon die Nachricht, dass der vorherige bombardiert oder vom Russen eingenommen worden sei. Als hätte man in unserem Rücken die Landkarte in Brand gesetzt, züngelt der Krieg gierig hinter uns her.

Es ist mir gelungen, alle Briefe abfliegen zu lassen, ohne dass die Pattke es bemerkt hat. Nun kann ich nur noch beten, dass jemand einen findet *und* aufhebt *und* mitnimmt *und* abschickt, obwohl um ihn herum die Welt einstürzt.

Am frühen Morgen des 3. März, fast fünf Wochen nach dem Aufbruch aus Stutthof, nimmt unsere Reise im Viehwaggon ein Ende. Als der Zug hält und die Türen sich öffnen, stehen wir an der Rampe des Konzentrationslagers Buchenwald. Ein einziger großer Schritt aus dem Waggon auf die erhöhte Plattform, die sich über die gesamte Länge des Zuges erstreckt …

… und der Boden, kaum dass ich ihn unter meinen Füßen spüre, scheint mir wieder entgleiten zu wollen. Mit uns stolpert aus den Waggons, was wir wohl erahnen, nie aber uns hätten vorstellen können: Hunderte und Aberhunderte verdreckter, zerschundener Skelette. Nach wochenlanger Dunkelheit taumeln sie direkt vor die Füße der SS-Mannen und ihrer Hunde, die sofort nach ihnen schnappen. Schimpfen, Gebrüll, Gebell, ein Gestank wie Schwefel und Hölle schlägt uns entgegen. Häftlinge, die noch gehen können, heben hastig diejenigen auf, die an der Rampe zusammenbrechen, und versuchen sie zu stützen.

»Schneller! Auf den Lastwagen!«

Mutter packt mich am Arm und zieht mich mit, Markus steht auf der offenen Ladefläche des LKW und streckt mir die Hand entgegen. Fassungslos lasse ich mich hinaufziehen und überblicke die lange Schlange grauweißer, geisterhafter Wesen, die sich mehr kriechend als gehend aufs Tor zuschleppen. Durch die Waggons huschen bereits die Säuberungskommandos, werfen in atemberaubendem Tempo Tote hinaus und stapeln sie auf Schubkarren.

Der Lastwagen fährt los, zieht vorbei an der elenden Kolonne und ich bin gefangen in einem Körper, der sich nicht mehr bewegen kann. Nur mein Kopf schüttelt sich, wieder und wieder und ganz ohne mein Zutun. Ich wünschte, er würde damit aufhören.

Das Lager ist groß wie eine Stadt. Eine Baracke reiht sich an die nächste; ich sehe einen weiten Appellplatz und ein Backsteinhaus mit einem Schornstein, der eine schwarze Rauchfahne gen Himmel bläst. Im Torbogen zum Häftlingsbereich einen Schriftzug: *Jedem das Seine*.

Aber wir fahren nicht in den Häftlingsbereich. Wir umfahren gepflegte, sauber gestrichene, wehrhaft eingezäunte Gebäude, die der SS vorbehalten sein müssen, und stoßen ganz in der Nähe auf unser eigenes Ziel: das zerbombte Gelände einer ehemaligen Fabrik. Ein Wachmann hakt die Ladeklappe auf und wir springen vom Lastwagen, so schnell wir können; die Rampe gibt das Tempo vor. Zwei Unterscharführer mit nebenstehendem Hund winken uns durch den Durchlass in einer Betonmauer, die oben mit Stacheldraht verstärkt ist.

Dicht zusammengedrängt stehen wir, wieder vereint mit den Ungarn, im wenige Meter breiten Gang zwischen der Mauer und einer lang gestreckten hölzernen Baracke. Unter unseren Schuhen knirscht es; der Boden besteht aus spitzen kleinen Trümmersteinen. »Ihr seid in der Isolierbaracke des KL Buchenwald, kurz: I-Baracke«, sagt einer der Wachmänner gleichgültig. »Ihr bekommt zwei Aufwartemädchen, Verpflegung aus der Lagerküche, einmal pro Woche Kohlen …«

Lustlos rattert er die Regeln unseres Aufenthalts herunter. Unser Gepäck soll später gebracht werden, teilt er uns zum Schluss mit, dann sperrt er den Durchgang von innen ab und die beiden Wachen marschieren mit ihrem Hund zu einer Tür am Ende der Baracke. Ordentlich treten sie die Stiefel an einer Matte ab, bevor sie im Inneren des Gebäudes verschwinden. Heißt das etwa, sie wohnen hier mit uns?

Unschlüssig stehen wir noch herum, als sich die Barackentür neben uns auf einmal leise und vorsichtig öffnet. Eine junge Frau schaut heraus, dunkelhaarig, Sommersprossen ... und schockartig durchzuckt mich, dass ich sie kenne; ich weiß nicht woher, aber irgendwo habe ich sie ganz sicher schon ...

»Papi!«, schreit sie plötzlich in höchsten Tönen, »Papi, Papi!«, und hinter ihr brechen noch zwei durch die Tür und stürzen mit einem Aufschrei mitten in unsere schreckerstarrte Gruppe, aus der fassungslos Antwort kommt: »Meine Maria! Und Emilia! Und Caspar!«

Wenn ich mir vorstelle, wir wären ohne Onkel Teddy angekommen! In der Isolierbaracke des Lagers Buchenwald findet er an diesem Morgen seine Kinder wieder und es kann keine ganz ungetrübte Freude sein, denn bis jetzt hatte er sie unbehelligt bei Verwandten ihrer verstorbenen Mutter geglaubt. Aber angesichts der vielen, die in diesen Tagen den Anschluss verlieren, muss man wohl froh sein um jeden, den man in seiner Nähe weiß.

Mehr und mehr Leute kommen, durch die Begrüßung angelockt, aus der Baracke. Weitere Freudenschreie: Die beiden Söhne Goerdeler sind hier! Da sind Frau von Hammerstein-Equord mit Tochter und Sohn, das alte Ehepaar Amelie und Fritz Thyssen, da sind die Ehefrau des Generals Lindemann, ein Vetter von Fräulein Gisevius namens Major Schatz, ein Ehepaar Kaiser, ein Ehepaar Mohr, eine Frau Halder, eine Frau Schröder mit drei kleinen Kindern ...

Mir schwirrt der Kopf von Lärm und fremden Gesichtern

und ohne recht zu begreifen warum, bin ich plötzlich den Tränen nahe. Am liebsten würde ich Mutter am Ärmel zupfen: »Können wir bitte hineingehen?«

Und über allem hängt dieser grauenvolle Gestank, der uns seit der Rampe begleitet, kratzt im Hals und kriecht unter die Kleider.

Endlich ist der Begrüßungstaumel überstanden. Im Inneren der Baracke warten Zimmer mit Doppelstockbetten und – damit wir uns rasch zu Hause fühlen – auch schon der erste Fliegeralarm.

Eine strahlende Emilia steckt den Kopf zur Tür herein: »Hallo, ihr Neuankömmlinge! Luftschutzkeller haben wir leider nicht, stellt euch einfach unter die Türrahmen.«

Neuankömmlinge? Ich bin irritiert. Schön, die anderen mögen vor uns hier gewesen sein. Wir aber sind mit Abstand die größte Gruppe und am längsten zusammen, also kann man doch wohl mit Fug und Recht davon sprechen, dass wir die Buchenwalder unter uns aufnehmen und nicht umgekehrt!

Russische Häftlinge bringen etwas später das Gepäck und es stellt sich heraus, dass man in diesem Lager recht mitteilsam ist. Mit leuchtenden Augen berichten sie, wir wohnten im selben Sonderbau, in dem bereits die Prinzessin Mafalda von Hessen ums Leben gekommen sei! Sie habe während des großen Bombenangriffs auf die Fabrik im Laufgraben neben der Baracke gesessen, als diese getroffen und auseinandergeflogen sei, und zwar leider brennend und direkt in den Graben, aus dem die Prinzessin und der Sozialdemokrat Rudolf Breitscheid anschließend nicht mehr lebend herauskamen.

Viele, viele Prominente seien in diesem Lager, verraten die Häftlinge und betrachten uns neugierig und ein wenig enttäuscht, denn in unseren zerlumpten Kleidern machen wir nicht mehr viel her. Maria und Emilia, Onkel Teddys etwa zwanzigjährige Töchter, erst seit Kurzem Gefangene und in meinen Augen fast schwindelerregend hübsch, nehmen Anna und mich sofort mit in ihr Zimmer, um unsere Sachen zu inspizieren und uns auszuhelfen.

»Dieses Fetzchen können wir getrost zum Putzen nehmen«, erklärt Emilia und zieht mit spitzen Fingern eine vergilbte, zerknitterte Sommerbluse aus meinem Koffer.

Ich sage nichts. Mit einem einzigen wilden Griff reiße ich ihr die Bluse aus der Hand und verstecke sie hinter meinem Rücken.

»Das ist Tante Lexis Bluse«, sagt Anna leise und ohne jemanden anzusehen, und meine großzügigen älteren Kusinen haben plötzlich fragende, erschrockene Augen. Als würde ihnen erst jetzt bewusst, dass Anna und mich mehr von ihnen trennt als die Garderobe.

Mein Brief an Vater wird wohl als Tagebuch enden. Doch unbeirrt versehe ich alles, was ich hinzuschreibe, mit einem jeweils neuen Abschiedsgruß – als ob Lexi jeden Augenblick vorbeikommen könnte, um den wachsenden Stoß Papier mitzunehmen.

Es gibt aber auch viel zu berichten, seit wir in Buchenwald sind! Angefangen bei den Aufseherinnen: Aus der Pattke sind ein Fräulein Nocke und ein Fräulein Raffold geworden. Eine ist dünn und nervös, die andere dick, laut und unbekümmert, und beide spazieren nach Belieben bei uns ein und aus. Sie und die zwei Untersturmführer wohnen in einem eigenen Trakt am Ende der Baracke. Morgens lassen sie als Erstes ihren Hund in den Gang, wo er einen großen gelben Haufen absetzt. Man fragt sich, was er wohl zu fressen bekommt.

Ich erzähle vom Besuch eines Beamten des Reichssicherheitshauptamtes, der viel alte Post für uns mitbrachte – datiert vom Januar, offenbar haben sie sich schon in Stutthof nicht mehr bemüht, sie zuzustellen. Feys Mutter schreibt, sie habe alle vierzehn Tage den erlaubten Brief geschickt. Selbstredend hat Fey außer diesem letzten keinen bekommen.

Ich erzähle von unseren Zahnarztbesuchen. »Eine bestens ausgestattete Praxis im SS-Bereich, im Wartezimmer lauter vornehme Häftlinge in Trachtenkleidung!«, hatte Nanni entzückt berichtet, nachdem sie mit der zahnwehgeplagten Maria dort gewesen war. »Das müssen Wittelsbacher gewesen sein!«

Worauf auch wir anderen uns sofort beim Zahnarzt anmeldeten in der Hoffnung, dabei einen Blick auf eines der ältesten Adelsgeschlechter oder andere der *vielen, vielen Prominenten* werfen zu können, die angeblich hier sein sollen. Allerdings bekamen Mutter und ich bei unserem Termin außer einem sehr höflichen Zahnarzt nur einen einzigen, traurig blickenden älteren Patienten zu Gesicht, der den Hut zog und »Hoepner« murmelte. Erst später ging uns auf, dass es sich um einen Bruder des Generals gleichen Namens gehandelt haben könnte, von dem ich nach dem ersten Verschwörerprozess in der Zeitung gelesen hatte.

Auch von einem anderen Prozess haben wir erfahren müssen. »… zwei Stunden nach dem Urteilsspruch vollstreckt«, hörte ich Frau von Hammerstein im Flur zu Fey sagen, »und dabei muss er alle noch so beeindruckt haben mit seiner Haltung. So bestimmt und selbstbewusst, erzählt man, dass man nicht mehr wusste, wer Angeklagter und wer Kläger ist …«

Vor meinen Augen erfuhr Fey, die voller Hoffnung gewesen war, noch am Tag unserer Ankunft von der Hinrichtung ihres Vaters. Frau vom Hammerstein, eine Freundin ihrer Mutter, war erst im Dezember verhaftet worden und kannte alle Details. »Körperlich misshandelt scheint man ihn gottlob nicht zu haben«, meinte sie, während ich entsetzt ins Zimmer floh. Später sah ich Tante Ilselotte zu Fey hineingehen und fest die Tür hinter sich schließen.

Ich erzähle Vater von den Geräuschen hinter der Mauer, den Hunderten von Holzpantoffeln, die jeden Morgen und jeden Abend vorbeiklappern: Häftlinge auf dem Weg in den Steinbruch. Früher hätten sie selbstverständlich auch in der Fabrik gearbeitet, verrät Fräulein Nocke bereitwillig, aber die sei ja nun leider kaputt.

Manchmal trägt der Wind Schreie hinüber und die Kommandorufe des Appells. Manchmal hören wir eine Musikkapelle Marschlieder spielen.

Von dem Gestank erzähle ich Vater nichts. Ich bringe es nicht fertig aufzuschreiben, was er bedeutet. Was sich beißend auf uns niedersenkt, kommt aus dem Schornstein des Krematoriums. Mehrere Hundert Gefangene sollen jeden Tag im Lager zu Tode kommen – verhungert, erschossen oder an Typhus und Ruhr gestorben.

Dabei hätten die anderen mir in Stutthof noch viel mehr erzählen können. Sie haben es von den russischen Häftlingen erfahren, die das Holz brachten.

»Du warst an dem Tag nicht dabei«, sagt Julius, »du warst bei Tante Almut, als es ihr so schlecht ging.«

»Aber glaubst du das denn?«, frage ich schwach. »Duschen, aus denen kein Wasser, sondern Giftgas kommt?«

Julius zögert. Dann sagt er die schlimmsten Worte, die ich je gehört habe: »Die Juden stehen in langen Schlangen vor dem Waschhaus und werden am anderen Ende tot herausgetragen. Nach Osten gebracht zu werden bedeutet nichts anderes, als ins Gas zu gehen.«

Der Frühling kommt in diesem Jahr schon Mitte März. Auf die Gangseite unserer Baracke wirft die Sonne gegen Mittag einen so breiten Streifen Licht, dass wir alle darin Platz finden: rund vierzig Häftlinge, auf die unsere Gruppe mittlerweile angewachsen ist, die Nocke und die Raffold und der Hund. Einige sitzen auf herausgeschleppten Stühlen und lesen, andere dösen oder unterhalten sich in den Türeingängen sitzend, und es ist dieselbe Sonne für uns und unsere Aufseherinnen und die Häftlinge im Steinbruch und die Schlange vor den Gaskammern im Osten und den Mann, der all dies angeordnet hat.

Dieselbe Sonne, die sich im Fenster eines kleinen Flugzeugs bricht, das wir bestimmt eine Minute brummen hören, bevor es direkt über unseren Köpfen auftaucht, einen huschenden Schatten zwischen Mauer und Baracke wirft und einen Atemzug später gemeinsam mit diesem hinterm Dach verschwindet. »Das war ein Fieseler Storch«, bemerke ich nicht ohne Stolz zu Julius. »Bin ich letztes Jahr noch geflogen.«

Das Brummen wird leiser, zieht eine Schleife, kommt zurück. »Ich glaube, der sucht was«, meint mein Vetter und wir stehen auf, um den Hals zu recken.

Da ist er! Jetzt kommt er von links und fliegt tief auf die Längsseite unseres Gangs zu, sodass wir ihn schon von Weitem herannahen sehen: die Panoramafenster, die einzelne Gestalt in der Kanzel, die Tragflächen, die plötzlich wie wild zu wackeln beginnen …

»Ja, ist der denn verrückt geworden?«, schimpft die Raffold. »Der kann doch nicht im Tiefflug über die Baracke …!«

Aber da hat mein Denken längst ausgesetzt. Da sind auch andere schon aufgesprungen: Max natürlich und Markus und Ina. Da besteht die Welt nur noch aus einem Wort.

Gefunden! Gefunden! Gefunden!

Die Nocke, die gern so tut, als sei sie mit ihren Gefangenen gut Freund, sagt, ich dürfe an der Tür gucken, wenn mein Onkel zurückkommt, aber nur ganz kurz und ohne auf mich aufmerksam zu machen und selbstverständlich ohne Garantie, meine Tante tatsächlich zu sehen, denn Besucher dürften hier schließlich nicht einfach durchs Lager spazieren!

Die Nocke findet es merkwürdig, dass man Max geholt hat, um Lexi zu treffen. Sie findet es merkwürdig, dass diese überhaupt landen durfte. Ja, je länger sie darüber nachsinnt, desto merkwürdiger findet sie es, dass die Ehefrau eines Gefangenen sich ein Flugzeug der Luftwaffe *aus der Garage nehmen* und damit nach Herzenslust herumfliegen kann.

»Sie scheint ja ein ganz dickes Tier zu sein, deine Tante«, sagt sie lauernd.

Ich sage nichts. Ich habe das Auge am Schlüsselloch und starre so angestrengt hindurch, dass lila Schlieren vor mir zu schwimmen begonnen haben. »Kannst du schon etwas sehen?«, forscht Fey, die aus Mitfreude mit Max hinter mir ausharrt.

Ich melde: »Noch immer ein kleines Stück Vorplatz und einen Baum.«

»Lass mich mal!«, drängt die Nocke, schiebt mich beiseite und guckt jetzt auch durch das Schlüsselloch.

Fey und ich sehen uns an und prusten beinahe heraus, als die Aufseherin bemerkt: »Da kommt ein Auto.«

Ich tue einen Riesensatz an ihre Seite. »Aha«, äußert sie zufrieden und steht wie eingepflockt, »Fliegeruniform trägt die also!«

»Fräulein Nocke, kann ich bitte, bitte, bitte …«

»Die ist ja nur halb so groß wie er«, übertreibt die Nocke.

»Fräulein Nocke«, ruft Fey außer sich, »Sie hatten es Fritzi versprochen!«

»Jetzt küssen sie sich, hehehe!«

Augenblicklich weiß ich, wie man sich fühlt, kurz bevor man jemanden umbringt.

»Fräulein Nocke, *bitte*!«, schreit Fey.

»Gut, gut«, sagt diese ärgerlich und lässt mich endlich ans Schlüsselloch, aber da sehe ich nur noch Max in ganzer Länge und muss beiseitespringen, um nicht die Tür vor den Kopf zu bekommen. Immerhin tut Max mir den Gefallen, sich noch einmal umzudrehen und zu winken, sodass ich an ihm vorbei nun doch noch sehe und gesehen werde. Lexi winkt Max mit der einen Hand und mir mit der zweiten.

Die Tür ist zu. Tapfer schlucke ich meine Tränen und frage: »Wie war's?«

Meine Briefe hatten nichts damit zu tun. Lexi hat beharrlich herumtelefoniert, nachdem sie feststellen musste, dass wir

nicht mehr in Stutthof waren. Endlich gab ihr jemand den Hinweis auf Lauenburg, wo man zwar Nachricht über unseren Weitertransport, nicht aber die Ankunft an irgendeinem Zielort hatte. Man nahm an und teilte Lexi mit, wir seien durch die Rote Armee vom Westen getrennt worden und es sei aussichtslos zu suchen.

»Aussichtslos«, sagt Max ironisch, »ist aber nun gerade kein Wort aus dem Vokabular meiner Frau.«

Ausgestattet mit einer nicht näher bezeichneten, also alle Möglichkeiten offen lassenden Genehmigung des Reichssicherheitshauptamtes für einen *Sondereinsatz* war meine Tante seitdem in jeder freien Minute unterwegs gewesen, um etwas über uns herauszufinden. Den Flug nach Buchenwald hatte sie aufs Geratewohl von Würzburg aus unternommen.

Würzburg? Ich habe richtig gehört. Der Russe steht vor Berlin und die technische Leiterin der Versuchsstelle für Flugsondergerät, Gräfin Lautlitz, hat ihre Dienststelle mit schwerem und leichtem Gerät nebst Sekretärin aus Sicherheitsgründen an ihren Wohnsitz verlegt!

»Nirgends ist es so sicher wie in Würzburg!«, meint Max erleichtert. »Keine Industrie, keine Bomben«, und ich sehe Lexi in ihrem Wohnzimmer sitzen, die riesigen Bücherregale im Rücken und Max' Plastik neben sich, und etwas wie Heimweh ergreift unerwartet von mir Besitz – wenigstens einen meiner Erinnerungsorte gibt es also noch!

Eine weitere schöne Nachricht heißt Cornelia und ist meine jüngste Kusine. Und auch mit den anderen Kindern hält Lexi Kontakt, meldet sich regelmäßig bei deren Heimleiterin und lässt sich Neuigkeiten berichten.

Doch Julius, Nanni und Markus sind blass geworden. Der Russe kurz vor Berlin …! Seit Wochen haben wir keinerlei Nachricht von Tante Sofie und Onkel Jasper, aber nach unseren letzten Informationen sollten sie nach Sachsenhausen gebracht werden, ein Lager, das nur einen Sprung von Berlin entfernt ist.

Am nächsten Tag kommt Lexi wieder, Max wird gerufen, doch diesmal treffen sie sich außerhalb des Lagers. Beim Abflug kreist meine Tante mehrmals über der Baracke und unsere ganze Gruppe steht mit Handtüchern und Bettlaken im Gang und winkt. Ich sehe ihr lächelndes Gesicht im Fenster. Sie ist auf dem Weg nach Berlin, Julius' Eltern suchen.

Für mich bringt Max bei seiner Rückkehr einen kurzen Brief mit, den er mir vorlesen muss, so eilig hat sie ihn in seinem Beisein hingekritzelt:

»Mein liebes Klexchen, habe von deiner Flugpost gehört – du Süße! Wer weiß, vielleicht bekomme ich sie eines Tages, wenn wir alles Schlimme schon fast wieder vergessen haben. Deine Seiten für den Papa nehme ich mit. Bleib mutig und zuversichtlich, lange kann es nicht mehr dauern. Max soll dich fest von mir drücken. Wir sprechen uns nach dem Krieg! Deine Lexi.«

Lange kann es nicht mehr dauern – das meint auch Onkel Teddy. Jeden Tag gibt es nun Fliegeralarm, wir hören riesige Geschwader über uns hinwegdröhnen und erfahren von der Nocke später, mit welchem Ziel. Wispernd, haspelnd und flatternd ist die Aufseherin bereits dabei, die Seiten zu wechseln. »Nicht wahr, ich war immer korrekt zu euch«, fleht sie beinahe und was bleibt mir anderes übrig als zu nicken?

Briten und Amerikaner scheinen sich verständigt zu haben, die Lager nicht zu bombardieren, obwohl sie sie aus der Luft deutlich sehen müssten. Ist ihnen nicht klar, wie verzweifelt die Gefangenen auf einen Angriff warten? Die Bomber, die ihnen zur Flucht verhelfen könnten, fliegen vorbei. Nur einmal schlägt ganz in der Nähe eine Luftmine ein; wir halten uns im Türrahmen fest, während die Druckwelle vorbeirollt. Türen und Fenster fliegen auf, die Scheiben zerspringen, aber die Lagermauern stehen anschließend so fest wie zuvor.

Die Amerikaner überqueren an mehreren Stellen den Rhein und rücken ins Reichsinnere vor. Das Ruhrgebiet ist gefallen, in Hessen hisst man weiße Fahnen, am Palmsonntag kapituliert Darmstadt. Über dem Lager sirrt Unruhe, sämtliche vier Aufseher unserer Baracke, auch die Frauen, sind jetzt ständig betrunken.

Doch trotz der allgemeinen Auflösung treffen in der Osterwoche weitere Sippenhäftlinge ein: Herr Jehle, dessen Vater, ein Flieger, sich in die Schweiz abgesetzt hat, Frau Gudzent, deren Mann im Nationalkomitee »Freies Deutschland« aktiv ist, Gräfin Plettenberg und Isa Vermehren. Fräulein Vermehren war in Berlin Sängerin, Schauspielerin und Kabarettistin und hat eine Ziehharmonika, mit der sie uns ein Wunschkonzert gibt. Ihr Bruder, Diplomat in Ankara, ist mit seiner Frau zu den Briten übergelaufen.

»Ich wusste gar nicht«, sage ich zu Julius, »wie viele verschiedene Sippenhäftlinge es gibt und dass manche schon seit Jahren in Haft sind.«

»Wenn die SS ihre sämtlichen Sippenhäftlinge, Schutzhäftlinge, Ehrenhäftlinge und Sonderhäftlinge zusammenzöge, wären wir eine ziemlich große Truppe«, stimmt er zu.

Aber warum sollten sie das tun? »Die werden«, murmelt Onkel Teddy, »uns so kurz vor der Befreiung doch nicht noch einmal verlegen!«

Ob es daran liegt, dass wir ständig auf Mauern starren? Meine Ohren sind geschärft wie nie. Jedes noch so kleine Geräusch lässt mich aufhorchen, erkennen, kombinieren.

Nächtliches Hundegebell: Wieder versucht jemand zu fliehen. Die Versuche häufen sich, auch die Häftlinge spüren die Nähe der Befreier.

Lastwagen verlassen das Gelände: Was bringt die SS da wohl in Sicherheit? Die Wagen fahren polternd an uns vorbei; ich zähle sieben, acht, neun und sie kehren nicht zurück.

Im Trakt der Aufseher wird geheult: Die Nocke wird wissen, dass sie allen Grund dazu hat!

Im Zimmer nebenan geht jemand auf und ab: Max raucht Kette und hadert. Mit sich, dass er Lexi die Versuchsfliegerei nicht verboten hat, mit ihr, dass sie je einen Führerschein für irgendetwas erworben hat, das einen Motor besitzt. Mit ihrer verdammten Technikbegeisterung, mit der überhaupt alles angefangen hat, und mit der Luftwaffe, die so unverfroren war, sie als Ingenieurin für die Rüstung anzufordern, nachdem sie sich bereits zu den Sanitätsfliegern gemeldet und eine Ausbildung zur Rotkreuzschwester gemacht hatte!

Niemand ist jetzt noch mit einem Kleinflugzeug in Deutschland unterwegs, fürchtet Max – niemand außer meiner Tante, den Generälen und Kommandierenden der Wehrmacht und vielleicht einigen Nazi-Größen, die sich heimlich aus dem Staub machen. Die amerikanischen Jäger sind überall, jederzeit können sie am Himmel auftauchen und werden, malt sich mein Onkel aus, »in jedem Flieger den verdammten Göring vermuten«.

»Du kennst Max«, beruhigt mich Mutter, »er hat viel Fantasie!«

Tatsächlich scheint es in meinem Kopf eine Sperre zu geben, die mich davor bewahrt, seine Bilder zu sehen: ein fest verschlossenes Tor zwischen meiner eigenen Angst und der Bereitschaft, das Undenkbare zu denken. Doch der Stein, der Max vom Herzen fällt, als nach neun langen Tagen der Storch wieder über unserer Baracke auftaucht, hallt lauter in mir wider als die Luftmine.

»Seht nur, er ist voll besetzt!«, ruft Nanni aufgeregt, während Lexi triumphierend Schleifen zieht. »Das sind die Eltern! Das können nur die Eltern sein!«

Am Nachmittag haben wir Gewissheit: Onkel Jasper und Tante Sofie sind in letzter Minute ausgeflogen. Wäre Lexi nicht gewesen, die alle Hebel in Bewegung gesetzt hat, die vom Polizeipräsidium zum Reichssicherheitshauptamt, zur Gestapo und zurück gerannt ist, um die beiden mitnehmen zu dürfen, wären sie der Roten Armee in die Hände gefallen.

Ostern. Irgendjemand da oben ist auf unserer Seite! Im Gang der Baracke singen wir das Te Deum und die Nocke und die Raffold stehen verdutzt in der Tür. Begreifen sie, was Onkel Teddy da vorliest?

Es gibt keine größere Liebe, als wenn einer sein Leben hingibt für seine Freunde.

Es ist Ostersonntag und Max war bis eben ein wenig niedergeschlagen, da Lexi ihm bei ihrer Rückkehr berichten musste, dass sie in Würzburg ausgebombt sind. Die schöne Wohnung, seine große Bibliothek, alles, was sie besitzen … ein Großangriff der Royal Air Force auf eine Stadt, in der es keinerlei Industrie oder kriegswichtige Anlagen gab, nur viele alte Fachwerkhäuser, die brannten wie Zunder.

Lexi nimmt es leicht, meint Max, jetzt kann sie sich ganz auf die Hilfe für uns konzentrieren. »Gott sei Dank war sie an dem Tag in Berlin!«, sagt er und singt aus tiefstem Herzen.

Es ist Ostersonntag und Nanni hält die Hand ihrer Mutter. Am Karfreitag kam Tante Sofie allein durchs Tor, aufrecht und lächelnd mit ihrem kleinen Koffer. Onkel Jasper ist bei Lexi in einer Offiziersbaracke auf dem Flugplatz Nohra. Aus gesundheitlichen Gründen aus der Sippenhaft entlassen – er darf nach Hause!

Es ist Ostersonntag, Max darf Lexi treffen, wenn auch nur für eine Dreiviertelstunde, und nimmt ihr von den Matzen mit, die Nanni gebacken hat. An den Anblick des Storchs, den sie zum Abschied über uns kreisen lässt, haben wir uns in dieser Woche schon gewöhnt. Jeden Tag kam sie – mehrmals, wenn es ging, und sei es nur, um uns zu überfliegen. Sehnsuchtsflüge, sagt Mutter zärtlich.

Es ist Ostersonntag und Lexi drückt liebevoll und tröstend eine Hand an die Seitenscheibe des Storchs, bevor sie abdreht. Morgen will sie Onkel Jasper nach Hof fliegen, wo seine Schwägerin, Baronin Guttenberg, ihn abholen und nach Hause zurückbringen wird.

Es ist Ostersonntag, und das ist das Letzte, was ich von meiner Tante Lexi gesehen habe.

Fünfzehn

Philippa Bredemer! Hastig stolpere ich ins Dunkel, als mein Name aufgerufen wird, eine Taschenlampe leuchtet mir ins Gesicht und irgendwo dahinter knurrt die Stimme: »Nächste!« Im schnellen Wechsel zwischen blendendem Licht und Schwärze falle ich beinahe die Stufen des Omnibusses hinauf.

Die Stimme. Sie gehört zu einem Gesicht, das mir in seiner versteinerten Kälte deutlich vor Augen steht, obwohl ich den Blick rasch abgewandt hatte, noch während der Mann im Flur auf uns zutrat. In all den Monaten unserer Gefangenschaft bin ich noch keinem Menschen begegnet, dem sich das Böse so tief ins Gesicht gefurcht hat. Das Böse heißt Bader, Untersturmführer Bader, und leitet unseren Transport.

In einer Stunde fertig zur Abfahrt! Das Kommando kam am Nachmittag, gerade hatten wir bei schönem Wetter die große Wäsche beendet, nun bleiben unsere nassen Sachen im Gang vor der Baracke zurück. Diesmal, hieß es, dürften wir nur mitnehmen, was wir »bei der Fahrt auf dem Schoß tragen können«. In fliegender Hast musste entschieden werden, was das ist. Wie hätten wir wissen sollen, dass wir noch bis in die Nacht auf gepackten Koffern sitzen und warten würden?

Kein untätiges Sitzen allerdings: Ein verstohlenes Streifen und Schweifen kreuz und quer durch die Baracke war zu beobachten; kaum waren die Ersten auf die Idee gekommen, kannten auch andere kein Halten mehr. Fräulein Vermehren sah ich erfreut mit einem Kochtopf davonziehen, den Nanni hinterlassen hatte, Mutter fand einen guten Koffer, auf den Frau Goerdeler im Vorbeigehen einen strengen Blick warf.

»Sie kann nicht ernsthaft wollen, dass die SS ihn bekommt«, meinte Mutter und packte gelassen noch einmal um, während ich vor Scham fast im Boden versank.

Der Bus füllt sich, ein zweiter steht bereit. Da einzeln und nach Alphabet aufgerufen wird, muss der größte Teil der Familie im zweiten Bus fahren und ich wieder einmal mit der Angst zurechtkommen, wir könnten getrennt werden.

Mutter nimmt meine Hand, wir sitzen gleich vorn bei der Tür und die verstörten Blicke der anderen treffen als Erstes auf uns. *Was hat das zu bedeuten?* Der überstürzte Transport, die Anordnung zum Handgepäck, die große, grimmige Eskorte und die zahlreichen, auf uns gerichteten Pistolen auf dem Weg zwischen Baracke und Bus … im Mienenspiel jedes Einzelnen, der nach der Gesichtskontrolle blinzelnd im Einstieg auftaucht, sehe ich dieselbe erschrockene Frage.

Dieselbe Resignation: *Nun also doch!* Der Gefechtslärm ist seit Tagen zu hören, auch jetzt, während unserer Abfahrt, erzittert die Nacht vom fernen Kanonendonner. Erfurt habe kapituliert, hieß es gestern, die Amerikaner stünden vor Weimar, nur wenige Kilometer noch …

Vergeblich gehofft. Draußen, ich höre es ganz deutlich, tritt jemand an den Bader heran und will wissen, ob er die Handgranaten dabei hat.

Eine Antwort höre ich nicht. Mein Kopf schleudert Worte wie Bälle umher.

Sie! Wollen! Uns! Sprengen!

Ich will aufspringen, zur Tür rennen, es den anderen zuschreien. Ist es schreckerstarrte Angst, die mich an den Sitz fesselt, oder der schiere Unglaube: *Das können sie doch nicht machen!?*

»Bleib ruhig«, flüstert Mutter, die es auch gehört hat, »im Moment können wir nichts tun!«

Quälende Minuten ziehen sich in die Länge. Ist der zweite Bus schon abgefahren? Zur Seite hin, wo er stehen müsste, sehen wir nichts; bis auf die Frontscheiben sind alle Fenster mit Farbe bestrichen. Nur an den huschenden Schatten der Wachmannschaft im Scheinwerferlicht vor dem Bus ist zu erkennen, dass der Aufbruch unmittelbar bevorsteht.

Die Nocke kam wie ein Gespenst durch unser Zimmer geflogen, während wir packten. »Aus! Aus! Es ist alles aus!« Stürmte nach nebenan, ohne auf Antwort zu warten, verkündete dort dasselbe. War auf einmal verschwunden.

Wir fahren. Ohne Max, ohne Julius und seine Familie, ohne Onkel Teddy. Meine Hände sind schweißnass. Hinter uns murmeln die Ungarn, es klingt beunruhigt.

Nach einer gefühlten ganzen Nacht, in Wirklichkeit kaum einer halben Stunde, biegen wir plötzlich in einen Waldweg ein und kommen an einer Lichtung zum Stehen, wo der Fahrer wortlos aussteigt.

Wird es schnell gehen? Mit trommelndem Herzen starre ich auf die offene Eingangstür. Welcher Körperteil wird am meisten wehtun? Hätten wir eine Chance gehabt, wenn wir weiter hinten im Bus gesessen hätten?

Ich denke an den Brief für Vater, den Lexi nach Berlin mitgenommen hat. Ich bin froh, dass ich ihn noch geschrieben habe!

Ich versuche, als Letztes an etwas Schönes zu denken, und sehe Gesichter … Mutter und Vater und Fabian und Lexi, und Max, Omama und Onkel Yps mit seiner Kerze. Als ob von allem Schönen in meinem Leben das Wichtigste erst zuletzt geschehen wäre! Julius und Nanni und Ina und Fey und die tapfere Tante Sofie.

Draußen blitzt Licht auf, doch es sind nur die Scheinwerfer mehrerer Wagen, die langsam auf uns zurollen. Mit einem Riesensatz, der die gesamte Menschenfracht hinter mir hörbar zusammenzucken lässt, springt der Fahrer in den Bus zurück. Er wühlt in der Lade neben dem Sitz und fördert eine Straßenkarte zutage, mit der er wieder aussteigt. Ich sehe mehrere Männer sich im Scheinwerferlicht über die Karte beugen.

Und meine kleine Lebensuhr, vorübergehend angehalten am 4. April um kurz nach Mitternacht, beginnt leise wieder zu ticken.

»Sie fahren weiter!«, flüstert Mutter.

Untersturmführer Bader hat ein flaches, eckiges Gesicht, in dem sich zwei tiefe Mundfalten wie feindliche Gräben gegenüberstehen; breit und struppig schweben schwarze Balken über kalten, grauen Gucklöchern, aus denen er uns anstarrt, ohne etwas preiszugeben. Wo bei anderen Leuten die Augen sitzen, liegt beim Bader etwas, womit keiner von uns Bekanntschaft machen möchte.

Seine Wut, als sie endlich aus ihm herausbricht, ist fast eine Erleichterung, so menschlich und ohnmächtig kommt sie daher. »Und wohin jetzt mit euch?«, schreit er uns während einer Pinkelpause im Wald an, als ob wir irgendetwas dafürkönnten.

Vor welchem Tor unser kleiner Konvoi in den letzten zwanzig Stunden Einlass begehrt hat: Man wies uns ab wegen Überfüllung! Flossenbürg ist voll, ein zweites Lager bei Regensburg auch, selbst in Dachau, offenbar dem Ziel unserer Fahrt, wird der Bader uns nicht los.

»Schloss Walcheren ist ganz in der Nähe«, bemerkt Markus mit gedämpfter Stimme, aber hörbar. Der Bader schnaubt: »Das könnte euch so passen«, und geht noch einmal telefonieren.

Wahrscheinlich brüllt er die vorherigen Insassen des Regensburger Gefängnisses einfach raus. Als wir es beziehen, sieht es aus wie fluchtartig verlassen: dreckig, völlig verwanzt, die Küche angeblich geschlossen.

»Wir wol-len Es-sen! Wir wol-len Es-sen!«

Keine Ahnung, wer damit angefangen hat – plötzlich donnert es rhythmisch an sämtliche Türen. In unserer Zelle sind es Mutter und Fey, die mit besonderer Inbrunst teilnehmen, während Ina und ich vor allem damit befasst sind, tödliche Schläge gegen die Wanzen zu führen.

Ein Aufstand! Ängstlich lausche ich dem Radau und male mir das Gesicht vom Bader aus. Als die Klappe in der Zellentür auffliegt, sehe ich es schon leibhaftig …

»Komm ja schon, komm ja schon«, brummt der Wachmann und schiebt vier Blechnäpfe mit Suppe, vier dicke Scheiben Brot und vier Becher Kaffee zu uns hinein.

»Das ist der Untergang«, stellt Mutter fest, während wir auf den Pritschen sitzen und essen. »Wenn sie sich das gefallen lassen, müssen sie am Ende sein!«

Am nächsten Tag trommle ich mit. Wir trommeln so lange »Wir wollen raus!«, bis sie die Zellen öffnen und wir im Gang umherspazieren und nachsehen können, wer alles da ist.

Für jemanden, der eben noch von unserer bevorstehenden Auslöschung überzeugt war, ist es erstaunlich zu sehen, wie wir uns vermehrt haben.

Diverse Diplomaten! Ein Neffe Molotows! Drei echte britische Geheimagenten! Die sind nicht mehr die Allerjüngsten; schon vor Jahren sind sie mit Fallschirmen abgesprungen, um Kontakt zum deutschen Widerstand aufzunehmen, aber es war eine Falle und sie wurden an der holländischen Grenze geschnappt. Einer von ihnen – lang, hager, mit Monokel, Flanellhose und karierter Jacke – heißt Major Payne-Best und Julius behauptet, er sei das berühmteste Entführungsopfer Deutschlands.

Sofort bin ich überzeugt, dass auch ich schon gehört haben muss von »Mr Best«! Mr Best und die anderen Neuen mussten die lange Fahrt in einer überfüllten grünen Minna zubringen, die unseren Bussen mal folgte, mal vorausfuhr und von der offenbar auch der Bader nicht genau wusste, wer eigentlich drinsaß. Mitten auf der Straße hielten sie das Fahrzeug plötzlich an, zerrten fünf Männer heraus, stopften zwei davon wieder hinein und zwangen die anderen, zu einem weiteren Wagen mitzukommen, der sich kurz darauf mit ihnen entfernte.

Ich kann mich nicht entscheiden, was unheimlicher ist: Nazis mit klaren Befehlen oder Nazis, die nicht wissen, was los ist. Unsere wirken sehr wütend. Brüllen sich sogar gegenseitig an! Gereizt beobachten sie den angeregten Austausch von Meinungen und Stimmungen auf dem Flur – und unternehmen nichts.

In einem kleinen Personenwagen ist der prominenteste Gefangene unserem Bus gefolgt: Léon Blum, der französische

Premierminister. Er hat einen Hexenschuss und bleibt mit Madame Blum in seiner Zelle, aber ich habe das Gefühl, dass die Schmerzen nicht der einzige Grund für seine Vorsicht sind. Ich glaube, Léon Blum denkt dasselbe wie ich: Die SS hat nicht die Absicht, uns ungeschoren davonkommen zu lassen. Die SS wartet nur auf ein Zeichen, bevor sie zuschlägt.

Ob Léon Blum von den Handgranaten weiß? In meinem Kopf kullern sie jedenfalls noch herum, und wenn die meisten von uns sich noch so selbstsicher geben!

Wie um daran zu erinnern, mit wem wir es zu tun haben, erfahren noch auf dem Flur Frau Goerdeler und Frau Lindemann, dass ihre Männer nicht mehr leben. Carl Friedrich Goerdeler ist hingerichtet worden, Fritz Lindemann an den Folgen einer Schussverletzung gestorben, die er bei der Verhaftung erlitten hatte. Der Pastor Dietrich Bonhoeffer, ein weiterer Passagier der grünen Minna, war mit den beiden in Haft und weiß Bescheid.

Am Nachmittag donnern riesige Bombergeschwader über uns und die SS beschließt, dass wir nicht bleiben. Statt der Omnibusse warten Holzgaswagen, deren Motoren so häufig aussetzen, dass wir eine weitere Nacht mehr oder weniger stehen – wartend auf liegen gebliebene Fahrzeuge des Konvois oder selbst mit einer Panne.

Viel Zeit für den Bader, zu telefonieren. Gegen Morgen findet er endlich ein Quartier. Der Ort heißt Schönberg und liegt im Bayerischen Wald, und um Platz für uns zu schaffen, muss er lediglich ein Notkrankenhaus mit wehrlosen Verwundeten und eine Schule voller Flüchtlinge räumen. Sollen sie ihrerseits sehen, wo sie bleiben!

Über das Ausmaß meines Vertrauens in Kühe muss ich mir allmählich Sorgen machen. Kaum habe ich ihre gutmütigen Gesichter im Stall erspäht, bin ich in einer treuherzigen, leichtsinnigen Weise auf Besserung unserer Lage eingestimmt; eine Erwartung, die förmlich dazu einlädt, enttäuscht zu werden. Auf der Stelle bin ich mir dessen bewusst, aber es ist, als machten zwei Hälften meines Hirns ihr jeweils eigenes Ding. Geradezu beschwingt stopfe ich gemeinsam mit Markus, Julius, Anna und Eberhard Arme voll Stroh in Jutesäcke, die uns Gefangenen als Matratzen dienen sollen.

Der Bauer guckt skeptisch auf die Gewehre der Wachen und ich sehe ihm an, dass auch die Art und Weise, wie die Männer sich an der Stallwand aufbauen und uns nicht aus den Augen lassen, ihm gewisse Rätsel aufgibt. Der Dorfbevölkerung ist bei unserer Ankunft mitgeteilt worden, wir seien evakuierte SS-Familien. Der Dorfbevölkerung war daraufhin deutlich anzumerken, dass der Einfall einer wild gewordenen Elefantenherde ihnen willkommener gewesen wäre als wir.

Jeden Augenblick rechneten sie mit dem Einmarsch der Amerikaner, dem Moment, in dem der Krieg für Schönberg vorbei ist – und nun das! Als unser Konvoi in der Ortsmitte zum Stehen kam und als Erstes zahlreiche SS-Mannen aus den Fahrzeugen sprangen, konnte ich durchs Wagenfenster beobachten, wie weiter oben auf der Straße hastig weiße Fahnen von den Häusern gerissen wurden.

»Doa im Eck«, sagt der Bauer zu Julius und mir, »hat's auch noch Stroh«, und während er uns hinführt, ganz leise: »Gell, ihr seids koa SS!«

»Sippenhäftlinge!«, flüstert Julius ihm zu, ein Begriff, mit dem der Mann nichts anfangen kann. »Aus Buchenwald!«, ergänzt mein Vetter und wird sofort verstanden, der Bauer fährt erschrocken zurück und eine Hand zuckt zur Stirn, als wolle er sich bekreuzigen.

Im letzten Moment besinnt er sich auf die Anwesenheit der Wachen. »I werd's im Dorf erzählen«, murmelt er, bevor er für einige Minuten verschwindet und mit mehreren Bechern Milch zurückkehrt, auch zahlreichen Äpfeln, die er uns in die Taschen steckt. Und als wir mit dem Strohsackstopfen fertig sind, lässt er uns nicht gehen, ohne jedem die Hand gedrückt zu haben.

Wenn es stimmt, dass das Gesicht eines Menschen seinen Lebenswandel widerspiegelt, dann stelle ich mir lieber nicht vor, wie die Vergangenheit unserer Bewacherinnen ausgesehen haben muss. Aus Regensburg hat der Bader, als hätten wir nicht genug SS vor Augen, drei stämmige Unterführerinnen mitgebracht, die einander in Hässlichkeit und Abgestumpftheit dermaßen ähneln, dass man sie gerade noch am Alter auseinanderhalten kann. Die drei sollen für unsere mittlerweile fast siebzig Personen umfassende Schar kochen, eine Aufgabe, der sie sich mit größtmöglicher Gleichgültigkeit annehmen.

»Hundsessen!«, spuckt die sonst so leidensbereite Nanni, und Fräulein Vermehren meint hintergründig: »Wie sie es fertigbringen, aus Speck und Kartoffeln ein Wassersüppchen zu zaubern, bleibt ihr Geheimnis.«

Dass Speck und Kartoffeln von einer kleinen Abordnung der Dorfbewohner für uns abgegeben wurden, haben die Goerdelers durchs Fenster des Schulhauses beobachtet. Geahnt, warum unsere Wachmannschaft kurz danach so satt und zufrieden wirkte, haben wir alle.

»Eigentlich«, meint Julius, »sind sie doch ein erbärmlicher Haufen. Haben keine Ahnung, was sie mit uns anfangen sollen. Würden am liebsten selbst zu den Amis überlaufen. Trauen sich nicht, weil sie Angst haben vor den eigenen Kameraden, und klauen stattdessen unser Essen.«

»Diebstahl von Lebensmitteln als Ausdruck von Zukunftsangst«, murmelt Max. »Interessante Theorie.«

»Nun hört schon auf!«, ruft Fey. »Mir ist völlig egal, warum sie es tun. Ich habe Hunger, ich bin wütend, und ich bin der Meinung, wir dürfen uns das nicht gefallen lassen.«

»Und ich«, sagt Mutter und schlägt gegen die Tür, »will endlich hier raus!«

Das leere Schulzimmer, in dem wir eingesperrt sind, hat trotz der vielen Flüchtlinge, die bis vor zwei Tagen hier campiert haben, seinen Geruch nach Kreide, Tinte und staubigen Landkarten nicht verloren. Wie in einer Hügellandschaft verteilen sich unsere Jutesäcke und Gepäckstücke auf dem Fußboden, der blank gewetzt ist von Generationen ungeduldiger Füße, die unter den Bänken gescharrt haben. Man erkennt, wo die Bänke standen und wo der Mittelgang gewesen sein muss, in dem der Lehrer auf- und abging mit dem Rohrstock in der Hand. Angst und Gewalt sind dem kleinen Raum nicht fremd, und er tröstet uns mit einem einzigartigen Ausblick auf Berge und Tannenspitzen.

Wir sind sechzehn auf dem Zimmer, sämtliche Lautlitzer und Hofackers zusammen, dazu Fey, die praktisch zur Familie gehört. Die meisten unserer übrigen Reisegefährten verteilen sich auf zwei weitere abgesperrte Klassenräume der Jungenschule. In einem Zimmer der Lehrerwohnung im Stockwerk über uns hat man die Blums untergebracht und wir können die Wachen vor der Tür hin- und hergehen hören. Die Passagiere der grünen Minna sitzen in einer benachbarten Mädchenschule, streng von uns getrennt.

Mutter Kuhn, versichert man, erhole sich. Schon in Buchenwald war sie schwächer und schwächer geworden und hatte die Zeit hauptsächlich im Bett verbracht, auf die Amerikaner wartend. Ihre Aufregung und Enttäuschung über den neuerlichen Transport war gekrönt worden von der bitteren Erfahrung, statt in die Freiheit entlassen in ein echtes Gefängnis gesperrt zu werden, wo sich zum ersten Mal eine echte Zellentür hinter ihr schloss. Aus der Zelle, die sie am Abend zu Fuß betreten hatte, musste sie am Morgen herausgetragen werden.

»Es liegt bei Ihnen«, hatte der arme Dr. Goerdeler, zittrig und mitgenommen vom Tod seines Bruders, wieder einmal dem Transportführer auseinandersetzen müssen. »Frau Kuhn muss behandelt werden, sie braucht Herzmedikamente und Ruhe. Ich kann«, sagte er und es muss ihm vorgekommen sein wie eine Rückblende nach Reinerz, Stutthof, Matzkau und in einen Viehwaggon vor Berlin, »unter diesen Umständen keine Verantwortung übernehmen.«

Tatsächlich war an diesem Morgen ein Arzt aus dem Ort gekommen und hatte Frau Kuhns Einweisung ins »Spital« angeordnet. »Wann können wir sie besuchen?«, liegen Nanni und Vater Kuhn dem Bader seither in den Ohren und bekommen zur Antwort: »Bald. Vielleicht. Sie werden sehen.«

Aus dem Nebenzimmer sind die munteren Klänge der Ziehharmonika zu hören, die ein Wanderlied spielt, gefolgt von einem zweiten und einem dritten. Das schlaue Fräulein Vermehren! Sie scheint ans Unterbewusstsein der Wachen rühren zu wollen: *Jungs, wir wissen, dass auch ihr euch gern die Füße vertreten würdet!*

Ihre Taktik geht auf. Am nächsten Morgen gibt der Bader unseren wiederholten Bitten ganz überraschend statt und lässt uns ins Freie – begleitet von einer mild gestimmten kleinen Wachmannschaft, die aussieht, als hätte sie seit etwa sechzehn Stunden über nichts anderes als Spaziergänge nachgedacht.

Für welche der beiden Gruppen der Anblick verstörender ist, lässt sich bei unserer Begegnung auf der Dorfstraße schwer feststellen: für die Schönberger die lange, zerlumpte Kolonne, die sich unter Begleitung von Uniformen, Mützen und Maschinenpistolen zum Freigang begibt; für die Gefangenen der Anblick der Menschen im Sonntagsstaat, der geschmückten Häuser und aufgeregten Kinderschar, die vor der Kirche Aufstellung nimmt. Mädchen ganz in Weiß mit Kränzen und Schleifchen im Haar, Jungen in gestärkten Kommunionanzügen, Gebetbuch und Kerze fest in der Hand.

Weißer Sonntag! Stumm und verzaubert bleiben wir stehen und sehen die Kinder unter den Klängen der Orgel in die Kirche einziehen.

Erschrockene, fast entschuldigende Blicke treffen uns – wir erkennen unseren Bauern, den Bäcker, der die Lebensmittelspenden gesammelt hat –, bevor der Küster als Letzter die Kirche betritt, zögert … und dann doch mit ratlosem Gesicht die Tür schließt und uns aussperrt vom Fest. Nicht aus bösem Willen, sondern weil es eben Vorschrift ist, dass die Tür während der Messe geschlossen bleibt.

Bis wir die Wiesen vor dem Dorf erreichen, die voller Schlüsselblumen und Frühlingsgrün stehen, sind die Tränen aber wieder getrocknet, die ich in den Augen einiger im Weitergehen bemerkt habe.

»Man hat's ja immer schon gemunkelt«, sagt Julius, während er sich eine Schlüsselblume durchs Knopfloch zieht, »im äußersten Winkel des Reichs, gut versteckt zwischen Bergen, Wäldern und Flüsschen, soll es irgendwo noch menschliches Leben geben.«

Und als wollte dieses Leben uns heute Morgen wieder anstecken, entsteht, wohin man hört, ein vorsichtiger Plan.

Ich sollte mein Studienfach wechseln. Architektur! Das ist, was ich schon lange möchte und was in Deutschland bald am dringendsten gebraucht werden wird.

Zwei Kinder? Drei? Ach, wir werden es ja doch so nehmen, wie es kommt!

Wenn Lexi ihre Professur in Straßburg zugesagt wird, gehe ich mit. Wir waren lange genug getrennt!

Unser Gut ist zu klein, um eine Familie zu ernähren. Wenn mein Mann eine Stelle in Rom annähme, könnten wir in den Sommermonaten mit den Kindern aufs Land …

Ich wollte immer fürs Theater schneidern, oder die Oper … vielleicht fange ich damit noch an. So alt bin ich schließlich auch wieder nicht!

Einen Strauß Schlüsselblumen und Weidenkätzchen arrangieren wir, zurück im Schulhaus, in einer kleinen Milchkanne. Etwas von unserer guten Stimmung überträgt sich sogar auf den Bader, der großzügig beschließt, vor der Treppe eine verschließbare Tür zu installieren, damit wir uns im Gang dahinter frei bewegen können.

Unter den Häftlingen in der Jungenschule flüstert sich ein Gerücht herum. Einer der Gefangenen aus der Mädchenschule soll, während wir spazierten, in Fesseln aus dem Haus geführt und abtransportiert worden sein. Genaues weiß man nicht, aber es soll sich um Pastor Bonhoeffer gehandelt haben.

Eine Tür bauen sie unsretwegen ins Treppenhaus! Sie begleiten uns auf Spaziergänge, sagen Guten Morgen, wenn sie das Essen bringen, sie wiegen uns fast schon in Sicherheit – und erinnern nur einen Augenblick später daran, dass etwas unverändert Dunkles und Willkürliches über uns allen schwebt.

Die Vorstellung, dass der Bader selbst jetzt, wo sie mit uns nur noch auf der Flucht sind, Einzelne aus der Gruppe fortreißen könnte, bringt mich um den Schlaf. Stundenlang liege ich nachts wach und lausche – auf Schritte, Motorengeräusche, Türenschlagen –, morgens gehe ich als Erstes durch den Flur, schaue verstohlen in die Zimmer und zähle, ob alle da sind.

Tagsüber kann ich es manchmal vergessen. Tagsüber vermag ich mir sogar einzureden, dass man uns vor den Augen eines ganzen Dorfes, das so geschlossen auf unserer Seite steht, kein Haar krümmen könnte! Während die Wachmannschaft gewissenhaft vor der Treppenhaustür patrouilliert, füllen der Bäcker und zwei mutige Helfer Brot, Äpfel, Marmelade und Wurst in Eimer und Körbe, die am Seil aus einem der Fenster hängen. Hinter dem Rücken unserer Bewacher ziehen wir uns jeden Abend ein kleines Festmahl herauf.

Es geht nicht einmal tief nach unten. Wenn wir wollten, überlege ich, könnten wir mithilfe des Seils und der Regenrinne ganz leicht selbst abhauen!

»Und dann?«, erwidert Julius. »Wenn wir uns mithilfe der Dorfleute verstecken, und anders ginge es ja nicht, könnte es unsere Helfer das Leben kosten.«

Er hat Recht. Ich brauche nur an die dreißig Franzosen zu denken, oder an General Ziehlberg, den Vorgesetzten von Joachim Kuhn. Nannis Verlobter ist hinter die russische Front entkommen, seinen General haben sie dafür vor Gericht gestellt und erschossen.

Gerade weil die Dorfleute uns unterstützen, dürfen wir sie nicht in Gefahr bringen. Das sehe ich ein – dennoch kann ich nicht verhindern, dass der greifbar nahe Ausweg wie ein lästiges Insekt in meinem Kopf herumsummt, drängt und flüstert und die Enge des Schulhauses immer unerträglicher macht: *Bald wird es euch leidtun, es nicht versucht zu haben! Sitzt herum, als ob ihr nicht zwei Hände und Füße hättet, und überlasst dem Feind euer Leben!*

Die Fenster, hat der Bader befohlen, haben fest geschlossen zu bleiben – nicht einmal hier widersetzen wir uns, folgen der Anordnung peinlich genau aus lauter Sorge, beim kleinsten Verstoß könnten die Fenster plombiert werden und es mit unserem kleinen Speisenaufzug ein Ende haben. Tante Ilselotte, die mit den Worten »Hier stinkt's erbärmlich!« zum Lüften öffnen will, wird beinahe niedergeschrien.

Platzt selbst fast vor Zorn: »Die folgsamen Deutschen! Aus keinem anderen Grund ist es mit unserem Land so weit gekommen!«

Ich halte mir die Ohren zu, als Wortgeschosse hin und her fliegen: »… entschieden zu weit!« – »… merkt ihr denn nicht?« – »… muss ich mir nicht anhören!« – »… das Denken nicht einstellen wegen einiger Vorteile!«

Es fehlt nicht mehr viel zu einer verdammten Abstimmung, ob wir das Fenster zum Lüften öffnen oder nicht!

Nachts habe ich Angst um jeden Einzelnen. Tags denke ich, wir sind hier entschieden zu viele, und dass ich gern einmal alleine wäre.

Nanni und Vater Kuhn dürfen zweimal aus dem Haus, um Mutter Kuhn im Spital zu besuchen. Die Männer können alle zwei Tage in den Hof zum Holzhacken, und Onkel Teddy, unser Sprecher, wird gleich mehrfach zum Bader geführt, um Anordnungen entgegenzunehmen oder ein höfliches Gesuch unserer Gruppe vorzubringen.

Doch als sie am Donnerstag, gegen Ende unserer ersten Woche in Schönberg, an die Tür kommen und »Graf Lautlitz« herausrufen, meinen sie Max.

Es ist so still, während er fort ist. Jemand hat die Zeit angehalten. Habe ich geatmet? Ich kann mich nicht erinnern. Ich habe nicht einmal das Gefühl, dass ich noch im Raum war mit allen anderen, obwohl Mutter meine Hand genommen haben muss, denn sie hielt sie fest in der ihren, als er zurückkam. Weiß wie die Wand, ein erloschenes Gesicht.

Da habe ich es bereits gewusst.

Sechzehn

Dass ich Schlüsselblumen hasse, wird nun keine Rolle mehr spielen. Dass ich gezaubert habe und mit Kühen umgehen konnte und gern noch etwas gelernt hätte, dass es drei verschiedene Namen für mich gab und ich Geheimnisse bewahren konnte.

Dass ich richtig dumm sein konnte! Dem Anblick des Himmels auszuweichen … ich hätte mir denken müssen, dass das nicht funktioniert. Dass der Himmel nicht »oben« ist, sondern links und rechts und geradeaus, auch hinter mir, überall. Selbst wenn man zu Boden schaut, erkennt man den Himmel noch in dem, was sich ihm entgegenstreckt.

Dass ich verrückte Träume hatte. Durch ein Meer aus Wolken und Wind zu jagen auf der Suche nach einem kleinen Flugzeug, einem Splitter Zeit; diese eine Sekunde schneller sein zu wollen als der Amerikaner.

Vorsicht! Hinter dir! Ausgerechnet ich, die sich in Oschgau immer vorm Wettlauf gedrückt hat!

Wird es schnell gehen? Wird es wehtun? Markus sagt, in Dachau gebe es eine Gaskammer, aber sie sei nicht in Betrieb – zumindest war sie es nicht, als er das erste Mal hier war. Ich hoffe nur, es geht schnell. Genickschuss könnte auch sein, so wie sie uns hier an der Mauer abgestellt haben.

Ihr hat es bestimmt wehgetan. An den Schussverletzungen gestorben auf dem Weg ins Krankenhaus, scheußlicher geht's nicht. Das Flugzeug soll sie noch korrekt gelandet haben, und der Bader hat Max vom »Felde der Ehre« erzählt und einem letzten Geleit durch Offiziere und Flugschüler eines nahen Luftwaffenstützpunkts. Hat ihm sogar die Hand gegeben! Erstarrt, wie er war, wird Max sie genommen haben. (Nicht, dass ich ihn danach gefragt oder überhaupt schon mit ihm geredet hätte.)

Unsere letzte Nacht war glutrot und grau. Landshut war bombardiert worden, direkt bevor wir durchfuhren, die Straßen verstopft mit ausgebrannten Fahrzeugen und aufgeblähten Pferdekadavern; Menschen, die Gesichter voller Ruß, torkelten mit zerfetzten Kleidern aus dem Qualm und schauten sich benommen um, bevor sie sich weiterschleppten und in anderen Rauchwolken verschwanden. Vor dem Dachauer Lagertor standen wir stundenlang, erst mitten in einem Fliegerangriff, gegen Morgen in gespenstischer Stille, während das Tor Wellen von Häftlingen in gestreiften Anzügen und Mützen ausspie, die an uns vorbei zur Arbeit marschierten. Wer am Rand ging, bekam die Gummiknüppel der Aufseher zu spüren.

Ich nehme alles wie durch einen Schleier wahr. Ausgerechnet ein Amerikaner! Lassen uns in Buchenwald im Stich, schießen Lexi vom Himmel. Mich brauchen die jetzt auch nicht mehr zu befreien! Komisch, wie ruhig man wird. Auf alles gefasst, auf nichts mehr wartend.

Am Mittag ließen sie die Busse ins Lager und der Bader bekam Gesellschaft durch einen dauerlächelnden SS-Obersturmführer namens Stiller, der ausschließlich für Sonderhäftlinge zuständig ist. Man müsse erst Platz für uns schaffen, sagte der.

Wie macht man das? Muss unsretwegen noch jemand sterben?

Eine Besuchserlaubnis für Schönberg hatte sie dabei, ausgestellt von der Gestapo in Regensburg, wo wir wenige Tage zuvor gewesen waren. So dicht war sie uns auf der Spur!

Julius war ganz blass. »Sie hat meinen Vater in Sicherheit gebracht«, sagte er leise, »direkt danach ist es passiert.«

Aber es war nicht Onkel Jasper, dem sie gefolgt ist. Es war Max. Es waren wir.

Seltsam war es, durch München zu fahren. Eine Geisterstadt aus hohlen Mauern, ganz still und schwarz.

Nun tut sich was. Stiller, der Lächler, steigt aus einem Kübelwagen. Die Sonne brennt erbarmungslos vom Himmel, nirgends ein Fleckchen Schatten und seit dem Vormittag kein Schluck zu trinken … wenn ich jetzt von meinem Koffer aufstehen muss, werde ich dem Lächler direkt vor die Füße kippen.

Aber ich muss nicht aufstehen. Aufstehen müssen nur die Männer, auf die er höflich zeigt: »Sie und Sie und Sie … bitte getrennt an der Seite aufstellen. Nebeneinander, so ist's recht.«

Zum Schluss sitzen nur noch Eberhard und Caspar, Vater Kuhn und der alte Herr Thyssen, und es ist totenstill bis auf Mutters schweres Atmen neben mir.

»Sie sind eingezogen zum Volkssturm«, teilt der Stiller unseren Männern mit. »Verabschieden Sie sich von den Frauen, aber machen Sie schnell.«

Volkssturm! Da kann er sie gleich an die Mauer stellen! Das Volk, das die Amerikaner *stürmen* soll, haben wir auf den Straßen vor Landshut gesehen: alte Männer mit Schaufeln und Mistforken und ein paar Hitlerjungen, die zitternd hinter Panzergräben hervorlugten.

Volkssturm! Im Gedränge von Armen und Rücken, Klagerufen und verzweifelten Umklammerungen gebe ich Max zum ersten und letzten Mal die Hand. Er lächelt mich zerstreut an, als versuche er sich an meinen Namen zu erinnern.

»Vergiss Lautlitz! Versuche, nach Walcheren zu kommen, wenn du von den anderen getrennt wirst!«, schärft Julius mir ein. »Es ist am nächsten. Wir sehen uns dort.«

Der Lächler hetzt niemanden, er steht mit leicht geneigtem Kopf dabei und scheint tatsächlich geduldig warten zu wollen, bis auch der letzte Schluchzer verebbt ist. Oder genießt er nur, was er ausgelöst hat? Eine schier endlose Reihe Häftlinge, die sich von der Arbeit zurückschleppt – so lange warten wir schon hier? –, wird auseinandergerissen, als ein zweiter Kübelwagen durch sie hindurchbraust und sie und uns in eine Staubwolke hüllt.

Aus dem Wagen steigt der Bader, wechselt zwei Worte mit dem Lächler, der sagt: »Soso«, hebt die Hände und schaut uns entwaffnend an.

»Kleiner Irrtum!«, ruft er. »Kommando zurück! Bitte nehmen Sie Ihre Koffer und folgen Sie Untersturmführer Bader zu Ihrer Unterkunft.«

Wir starren ihn an. Niemand rührt sich. »Sie werden verstehen, dass die Lage ein wenig schwierig ist«, säuselt der Lächler. »Es geht drunter und drüber, aber wir machen möglich, was wir können, nicht wahr? Wir haben tatsächlich ein Plätzchen für Sie alle gefunden.«

Wir sind die Letzten gewesen, die Schönberg verlassen mussten. Die Minna-Leute waren schon tags zuvor abgeholt worden, und als wir Übrigen in drei vor dem Schulhaus bereitstehende Omnibusse stiegen, blieben nur Léon Blum und seine Frau zurück. Aus fast allen Häusern wurde gewinkt, während wir durchs Dorf fuhren; ich bemerkte verblüffte, wütende Gesichter unter unserer Eskorte und schloss rasch die Augen, weil es an der Blumenwiese vorbeiging. Schlüsselblumen hatten wir an jenem Morgen gepflückt … Blumen gepflückt und Pläne gemacht.

Die große Holzkiste, die sie wie ein rohes Ei anfassen, war auch wieder mit an Bord, und zwar in unserem Bus, was immerhin den Vorteil mit sich brachte, dass der Bader und der Großteil der SS sich in anderen Fahrzeugen zusammendrängten. Wir ahnten längst, was in der Kiste steckte, und das Wissen darum machte die vielen Fliegerangriffe unterwegs nicht gemütlicher, selbst wenn wir sie meist auf dunklen Waldwegen abwarteten. Wenn die Amerikaner auch nur den kleinsten Treffer auf uns landen, dachte ich, gehen wir hoch wie eine Munitionsfabrik.

Aber die einzigen Anzeichen von Nervosität, die ich an mir erkennen konnte, waren das helle Rauschen in den Ohren und ein Prickeln unsichtbarer Nadeln unter der Haut, wie ich es auch habe, wenn ich an Lexi denke, also eigentlich ständig. Oder ist es Kaltblütigkeit? Kleine Frostpartikel, die durch meine Blutbahn sausen und die Gefühle auf Winterschlaf herunterfrieren.

Beim Fußmarsch durchs Schutzhaftlager Dachau funktioniert es auch. Hinter dem großen Torhaus erstreckt sich Reihe um Reihe identischer Baracken mit einer schnurgeraden Lagerstraße in der Mitte, über die der Bader uns einigermaßen zackig führt. Die Straße ist nicht asphaltiert und im Winter bestimmt eine einzige Schlammpfütze, aufgewühlt von vielen Tausend Holzpantinen. Jetzt ist sie staubig, knochenhart und trocken. Den Rest kennen wir. Die Türme und Mauern, den elektrisch geladenen Stacheldraht.

Es ist Abend, offenbar kurz vor der Essensausgabe. Ein Gewimmel aus Blau und Weiß drängt sich mit und ohne Blechnapf auf der Straße und in den Barackentüren, verschiedene Stadien von Krankheit und Teilnahmslosigkeit im Gesicht. Es ist das erste Mal, dass wir nicht abgeschirmt werden, sondern mitten durch ein Lager laufen – und mein Entsetzen ist ein kleines Flämmchen, das sofort erlischt. Verdammt, denke ich, beinahe hätte ich es hinter mich gebracht! Wenn sie uns an der Mauer erschossen hätten, wäre es in dem Moment geschehen, in dem es mir fast nichts mehr ausmachte. Was, wenn ich morgen wieder Angst habe?

Die anderen können sich, kaum sind wir am Ziel, sofort wieder freuen: über die saubere Lazarettbaracke, in die wir eingewiesen werden, das Badezimmer und die echten Betten, die erste Mahlzeit. Hübsche kleine Anlagen umgeben die Häuser, mit geschnittenem Rasen und Blumenbeeten, und auch ich stehe wenig später vor dem Duschhaus an, obwohl ich überzeugt bin, dass der Gestank, der beißend und aufs Übelste vertraut durchs Lager wabert, mir bereits in Buchenwald für immer unter die Haut gekrochen ist. Man brauchte eine neue Haut, keine Dusche! Ich habe mich in die Warteschlange gestellt, weil man dort ein kleines Handtuch bekommt, ein Handtuch, das man behalten darf.

Kratzig und hart liegt es in meiner Hand. Ich hätte dich

nicht nehmen dürfen, denke ich und merke, indem ich es wider besseres Wissen festhalte, dass ich mich von Neuem ans Leben zu klammern beginne. Ein Sieg fühlt sich anders an.

Wie Buchenwald geklungen hat? Ich kann es kaum noch wachrufen, so laut ist es in Dachau. Die Sirenen sind wie auf Dauerton geschaltet; kaum ist ein Geschwader vom Himmel verschwunden, kündigt der Alarm das nächste an. Mal überfliegen sie uns auf dem Weg zu einem anderen Ziel, mal krachen Bomben, dass die Wände wackeln. Die Einschläge klingen ja immer näher, als sie wirklich sind, und wir rennen über die Wiese zum Luftschutzkeller des Lazaretts, der wie ein Bollwerk zwischen den Häusern steht. Bahnhof, Stadt und Schienen sind vollständig zerstört, hören wir, und auch das Lager selbst wird mehrmals im Tiefflug angegriffen, um Fahrzeuge unter Beschuss zu nehmen. Ob derjenige dabei ist, der Lexi auf dem Gewissen hat?

»Und in Buchenwald steht jetzt der Ami«, sagt die Raffold.

Die Raffold ist die große Überraschung unserer ersten Dachauer Bunkernacht. Da sitzt sie, dick und grinsend: »Jetzt staunt ihr! Bin nach hier verlegt mit dem Rest der Mannschaft, wollte euch doch nicht alleine lassen!«

Sie lacht und meint es ganz ernst. »Wo ist denn das Fräulein Nocke?«, fragt Mutter und erntet einen schlagartig verdrießlichen Blick.

Erst am nächsten Tag rückt die Raffold mit der Auskunft heraus, die Nocke habe ihr Heil in der Flucht gesucht, könne aber nicht weit gekommen sein. Wie auch – bei so vielen ehemaligen Häftlingen, die sich in den Wäldern herumtreiben und sie sofort als Lageraufseherin erkennen!

»Wenn sie Glück hat«, sagt die Raffold mit einem Gesicht, als wünsche sie ihrer Kollegin etwas ganz anderes, »liefern sie sie nur an die Amis aus.«

Hätte ich noch Lust, mir Gedanken zu machen, würde ich denken, dass die Raffold verrückt geworden ist. Macht sich keinerlei Illusionen darüber, was in Kürze mit ihr geschehen wird, und legt gleichzeitig eine unveränderte Pose gönnerhafter Obrigkeit an den Tag – als ob die Übermacht des Feindes noch nicht laut genug am Tore rüttelte!

Oder als ob sie schon mehr über uns wüsste. Dass auch wir die Freiheit nicht erleben sollen, beispielsweise.

Während des Tages lässt es sich im Sonnenschein auf der Wiese hinter der Baracke am besten aushalten; vom Rest des Lagers bekommt man hier am wenigsten mit. Eigentlich ist der Boden noch zu feucht, um sich darauf auszustrecken, aber Mutters Protest ist schwach, wenngleich er nicht ganz ausbleibt: »Philippa, du wirst dir eine Lungenentzündung holen, steh doch bitte auf!«

Ich schließe die Augen und ignoriere sie, auch wenn sie mir leidtut in ihrer Ratlosigkeit. Immerhin hat sie jetzt aufgehört, pausenlos zu reden. Von all ihren Bemühungen in den letzten grauenhaften Tagen in Schönberg sind mir nur die Worte *Katastrophe* und *verloren* im Gedächtnis geblieben, wobei ich nicht ganz sicher bin, ob die Betrachtungen über das Wort *verloren* nicht doch aus Onkel Teddys kleiner Ansprache stammten. *Was wir verlieren, ist nicht verschwunden, sondern nur woanders und für uns nicht mehr sichtbar.*

Wie diese Information Max helfen soll, weiß ich zwar nicht, aber er bewahrte Haltung. Im Grunde wirkte er die meiste Zeit, als sei *er* woanders, während Mutter eine einzige bange

Frage ins Gesicht geschrieben stand, die sie aber nicht wagte auszusprechen: »Würdest du auch um deine Eltern so trauern?«

Als wir am zweiten Nachmittag von der Wiese zurück in unsere Baracke kehren, stehen die Flure voller Koffer. Kinder jagen einander durch die Zimmer, Frauen schwatzen auf den Betten. »Das fehlte gerade noch«, murmelt Fey. »Nun werden die Amerikaner uns in trauter Runde mit einem Dutzend SS-Familien antreffen!«

Auszuweichen ist kaum möglich; die kleinen Kinder sind überall und müssen in die jeweiligen Zimmer zurückgeholt oder -gebracht werden. In erstaunlicher Unbekümmertheit sitzen und warten die Frauen – auf den Großteil ihres Gepäcks, der noch unterwegs sei, Tafelsilber und echter Bohnenkaffee darunter, auf ihre Männer, die »spätestens morgen nachkommen«. Es sind die Familien höherer SS-Führer aus Oranienburg und anderen Konzentrationslagern, und sie vertreten ohne Ausnahme die Überzeugung: »Uns passiert nichts! Frauen und Kinder können schließlich nichts dafür.«

Wenn wir wollten – und in den Häftlingsbaracken nicht gerade Fleckfieber grassierte –, könnten wir, statt auf der Wiese zu sitzen, jetzt ungehindert durchs Lager spazieren. Niemand achtet mehr auf uns, die SS ist mit *Organisieren* beschäftigt. Sie vernichtet Unterlagen, löst Außenlager auf und führt riesige Häftlingstrecks herein und heraus; löst sich selber auf, wie es scheint, denn von Tag zu Tag sind weniger Beamte zu sehen und denen, die noch zum Dienst kommen, ist die Aufrechterhaltung der Lagerordnung herzlich egal. Man bestiehlt einander, wie die Frauen in unserer Baracke unumwunden beklagen, schafft Wertsachen, Zigaretten, Lebensmittel und alle

Arten tauschfähiger Objekte beiseite und versucht an gefälschte Papiere zu gelangen.

Ich muss an den Ameisenhaufen denken, in den mein Bruder Fabian einmal ein Glas Wasser geschüttet hatte. An das kopflose Herumrennen des aufgeschreckten Völkchens, heraus aus dem Bau und wieder herein, um schließlich mit »Gepäck« im Eingang aufzutauchen und es ohne Ziel, aber geschäftig hin und her zu schleppen.

Mich beschleicht allmählich das Gefühl, in Händen einer Organisation zu sein, die es schon nicht mehr gibt. Nur der Geist der SS ist noch lebendig, hat seinen nutzlosen Leib abgestreift und besetzt mit umso größerer Entschlossenheit die Köpfe, wo er gefährlicher und unberechenbarer ist denn je.

An unserem siebten oder achten Tag in Dachau taucht ein dumpfes Grollen am Horizont auf und bleibt, obwohl der Himmel klar und blau ist.

»Artillerie! Vierzig Kilometer«, schätzt Onkel Teddy hoffnungsvoll.

Doch das Herannahen der Front hat für uns bisher immer nur eins bedeutet. »Am besten«, meint Mutter, »wir fangen schon einmal an zu packen.«

In unseren Rucksäcken klappern Pfannen und Blechnäpfe zwischen den wenigen Kleidungsstücken, die es sich überhaupt noch lohnt mitzunehmen; im Strom der Häftlinge, der sich nach Anbruch der Dunkelheit über die Lagerstraße aufs Torhaus zubewegt und in dem es schwerfällt, einander nicht aus den Augen zu verlieren, können wir die Mitglieder unserer Gruppe nun immerhin am Geräusch des Gepäcks erkennen. Die Rucksäcke haben wir aus den Wolldecken, die sich in der

Lazarettbaracke fanden, genäht, nachdem die Raffold uns auf einen Fußmarsch eingestimmt hatte: »Sie beginnen zu evakuieren! Fünftausend Häftlinge täglich, die meisten müssen laufen!«

Seit Tagen hatten wir beobachten können, wie sich das Gewimmel im Lager lichtete. Lastwagenkolonnen brachen auf und riesige Häftlingstrecks zu Fuß, selbst der Schornstein des Krematoriums qualmte nicht mehr. Und als wir nun, zehn Tage nach unserer Ankunft in Dachau, über die Lagerstraße zurück zum Ausgang gehen, sehen wir auch, warum: nicht weil es keine Toten mehr gegeben hätte, sondern weil man sich nicht länger die Mühe macht, sie zu verbrennen. Sie liegen mal hier, mal dort, sind im Schattenspiel der Scheinwerfer erst im letzten Augenblick zu erkennen und meine größte Angst ist, auf einen von ihnen zu treten.

Je näher wir der Mitte des Lagers kommen, desto beißender und unerträglicher wird der Gestank. Aufgetürmt zu einer weißen, ineinander verschlungenen Skulptur liegt plötzlich, wenige Meter neben uns, ein Berg aus toten Körpern.

Ich merke gar nicht, dass ich stehen geblieben bin. Ich merke es erst, als jemand mir eine Hand auf den Rücken legt und mich sanft weiterschiebt. Max! Die Stelle brennt noch, nachdem ich längst auf den Lastwagen geklettert bin.

Hätte ich doch an dem Morgen mit ihm geredet! Das Gewicht meiner Sprachlosigkeit drückt von Tag zu Tag schwerer, die Worte, die ich sofort hätte finden müssen, sind nur noch weiter in die Ferne gerückt. Lexi wäre enttäuscht von mir.

Wäre sie? Sie, die mich immer durchschaut hat? *Worte, wie du sie suchst, gibt es doch gar nicht, Klexchen. Hast du das denn nicht gewusst?*

Hilf mir!, flehe ich stumm und spüre, dass sie es vielleicht schon versucht. Dass sich der harte Griff um meine Brust lockert und ein wenig Luft durchlässt, und für einen Augenblick noch etwas anderes in mir ist als Leere und Kälte.

Es reicht schon für ein wenig Mitleid mit Vater Kuhn. »Ich kann doch die Mutter nicht hierlassen!«, weint er auf dem Lastwagen, aber es nützt nichts, er muss mit und sie bleibt zurück – transportunfähig, heißt es, und dass sie dem Roten Kreuz übergeben werde.

Wer's glaubt!, denke ich. Dem Roten Kreuz hätten sie sie auch in Schönberg übergeben können, anstatt sie aus dem Krankenhaus zu holen und noch einmal auf Transport zu zwingen!

»Aber diesmal ist es wirklich zu ihrem Besten«, redet Nanni auf Vater Kuhn ein. »Wenn ich mir vorstelle, die Arme müsste noch einmal mit! Das Rote Kreuz wird sie nach Geppingen entlassen. Das ist die Adresse, die wir angegeben haben.«

Wenn *ich* mir vorstelle, die Kuhns hätten Nanni nicht gehabt in diesen langen Monaten! Ihr zukünftiger Schwiegervater beruhigt sich tatsächlich und gibt zu, dass sie vermutlich Recht hat.

Ich werfe einen Blick zurück. Das Torhaus ist hell erleuchtet, immer noch strömen Häftlinge hindurch und eilt SS mit Gewehren hin und her. Taschenlampen blitzen, ich höre Gemurmel und laute Kommandos, Hundegebell und über allem das Klappern und Schlurfen Tausender Holzpantinen, unter deren Klang lange Reihen von Häftlingen in der Dunkelheit verschwinden. Viele haben Decken über den Schultern wie ich, denn trotz des freundlichen Wetters am Tage kann es nachts noch Frost geben.

Im Inneren des Lagers fallen Schüsse, ich hülle mich fester in meine Decke. Häftlinge, die zu schwach zum Marschieren sind, nehme ich an … oder die nutzlos gewordenen Wachhunde. Die lauten Stimmen vor dem Lastwagen jedoch gelten uns.

»Du und du und du … absteigen!«

»Nein, aber warum, das ist doch unsere Gruppe!«

»ABSTEIGEN, HAB ICH GESAGT!«

Fünf Schatten, die vom Wagen springen. Im unsteten Licht der Taschenlampe ist nicht gleich zu erkennen, wer es ist; der Bader scheint einfach diejenigen genommen zu haben, die ganz vorne saßen und fast vom Wagen fielen. »Markus!«, schreit Tante Sofie plötzlich.

Das Rauschen in meinen Ohren schwillt an. Ein sechster Schatten erhebt sich irgendwo in der Mitte des LKW und versucht durch die dicht gedrängte Menge nach vorn zu gelangen.

»Halt! Ich gehe anstelle meines Neffen!« Die Stimme von Max.

»Sitzen bleiben!«, dröhnt der Bader, die Ladeklappe knallt zu und jetzt sehe ich sie: Markus, Reinhard Goerdeler, Franz Hammerstein, Major Schatz und Herrn Jehle.

»Mach dir keine Sorgen, Mami, wir treffen uns in Walcheren!«, ruft Markus, bevor zwei Wachen sie in die Dunkelheit treiben, den übrigen Fußgängern hinterher.

Tante Sofie bricht in Tränen aus, zum ersten Mal in all der langen Zeit, und jemand schreit außer sich: »Hättet ihr nicht enger zusammenrücken können?«

Mutter hat Recht. Es ist zwar eng auf dem Wagen, aber die zwei Zentimeter Abstand zum Nebenmann, die jeder gemeint hat, verteidigen zu müssen, hätten zusammen reichlich Platz ergeben, um die Ladeklappe hinter Markus und den anderen zu schließen. Es ist totenstill auf dem Lastwagen, als wir eine Stunde später endlich abfahren.

Trapp, trapp, trapp trommeln Holzpantinen neben uns aufs Straßenpflaster, und die blau-weißen Streifen der Häftlingsanzüge, Rücken um Rücken um Rücken, verschwimmen im Mondlicht zu einem endlosen flirrenden Muster.

»Da sind sie!«, ruft Julius auf einmal.

Ich versuche nicht hinzusehen – dann tue ich es doch. Inmitten der Häftlingskolonne marschieren unsere fünf mit ihren Wachen und verdrehen den Kopf nach jedem Lastwagen, als versuchten sie einen letzten Blick auf uns zu erhaschen.

Wohin es geht. Onkel Teddy hat einfach gefragt, als wir den Transportbescheid bekamen, und während der Bader Stillschweigen wahrte, deutete Obersturmführer Stiller an, es gehe über die Alpen. Der steile, kurvenreiche Anstieg der Straße scheint ihm Recht zu geben – mehrfach müssen wir die überladenen Lastwagen verlassen, um zu Fuß ein Stück bergan zu laufen. Die Nachtluft ist kalt und schneidend und riecht nach Schnee.

Onkel Teddy hatte betroffen ausgesehen, als der Lächler ihm unsere Route mitteilte, und nachdem wir wieder allein waren, eine Befürchtung geäußert: »Hitlers Alpenfestung.« Zwei unheilvolle Worte, die uns nun durch die eisige Kälte begleiten.

Je höher wir steigen, desto schwerer werden mir die Füße. Bleiern und wie losgelöst lassen sie sich mitschleppen – als müsste ich sie tragen anstatt sie mich.

Nein, niemand hat davon gesprochen, dass wir am Ziel auf *ihn* treffen könnten, aber irgendwo wird auch er sich verschanzt haben. Der Mann, den mein Onkel hatte umbringen wollen; der Mann, dem ich einen Brief geschrieben hatte, weil ich glaubte, dass er durch und durch gut ist. Der Mann, den zu sehen ich einmal alles gegeben hätte! Was, wenn ich ihm wirklich gegenübertreten müsste … jetzt?

Im fahlen Mondlicht, das über Tannenspitzen auf die Straße fällt, erkenne ich Gesichter – die Ungarn, die uns seit Stutthof begleiten, Léon Blum und seine Frau und einige andere aus den Tagen in Schönberg. Leise werden die Namen derer geflüstert, auf die wir zum ersten Mal treffen. Der österreichische Kanzler Schuschnigg ist dabei mit Frau und kleiner Tochter, der berühmte Pastor Niemöller, der wegen seiner Predigten seit vielen Jahren schon in Haft ist.

»Glaubst du«, flüstere ich, nachdem ich mich zu Julius vorgearbeitet habe, »dass Hitler uns als Schutzschilde einsetzt, damit die Alliierten ihn verschonen?«

»Zuzutrauen wäre es ihm«, erwidert Julius, dessen Schultern niedergeschlagen herabhängen seit der Sache mit Markus; er blickt zur Seite, wo die vierjährige Sissy Schuschnigg munter plaudernd auf dem Rücken ihres Vaters reitet, und fügt heftig hinzu: »Zuzutrauen wäre ihm alles.«

»Dieser Mörder«, sage ich laut, »dieser Feigling!«, und mein Magen ballt sich zusammen vor Abscheu.

Welche Rolle spielt es noch, ob ich Hitler begegne oder nicht? Ich habe ihn ja längst gesehen! Er hat mir sein Gesicht gezeigt in allem, was passiert ist, und was immer er vorhat, ich bin fertig mit ihm. Er wird mir nichts mehr anhaben können.

»Schön«, meint Julius mit halbem Lächeln, »dass du wieder

sprichst. Markus ist schlau«, sagt er. »Er wird sich etwas einfallen lassen. Er kommt bestimmt durch!«

Fey meint, wir seien geübte KZ-Insassen geworden, so mühelos wie wir uns im Durchgangslager Reichenau bei Innsbruck unter die vielen mischen, die sich dort bereits auf die Füße treten. Die Passagiere der grünen Minna, allen voran Mr Best, empfangen uns mit offenen Armen: »There, there, my friends from Schonbörg!«

Fey hat in den zwei Wochen nichts unversucht gelassen, um Max ein Lächeln zu entlocken, und mit dieser Bemerkung gelingt es ihr erneut. »Tapferes Mädchen!«, meint er warm und ich fühle einen Stich der Eifersucht – nicht, weil ich ihr die Anerkennung missgönne, sondern weil ich allzu gern wäre wie sie, aber nicht einmal die Anlagen dazu besitze.

Zwecklos, Klexchen. Du bist ein Grübler wie ich!

Ich muss beinahe lachen. Genau, denke ich und spüre einen weiteren kleinen Lichtstrahl in meine Traurigkeit fallen.

Reichenau ist ein kleines Lager, von Stacheldraht umgeben, mit einer einzigen heruntergekommenen, schmutzigen Baracke in der Mitte. »Ihr braucht nicht auszupacken, wir bleiben nicht!«, teilen uns noch im Hof diejenigen mit, die schon seit Tagen hier ausharren. »Ihr seid der letzte Transport. Heute Abend noch soll es über den Brenner nach Südtirol gehen.«

»Den Brenner? Heißt es nicht, dass die Alliierten den Pass zerstört haben, um den Fluchtweg nach Süden abzuschneiden?«

»Nun, ich hoffe, Sie haben noch brauchbares Schuhwerk, mein Freund.«

Stimmen schwirren durcheinander; ich blicke in lauter

fremde Gesichter, die nun offenbar zu uns gehören, und kann mir nur den malerischen Namen *General Garibaldi* merken. »Wir müssen dringend ein paar Stunden schlafen, Fritzi.« Mutter sieht grau und erschöpft aus. »Wer weiß, was heute Nacht auf uns zukommt.«

»Sie können unser Zimmer haben«, meint ein freundlicher, vornehm wirkender älterer Herr, der sich mit Fey unterhalten hat, und weist uns den Weg zu einem Raum mit vier klapprigen Etagenbetten, auf die wir uns zu sechst verteilen.

»Das war Prinz Philipp von Hessen«, sagt Fey bedrückt, nachdem er uns allein gelassen hat. »Er hat mich gefragt, ob wir in Buchenwald etwas von seiner Frau gehört haben. Ich habe es einfach nicht übers Herz gebracht, ihm zu sagen, dass die arme Mafalda schon lange tot ist.«

»Aber Fey«, ruft Mutter, »das hättest du tun müssen! Er muss Gewissheit haben!«

»Doch nicht jetzt! Er braucht Mut und Hoffnung für das, was vor uns liegt. Nach der Befreiung können wir es ihm immer noch sagen.«

Sofort entbrennt eine heftige Diskussion über den richtigen Zeitpunkt für schlechte Nachrichten, die Ina ziemlich schnell mit den Worten beendet: »Wenn mir da draußen jemand gesagt hätte, dass meine Kinder nicht mehr leben, würde ich keinen Schritt weitergehen.«

Fey und Mutter verstummen. »Natürlich leben sie noch, Ina«, sagt Tante Sofie leise.

Ina antwortet nicht, dreht sich zur Wand und zieht den Rucksack als Kissen unter ihren Kopf. In Schönberg habe ich sie zwei Mal weinen sehen: um Lexi, und um den Verlust der einzigen Kontaktperson zu Konstantin und Caroline.

Ich schließe die Augen und halte still, als Mutter sich hinter mir auf dem Bett ausstreckt und den Arm um mich legt. Lexi hat auf uns alle aufgepasst – sollte mir schon meine Mutter zu viel sein? Nach kurzem Zögern lasse ich meine Hand auf ihre sinken. Sie atmet tief ein, es klingt wie ein Schluchzen.

Es hat doch gar nichts mit dir zu tun, Mutter. Du bist mir nicht plötzlich egal geworden! Ich bin müde, das ist alles, müde und traurig und wütend.

Ich muss es ihr gar nicht erklären, denke ich. Genauso muss sie sich gefühlt haben, als Fabian gestorben ist. Deshalb hat sie mich nach Oschgau geschickt. Meine Erziehung der HJ überlassen, obwohl das das Letzte war, was sie wollte. Sie war müde und traurig und wütend, aber es hatte nicht das Geringste mit mir zu tun.

»Haben die Alkohol getrunken?«, frage ich misstrauisch und Julius lacht. »Ein Übermaß an Schlafentzug und überstandener Gefahr könnte denselben Effekt haben«, klärt er mich auf.

Überstanden? Verwundert sehe ich mich um. Ich habe zwei, höchstens drei Stunden geschlafen, aber es muss gereicht haben, um meine Reisegruppe zu verpassen. Spurlos verschwunden! Beinahe möchte man den Nächststehenden am Ärmel ziehen: »Entschuldigung, kann mir jemand sagen, was aus der bedrückten Schar geworden ist, mit der ich heute Morgen hier angekommen bin?«

Kann mir jemand sagen, was aus der SS geworden ist?

Die SS – oder was von ihr übrig ist – steht herum und sieht aus, als versuche sie genau dieser Frage dringend auszuweichen. Rund dreißig Wachen sind es für fast hundertfünfzig unbekümmert wirkende Häftlinge; Häftlinge aus einundzwanzig Nationen, bringt mich Julius auf den neuesten Stand. Englisch, Polnisch, Französisch und Russisch sind zu hören, Niederländisch, Dänisch, Schwedisch, Norwegisch und andere Sprachen, und über allem das laute und triumphierende Organ einiger Italiener, die sich – nahe dem Brenner! – schon so gut wie zu Hause fühlen.

Offenbar bewegen wir uns auf diesem schäbigen Hof inmitten der hochrangigsten Persönlichkeiten, die Himmler in seine Gewalt gebracht hat. Mehrere Prinzen, Generäle und hohe Offiziere sind darunter, prominente Geistliche und der Neffe von Winston Churchill, und bei den sieben temperamentvollen, ordensbekränzten, sehr kleinen und sehr alten Herren mit Vollbart handelt es sich um den gesamten griechischen Generalstab. Ein eifriges Stimmengewirr, ein Rufen und Lachen liegt über dem Hof. Von Angst ist nichts zu spüren.

Und die SS steht dabei, bewaffnet, aber ohnmächtig und überrumpelt, als habe man ihr den Boden unter den Füßen fortgezogen. Angst, erkenne ich entsetzt, ist das Einzige, was sie gegen uns in der Hand hatten!

Mir wird schwindlig. Verstohlen lehne ich mich gegen die Wand der Baracke und beobachte, wie der eine oder andere bereits ein scheues Grinsen sehen lässt, als ginge ihm der Gedanke durch den Kopf, dass es allmählich von Vorteil sein könnte, sich auf unsere Seite zu schlagen.

»Have a cup of tea, dear«, sagt Mr Best mitfühlend. Ich kann es kaum glauben: Die Engländer haben sogar Tee gekocht!

»It will make you feel so much better!", ergänzt Julius und grinst. Erst dann erzählt er, was passiert ist. Mr. Best hat nach einigem Fragen und Drängen vom Lächler erfahren, dass wir in einem Hotel in Südtirol die Ankunft der alliierten Truppen abwarten sollen! Die uns begleitende SS habe nur noch dafür zu sorgen, dass unsere Befreiung geordnet abläuft.

»Was wir hier erleben«, sagt mein Vetter, plötzlich ernst, »ist eine vorgezogene Siegesfeier.«

»Siegesfeier«, wiederhole ich, »Siegesfeier«, und spüre, wie sich in den bitteren, heißen Tee jäh der Geschmack von Tränen mischt.

»Aber glauben solltest du es noch nicht«, murmelt Julius.

»Was sagst du da?«

Julius weist mit dem Kopf zu einem der Ausgänge der Baracke. »Die drücken sich schon seit einer halben Stunde da herum.«

Ich folge seinem Blick und entdecke mehrere finster dreinschauende Gestalten, die sich in der Nähe vom Bader halten; Männer, die bisher nicht zu unserem Transport gehört hatten. »Der Bader ist nicht nur SS, sondern SD, Sicherheitsdienst. Du weißt, was das heißt?«, fragt Julius vorsichtig.

Ich schüttle den Kopf.

»Diese Kerle waren für die Hinrichtungen in Buchenwald und Flossenbürg zuständig«, erklärt er mit gepresster Stimme. »Und jetzt sind sie hier.«

Meine Haut beginnt augenblicklich zu prickeln.

»Julius«, sagt jemand leise und strafend und ich stelle erschrocken fest, dass Max neben mir steht.

»Ich musste es ihr sagen!«, verteidigt sich mein Vetter. »Wir sollten alle die Augen offen halten.«

»Wir sollten uns erst einmal zurückhalten«, erwidert mein Onkel. »Seht euch an, wie Stiller und Bader einander beäugen.«

Es stimmt. Der Lächler und sein SS-Trupp verlieren die SD-Leute keine Sekunde aus den Augen.

»Vielleicht haben sie unterschiedliche Befehle«, flüstere ich und mir wird abwechselnd heiß und kalt, weil es meine ersten Worte an Max sind.

»Das glaube ich auch«, flüstert er zurück. »Womöglich halten sie sich gegenseitig in Schach und wir haben nichts mehr zu befürchten. Also bitte keine weiteren Gruselgeschichten, Julius!«

Er drückt mir aufmunternd die Schulter und schlendert davon, seine hochgewachsene Gestalt die meisten anderen überragend, sodass mein Blick ihm, ob ich will oder nicht, durch den Hof folgen kann. »Gruselgeschichten!«, wiederholt Julius beleidigt.

Ein Glück, denke ich, den Blick an Max' Rücken geheftet. Wir haben es hinter uns!

Aber wie »Glück« fühlt es sich nicht an. Eher feige und enttäuschend, kaum weniger schlimm als vorher. Zwar habe ich mit ihm geredet, aber gesagt habe ich nichts.

Siebzehn

Seltsames Gefühl, auf diejenigen hoffen zu müssen, die unsere Todfeinde sind! Als wir am Abend in fünf Omnibusse steigen, ist nicht zu erkennen, ob die SS, die alle Einsteigenden kontrolliert, sich gegen uns oder ihre Kameraden vom SD so scharf bewaffnet hat. Die Blicke, die zwischen ihnen hin und her gehen, verheißen Wachsamkeit und Misstrauen.

Und ist es Zufall, dass die Familie von Lautlitz von allen fünf Omnibussen schon wieder ausgerechnet den erwischt hat, in dem die Munitionskiste mitfährt?

Als Erstes, gleich nach einem Motorrad an der Spitze, startet der Partybus. Darin sitzen die Engländer und Fräulein Vermehren und singen, was ihre Kehlen hergeben; einen großen rothaarigen Sergeant namens Cushing sehen wir einen wilden Rhythmus auf Fensterscheiben und den Kopf seines Vordermanns trommeln. Im nächsten Bus rollen die dänischen, polnischen und russischen Offiziere an uns vorbei, mit dem gleichen ernsten, besorgten Geradeausblick, der auch in unserem Fahrzeug vorherrscht. Das Bewusstsein von Gefahr scheint, je nach Nationalität, ganz unterschiedliche Reaktionen hervorzurufen!

Der Konvoi biegt auf die Straße zum Brennerpass. Es geht stetig, aber sehr langsam bergan, mehr als fünfzehn Kilometer die Stunde schaffen die überladenen Busse nicht. Schneebedeckte Bergspitzen leuchten im Sonnenuntergang, stechen aus tief liegenden Wolken wie kleine Schlösser. Es wird kälter, je höher wir aufsteigen, und ich reibe mir ein Guckloch auf dem beschlagenen Fenster frei. Im Tal blitzen mehr und mehr Lichter auf. Hier ein ganzes Dorf, dort ein einsames Gehöft.

»Dort unten haben wir einmal Urlaub gemacht«, höre ich Mutter leise neben mir sagen. »Du warst sieben oder acht, weißt du noch?«

Ich nicke. Ich erinnere mich, wie überwältigend die Fahrt mit der Bergbahn war, deren Trümmer nun verstreut in den Abhängen links und rechts der Straße liegen. Wieder muss ich an meinen Flug mit Lexi denken, an die unzerstörten Dörfer, die wir aus der Luft gesehen hatten. Gibt es sie noch? Wie sähe Europa aus, wenn der Plan meiner Onkel aufgegangen wäre? Wer könnte noch leben, wer besäße noch ein Dach über dem Kopf oder seine Hände und Füße oder die Menschen, die er liebt? Selbst die majestätischen Berge hat der Krieg nicht verschont. Keine Ehrfurcht, vor nichts. Alle Regeln verletzt. Und ich? Ich habe es schon erlebt, als sie Piotr in den Brunnen warfen, und habe nicht begreifen wollen.

Wenn sie mich töten, kann ich es nie wiedergutmachen!

Gutmachen … erschrocken stoße ich das Wort beiseite. Ein unverzeihliches, beschämendes Wort, fast so schlimm wie das, was ich getan habe. Gutmachen kann man das nicht!

Aber damit leben kannst du auch nicht, Klexchen.

Ich weiß, denke ich. Keiner von euch konnte das. Ihr hattet euch geirrt und eigentlich war es bereits zu spät, aber ihr musstet dennoch etwas tun. Nichts wiedergutmachen, nein. Nur ein Zeichen setzen. Eine neue Startlinie.

Wer dorthin möchte, flüstert diese neue Stimme in meinem Kopf, *muss ein ganzes Stück zurückgehen!*

Und dann? Was könnte ich tun? Aber eine weitere Antwort bekomme ich nicht. Soll wohl selber weiterdenken.

Bleib bloß hier, Tante Lexi!, denke ich. Deine Stimme tut gut und ich höre Ellen nicht mehr.

Und mit diesem hoffnungsvollen Gedanken, der sich wie eine tröstliche Gewissheit in mein Herz schleicht, blicke ich nach vorn und stelle entsetzt fest, dass die Rücklichter des vor uns fahrenden Busses nicht mehr zu sehen sind!

Erschrocken ziehe ich mich halb aus dem Sitz. Nein, wir sind nicht abgehängt, hinter uns ist noch der fünfte Bus, aber nur wenige Meter weiter fährt unser Fahrer in eine Ausweichbucht und winkt den Hintermann vorbei. »Motorpanne!«, ruft er dem Kollegen durchs Fenster zu.

Wir sehen uns an. Kann das sein? Der Bus, der eben noch hinter uns lag, zieht vorbei und wir stehen allein am Berghang, den Kofferraum voller Sprengstoff, um uns herum tiefe Nacht. Die Wachen in unserem Bus beugen sich über die Karte und beratschlagen, ob wir es bis nach Matrei schaffen.

Ich höre mich ausatmen. Panne scheint zu stimmen! Zehn Minuten später rollen wir mit einem knallenden, stinkenden Bus in ein Bergdörfchen.

»Ihr könnt aussteigen«, heißt es. »Wir warten auf den Ersatzbus. Aber kommt nicht auf dumme Gedanken, sonst müssen eure Freunde es ausbaden!«

Daran haben wir keinen Zweifel. Wir steigen aus in eine klirrende Kälte, ich will tief Luft holen …

… und fürchte einen Augenblick, den Gestank aus Dachau tatsächlich an mir zu tragen. Erst dann erkenne ich, dass auch Matrei völlig zerbombt ist. Der süßliche Leichengeruch kommt aus verschütteten Kellerlöchern.

Dennoch wohnen Menschen hier. Der Wirt einer Gastwirtschaft bringt uns heißen Tee, bezahlt haben will er ihn nicht. Weiter unten im Tal sehe ich, während wir stundenlang warten, ein Licht nach dem anderen verlöschen.

Der Bader kocht vor Zorn, als wir auf Passhöhe, direkt an der italienischen Grenze, endlich wieder zum Konvoi stoßen. Die Ausweglosigkeit seiner Lage muss auch ihm längst klar geworden sein. Aus Richtung Italien dröhnen zurückflutende deutsche Truppen in Lastwagen und Militärfahrzeugen über den Pass und rollen fluchtartig die Straße herab, die wir uns gerade hinaufgearbeitet haben; in unsere Richtung schleppt sich eine zerlumpte Schar, die die Fäuste gegen unseren Bus schüttelt. Hunderte und Aberhunderte italienischer Fremdarbeiter sind auf dem Weg zurück nach Hause.

Der Krieg ist vorbei! Wenn sie nach Hause gehen, ist der Krieg vorbei!

Atemlos drehe ich mich zum Sitz hinter mir. »Ist der Krieg vorbei, Onkel Teddy?«

»Der Krieg ist vorbei, Fritzi.«

»Aber warum …«

Ich beiße mir auf die Unterlippe und starre wieder aus dem Fenster. Vorbei!, denke ich fassungslos. Vorbei!

»Was die SS noch von uns will, meinst du?«, fragt mein Onkel.

»Nein. Ich weiß, dass wir das noch nicht wissen können. Ich meine nur, es … ich dachte, es würde sich anders …«

Meine Kehle schnürt sich zu. Vor uns dreht sich Tante Sofie um. »Anders anfühlen?«, fragt sie leise. »Das dachte ich auch.«

Als es wieder losgeht, setzt sich unser Bus an die Spitze und wir können beobachten, was der Mann auf dem Motorrad zu tun hat: Nähern wir uns einer Kreuzung, die zu einem Dorf abzweigt, steht er schon da und schüttelt den Kopf.

Bader schäumt, Stiller schweigt. Dass sie im ersten Bus, also bei uns mitfahren, ist unser Pech; dass sie wieder einmal kein Quartier finden, offensichtlich. Der Morgen graut, es beginnt zu regnen und wir kurven kreuz und quer durchs Pustertal. Immer wieder sehen wir versprengte Truppenteile, Verwundete zu Fuß und auf Wagen, Transportfahrzeuge mit Militärgerät. Sie kommen uns entgegen oder sind auf unserer Straßenseite unterwegs; niemand scheint zu wissen, ob es vor oder zurück gehen soll. Auch bei uns im Bus gibt es nur eine klare Richtung: die der Nadel, die den Stand der Tankfüllung anzeigt.

Beratungspause. Bader und Stiller stehen auf einer Wiese und brüllen sich an. Eine Abordnung der Engländer steigt aus ihrem Bus, offenbar ungehindert von den Wachen, marschiert zu den beiden hinüber und protestiert aufs Schärfste dagegen, dass sie als Militärangehörige einer derart kopflosen Organisation ausgesetzt sind. Energisch verlangen sie eine Pause und ein Frühstück, und zwar ein ordentliches!

»Na schön«, gibt der Lächler nach, »vertreten Sie sich ein wenig die Füße, aber bleiben Sie bei den Bussen. Wir werden sehen, was wir organisieren können.«

Während der größere Teil der Wachmannschaft sich mit einem Bus auf den Weg ins nächste Dorf macht, bleiben wir auf der Wiese am Rande der Landstraße, neben Eisenbahnschienen und nicht weit von einem braunen Bahnwärterhäuschen. Rechts und links liegen Felder und Viehweiden, geradeaus steht in einiger Entfernung ein Ortsschild und von oben regnet es gnadenlos auf uns herab.

Wir waschen uns notdürftig an einem Bach. Die meisten gehen müde hin und her, um warm zu bleiben; zurück in den Bus möchte keiner. »Sieh mal«, stupst mich Julius plötzlich in die Seite, »was macht denn der General?«

Der General mit dem schönen Namen Garibaldi schlendert, die Arme auf dem Rücken verschränkt, die Gleise entlang und schaut so intensiv zu Boden, als hoffte er im Schotter ein Enzian zu finden. Der Bahnwärterstation kommt er dabei näher und näher … bis von drinnen plötzlich die Tür geöffnet wird und unser General schneller ins Innere des Häuschens schlüpft, als wir blinzeln können!

Minuten später verlassen zwei Männer die Station, ziehen die Kapuzen ihrer Regenmäntel tief in die Stirn und entfernen sich in Richtung der Berge. »Er hat sich verkleidet!« Mir steht der Mund offen. »Der General ist abgehauen!«

Aber da öffnet sich erneut die Tür des Bahnwärterhäuschens, der General tritt ins Freie und schlendert in aller Ruhe zurück. Er zwinkert uns sogar zu, als er merkt, dass wir ihn beobachtet haben!

»General Garibaldi«, murmelt Julius, als er an uns vorbei ist. »Der Mann ist Italiener.« Sein Gesicht hellt sich auf. »Weißt du, was ich glaube? Er hat Hilfe losgeschickt!«

Und Hilfe ist dringend notwendig. Als wir zu den Bussen zurückkehren, ist helle Aufregung ausgebrochen. Eine kleine Menschentraube hat sich um Pfarrer Niemöller geschart. »… einige besonders prominente Mitglieder der Gruppe zu liquidieren«, hören wir, und: »… sollen den alliierten Truppen nicht in die Hände fallen.«

»Die SD-Kerle sagten: Morgen macht ihr euren entscheidenden Gang«, berichtet der Pfarrer mit bleichem Gesicht.

Ein junger deutscher Oberst namens Bonin mischt sich ein. »Ich habe Bader und Stiller heute Nacht im Bus reden hören, als sie dachten, wir schliefen. Es ging darum, was *nach dem Moment* mit *den anderen* passieren sollte. Der ursprüngliche Plan war, Sprengstoff unter den Fahrzeugen anzubringen. Sie wollten uns offenbar schon letzte Nacht erledigen, aber der Bus mit der Munition hatte eine Panne …«

Neben mir höre ich meinen Vetter vernehmlich schlucken. Ich selbst habe es komplett aufgegeben, meinem Körper irgendeine Reaktion abnötigen zu wollen.

»Die Verhandlungen mit den Alliierten haben nichts erbracht«, vermutet Oberst Bonin, der wegen Befehlsverweigerung angeklagt, aber noch nicht verurteilt ist und in voller Uniform vor uns steht. »Unsretwegen wird es keine besseren Kapitulationsbedingungen geben. Wir sind als Geiseln nutzlos geworden.«

Im allgemeinen Schreckensgemurmel verschafft Mr Best sich Gehör und empfiehlt, Ruhe zu bewahren. »Wir müssen weg von der Straße«, sagt er. »Im Dorf können wir uns verteilen und sind weniger angreifbar.«

»Das stimmt! Ins Dorf!«, werden Stimmen laut.

Die Wachen machen einen halbherzigen Versuch, uns am Gehen zu hindern, aber zu schießen trauen sie sich – ohne entsprechenden Befehl – doch nicht. Minuten später passiert eine aufgeschreckte, aber umso entschlossenere Gruppe von fast hundertfünfzig Häftlingen, begleitet von einer Eskorte unschlüssiger Wachen, das Ortsschild von Niederdorf.

Die Bevölkerung von Südtirol hat in den letzten Tagen und Wochen viel versprengtes Fußvolk durchmarschieren sehen – unser Aufzug dürfte sie dennoch erstaunen. An der Spitze der langen, zerlumpten Kolonne schreiten Uniformierte mehrerer Nationen, wobei die vollbärtigen, ordensbehängten kleinen Griechen ein besonderes Spektakel darstellen. Wir haben Pfarrer, Prinzen und Politiker zu bieten, ältere Damen in Soldatenstiefeln und mit merkwürdig klappernden wollenen Beuteln auf dem Rücken, erschöpfte Kinder, und natürlich erkennen alle sofort ihren Kanzler Schuschnigg, der dem »Anschluss« Österreichs 1938 widerstanden hatte und sogleich verhaftet worden war.

Kaum haben wir die ersten Häuser des Dorfes erreicht, sehe ich Teile der Gruppe ausschwirren und an fremde Türen klopfen. Offenbar bedarf es nicht vieler Worte. Als der Schwanz der Kolonne den Ortseingang überschreitet, bröckelt der Rumpf schon bedenklich.

Auch Mutter würde gern so schnell wie möglich untertauchen, aber da ich die meisten aus der Familie noch weiter vorne auf der Straße sehe, ziehe ich sie einfach mit. Meine alte Not: nicht auszudenken, einander aus den Augen zu verlieren!

Sekunden später tut es mir schon leid. Über die Dorfstraße kommt uns ein leibhaftiger General der Deutschen Wehrmacht entgegen.

Die Wehrmacht! Das fehlte gerade noch! Die Wehrmacht, die alle *Verräter* aus ihren Reihen verstoßen hat, ist auch hier! Gehetzt blicke ich mich um, nach einer geöffneten Tür, einem Gebüsch, irgendetwas … als plötzlich ein General der Infanterie mit Hurrarufen aus unserer Schar bricht und dem anderen praktisch um den Hals fällt!

Kennen die sich? Wir sehen sie knappe, dringliche Worte wechseln. Der Wehrmachtsgeneral blickt erst ungläubig, dann grimmig.

Während ich noch rätsele, was das zu bedeuten hat, ist Oberst Bonin bereits in einem Haus verschwunden, vor dem mehrere Kübelwagen stehen. Mit sicherem Blick hat der Oberst erkannt, dass sich hier und nirgendwo anders das Hauptquartier der Wehrmacht befindet. Er blickt hochzufrieden, als er wieder auf die Straße kommt, gefolgt von einem rotgesichtigen, aus voller Kehle brüllenden Oberst der SS: »Sie sind ein Gefangener! Sie können nicht einfach das Telefon nehmen und den Generalstab in Italien anrufen! Das wird Folgen haben, verlassen Sie sich drauf!«

»Scheren Sie sich zum Teufel!«, brüllt Oberst Bonin in einem Ton zurück, der dem anderen fast die Mütze vom Kopf pfeift. »Generaloberst Vietinghoff hat Verstärkung zugesichert. Der gesamte Transport steht ab sofort unter dem Schutz der Wehrmacht!«

Als der Bader und der Lächler aus der Dorfgaststätte gehetzt kommen, wo ihnen die Wachen Meldung über unseren »Ausbruchsversuch« erstattet haben, finden sie die Lage erheblich verändert. Ein Häuflein Wehrmachtssoldaten, das zu dem General auf der Straße gehört und eigentlich bereits dabei war, aus dem Dorf abzuziehen, umstellt uns mit Maschinenpistolen und wirft der Übermacht der SS und SD drohende Blicke zu; gleichzeitig erklärt General Garibaldi mit großer Geste, Niederdorf sei ein Hauptquartier der Partisanen, er selbst der Befehlshaber und mehrere Partisanengruppen seien bereits auf dem Weg ins Dorf, um die Wehrmacht hinauszuwerfen.

Bonin sogar frei im Dorf bewegen. Eine wahre Welle von Hilfsbereitschaft hat den gesamten Ort erfasst. Lebensmittel, Kleidung, Obdach … jeder scheint den anderen an Gastfreundschaft übertreffen zu wollen. Mutter, Ina und ich werden spontan an den Tisch einer alten Lehrerin eingeladen, wo gefüllte Hefeknödel auf uns warten!

»Seid's aber vorsichtig«, mahnt die rührende alte Dame, »ihr seid's ja halb verhungert! Esst's lieber nur ein Knödel und nehmt's den Rest mit!«

Die Taschen voller Hefeknödel, spazieren wir schließlich zurück zum Hotel. Die Dolomiten glitzern in der Sonne, sie scheinen uns zuzulächeln; klare, reine Luft durchdringt meine Lungen. Soll ich mir jetzt noch vorstellen müssen, irgendjemand könnte mir das Leben nehmen …?

Bischof Piguet, einer der gefangenen Geistlichen, zelebriert am Nachmittag eine Dankmesse, an der fast alle teilnehmen – Katholiken, Protestanten, Orthodoxe. Als wir hinaus vor die Dorfkirche treten, fahren Lastwagen durch den Ort.

Deutsche Soldaten drängen sich auf der Ladefläche. »Nach Hause! Der Krieg ist vorbei!«

In Caserta, rufen sie uns im Vorbeifahren zu, hätten die deutschen Truppen kapituliert. Zu meiner Überraschung machen sie nicht den Eindruck von Besiegten. Ob auch sie sich als Überlebende fühlen?

»Haltet euch zurück! Nur nicht provozieren!«, schärft Onkel Teddy uns ein. »Unsere gesamte Wachmannschaft ist noch im Dorf, und der Verlust von Macht geht allzu oft mit neuer Gewalt einher.«

Im Hotel, wo die Älteren Zimmer bekommen haben und wir Übrigen auf Matratzen im Flur campieren, beschleicht mich, nachdem wir die Türen von innen verriegelt und Tische und Stühle davor gerückt haben, ein Gefühl von Mausefalle. Die ganze zweite Nacht hören wir Wagen vorbeifahren, das unheilvolle Donnern schwerer Stiefelschritte und immer wieder laute, bedrohliche Stimmen. Später erfahren wir, dass Oberst Bonin das Ehepaar Schuschnigg mit Pistolengewalt vor einem betrunkenen SS-Mann verteidigen musste, der plötzlich in ihre Unterkunft platzte, mit seiner Waffe fuchtelte und brüllte, hier habe immer noch er das Sagen.

Wir erfahren auch, dass ein unbekannter Hauptmann der Wehrmacht gesehen worden sei, wie er mit dem Lächler redete und danach sehr schnell wieder abfuhr. Sollte das der versprochene Schutz gewesen sein …? Niemand von uns tut in dieser Nacht ein Auge zu. Wann immer ich mich auf meiner Matratze aufrichte, kann ich Max oder Onkel Teddy sehen, die, auf ihr Gewehr gestützt, am Treppenabsatz auf einem Stuhl sitzen und abwechselnd Wache schieben.

Gegen Morgen muss ich aber doch eingeschlafen sein, denn als ich aufwache, sind sie schon da: eine Kompanie in fast voller Kampfstärke, rund hundertzwanzig Soldaten, die aus Kübelwagen springen und das Hauptquartier der SS auf dem Marktplatz umstellen. Bader und der Lächler müssen noch einen Ausbruchsversuch zu zweit in einem Fahrzeug gestartet haben, wurden aber unverzüglich aufgehalten und unter Waffengewalt zur Rückkehr ins Gebäude gezwungen.

»Wenn Ihre Leute von der Waffe Gebrauch machen, schießt die SS auch!«, brüllten sie den neuen Kommandanten, Hauptmann von Alvensleben, an.

Aber der lässt sich nicht beeindrucken. Die Übergabe der Ehrenhäftlinge an die Wehrmacht habe korrekt zu verlaufen, verlangt er. Anschließend stehe der SS selbstverständlich frei, Niederdorf sofort zu verlassen.

Zwei Stunden später sehen wir sie abfahren, Bader mit wildem Blick, Stiller ganz ohne ein Lächeln. Ob wir sie wirklich zum letzten Mal sehen?

Auch unser neuer Kommandant scheint sich da nicht sicher zu sein. Kaum ist die SS verschwunden, ergeht die Aufforderung, unser Gepäck zum Weitertransport ins Gemeindehaus zu bringen. Hauptmann von Alvensleben hat eine geeignetere Unterkunft für uns gefunden, ein Hotel auf 1500 Meter Höhe, das von der Wehrmacht besser zu überwachen sei als ein kleines Dorf im Tal.

Julius meint, ich sollte endlich anfangen, es zu glauben. Er verliert allmählich die Geduld mit mir, selbst wenn er zugeben muss, dass es nicht leicht ist, sich an eine solche Kulisse zu gewöhnen. An eine solche Stille! Der Pragser Wildsee ist smaragdgrün und sein Wasser, unbeweglich in der klirrenden Kälte, spiegelt eine Zauberlandschaft: schneebedeckte Berge, Wolken und Kiefernwälder, die bis ans Ufer reichen. Nur wenige Meter vom See entfernt schmiegt sich ein großes, herrschaftliches Haus an einen Berghang: das Hotel *Lago di Braies*.

Wenn Julius vor die Hoteltür tritt, legt er den Kopf in den Nacken und stößt ein helles »Holli-ho!« aus, das die Berge aufnehmen und weiterjubeln. Auch er muss sich vergewissern, dass wir hier sind. Aber ich halte lieber den Mund. Wenn ich in die Berge riefe, käme als Echo das Heulen der Sirenen zurück, das Krachen von Bomben und Gewehrsalven und das Klirren eines Schlüsselbundes. Die Stimmen von Bader und Lächler, Raffold und Pattke.

Je stiller es um mich ist, desto lauter toben sie in meinem Kopf. Ich fühle das Stroh des Viehwaggons durch meine Kleider stechen und zupfe daran, obwohl ich weiß, dass ich nichts finden werde; nachts springe ich aus dem Bett und reiße das Laken von der Matratze, während Mutter sich beschwörend neben mir aufrichtet.

»Es ist nichts da, Fritzi. Es ist viel zu kalt für Wanzen!«

Dr. Goerdeler hat sie beruhigt. Mein Verhalten sei vollkommen normal. Eine ganz natürliche Schockreaktion nach allem, was wir hinter uns haben, und es sei ja auch erst der dritte Tag.

»Aber das hier«, schimpft Julius, reißt mir die Strickmütze vom Kopf und stopft meine halb erfrorene Hand so grob hinein, dass ich fast aufschreie, »ist nicht mehr normal! Das kann mir keiner erzählen!«

Noch nie habe ich ihn so wütend gesehen. Wie ein Wilder kam er am Ufer entlanggesprintet, riss mich vom Wasser weg, aus dem mich meine schwebende weiße Hand wie ein toter Fisch angestarrt hatte, und es fehlte nicht viel und er hätte mich geohrfeigt.

»Fritzi!« Jetzt verlegt er sich aufs Bitten. »Warum machst du so etwas? Wir sind frei! Ein paar Tage noch und wir können nach Hause!«

»Und wo soll das sein?«, schreie ich ihn an. »Aua!«, heule ich und krümme mich über meine linke Hand, die jäh aus der Betäubung erwacht und ein schrilles Signal von Schock und Schmerz aussendet. Eine Minute im Eiswasser, länger kann es nicht gewesen sein – oder? Der Schmerz bringt mich zur Besinnung, ängstlich starre ich auf meine rot anschwellenden, pochenden Finger, die sich anfühlen, als müssten sie jeden Augenblick explodieren. Daran wenigstens habe ich gedacht: dass ich die *rechte* Hand noch brauchen könnte.

»Lautlitz«, sagt Julius. »Tante Almut sagt, ihr geht erst einmal nach Lautlitz.«

»Nachsehen, wer noch da ist?«, stoße ich hervor. »Danke, ohne mich.«

»Aber das müssen wir alle«, entgegnet Julius bedrückt. »Was mich betrifft, ich will es so bald wie möglich wissen. Und du doch auch.«

Er sieht sich meine Hand noch einmal an, scheint zufrieden, wickelt sie wieder in die Mütze. »Es geht dir gar nicht um Lautlitz oder um die, die noch da sind, hab ich Recht?«, sagt er mir ins Gesicht. »Es geht um die, die nicht mehr kommen. Um Tante Lexi.«

»Lass mich einfach in Ruhe!«, flüstere ich.

»Mein Opa«, erwidert er und holt tief Luft, »mein Opa und Walcheren …«

Berge, Himmel, Wolken verschwimmen vor meinen Augen. »Es bleibt trotzdem unser Zuhause«, höre ich Julius sagen. »Wir müssen es wieder dazu machen.«

Als ich wieder sprechen kann, antworte ich: »Ich kann mich an deinen Opa kaum erinnern. Ich habe ihn vielleicht drei Mal gesehen. Onkel Georg und Onkel Eckhardt hätte ich auch gern besser gekannt.«

»Und ich Lexi! Weißt du, dass ich ein wenig enttäuscht war, als ich sie zum ersten Mal sah? Ich hatte gehört, Max heiratet eine Kampfpilotin!«

Ich muss lachen. »Sie sah einfach nicht so aus«, meint Julius. »Freundlich und still. Sie hat Zeichnungen von den Kindern gemacht, das weiß ich noch. Alles andere hat man nicht geahnt. Wie stark sie war. Dass sie einmal so um uns kämpfen würde.«

»Julius«, frage ich leise, »kannst du Geheimnisse für dich behalten?«

Er zieht die Brauen hoch. »Kommt ganz darauf an!«, erwidert er im vertrauten leichten Ton; er ahnt ja nicht, was ich ihm, und nur ihm, erzählen werde.

Auf dem Dach des Hotels stehen zwei Posten mit Sturmgewehr, die das Gelände ringsum im Blick behalten. Ich sehe, wie sie sich die Fäuste reiben und von einem Bein aufs andere treten; in der Nacht hat es wieder geschneit, obwohl es mir vorkommt, als müsste es viel zu kalt dafür sein. Abseits des Weges zu einer kleinen Kapelle am Seeufer, den die Männer am Morgen freigeschaufelt haben, versinkt man bis zu den Knien im Schnee.

Die Soldaten bilden eine wachsame Kette um das Hotel: Jemand hat am Vortag Gestalten in der Nähe des Sees umherhuschen sehen. Niederdorf, wo General Garibaldi und die vier anderen italienischen Offiziere zurückgeblieben sind, ist seit unserem Abtransport von Partisanen besetzt. *Garibaldisten* nennen wir sie und sie hätten, wie Mr Best meint, sicher ebenfalls nichts gegen ein paar prominente Geiseln als Faustpfand einzuwenden. Wir sind dringend angehalten, uns nicht aus Sichtweite der Wachen zu entfernen. Auch SS könnte sich noch in den Wäldern herumtreiben.

»Was hast du da am See gemacht?«, werde ich von einem dicken Feldwebel gefragt. »Wolltest du deine Hand loswerden?«

»Meine Kusine konnte die Schönheit der Landschaft nicht

mehr ertragen«, erklärt Julius zu meiner Überraschung in völlig selbstverständlichem Ton.

Der Feldwebel guckt ihn an, als habe er Latein gesprochen. »Ich war in Sizilien und am Montecassino«, sagt er strafend. »Ich bin froh, dass ich meine Hände noch habe.«

Beschämt senke ich den Kopf. Ein weiterer Soldat kommt hinzu und sieht sich die Hand an. »Sieh zu, dass du einen Verband bekommst!«, befiehlt er mir. »Spätestens morgen gibt's Brandblasen.«

Im Hotelfoyer wird wirklich Latein geredet: die gemeinsame Sprache von Bischof Piguet und Domkapitular Neuhäusler. Sie sind so vertieft in ihr Gespräch, dass sie uns mit »Salve, pueri« grüßen. Julius streicht unsere Namen aus der Ausgehliste. Jeder, der ins Freie will, trägt sich darauf ein und notiert, wann er zurückzukommen gedenkt. Sicher ist sicher.

»Soll ich mitgehen zu Dr. Goerdeler?«, fragt Julius.

»Nein, den finde ich schon allein.«

»Sehen wir uns denn nachher beim Küchendienst?«

Unschlüssig stehen wir einander gegenüber, verbunden durch Geheimnis und Verantwortung. »Ich bin ab zwei Uhr eingeteilt.«

»Fein, ich auch. Na dann …«

Als hingen unsichtbare Fesseln zwischen uns, fällt es jetzt schon schwer, uns zu verabschieden. Ich glaube, ich habe meinen Vetter Julius und mich für immer aneinandergekettet.

»Glaubst du, sie hat es Max noch sagen können?«, hat er als Erstes gefragt, nachdem er lange und schweigend zugehört hatte.

»Bestimmt nicht. Sie haben sich nur noch wenige Male gesehen, und soweit ich weiß, immer unter Bewachung.«

»Dann darf Max es nicht erfahren! Es ist schlimm genug für ihn, dass Georg und Eckhardt die Sache ohne ihn geplant und durchgezogen haben, und wenn jetzt auch noch Lexi ...«

»Das denke ich auch. Ich musste es nur ... jemandem erzählen.«

»Das war gut! Einige sollten davon wissen, falls es einmal wichtig wird.«

Vom Hotel her sucht das Geräusch des Holzhackens sein Echo in den Bergen und hallt über den See zurück. »... wichtig wird?«, fragte ich.

»Lexi gehörte zur deutschen Luftwaffe. Sie wurde auf persönlichen Befehl Görings aus der Haft geholt. Sie wird als eine von ihnen gelten«, antwortete Julius schlicht.

»Na schön. Dann ... dann sagen wir eben, wie es wirklich war.«

»Lexis Ehre gegen Frieden für Max?«

Betroffen sahen wir uns an. »Das würde sie nicht wollen. Nie!«

»Lass uns entscheiden, wenn es jemals wichtig wird«, wiederholte Julius.

Ich bin froh, dass ich nicht mehr allein entscheiden muss.

»Das hättest du gar nicht tun müssen«, meint Dr. Goerdeler, während er einen lockeren Verband um meine von Salbe glänzende Hand wickelt. »Ich hätte dir einen Verband anlegen können, auch ohne dass du dir Schaden zufügst. Hättest es nur zu sagen brauchen.«

Meine Ohren glühen. Dann merke ich, dass er es ernst meint.

»Wir sind alle versehrt, Fritzi. Sieh dir an, mit welcher Gier wir das Essen verschlingen, wie jeder danach schielt, ob der andere ein Zipfelchen Wurst mehr bekommt. Wie in den persönlichen Weinkeller der Hotelbesitzerin eingebrochen wird, obwohl sie gibt, was sie hat! Du bist nicht die Einzige, die der Freiheit noch nicht traut. Sieh nur genau hin.«

»Kann ich … kann ich mit dem Verband in der Küche helfen?«

»Nein, mein Kind, das kannst du jetzt nicht mehr, und die Wäscherei ist auch tabu. Aber warum hilfst du nicht deiner Mutter in der Kleiderstube?«

In der Tür drehe ich mich noch einmal um. Dr. Goerdeler hat aus Beständen, die er von der Wehrmacht erbettelt hat, eine kleine Apotheke organisiert und ich sehe ihn Salbe und Verbandsmaterial sorgfältig in eine beschriftete Kiste zurücklegen und ins Regal stellen. Seine alten, von blauen Adern durchzogenen Hände zittern wie immer ein wenig.

»Ich habe mich noch nicht bedankt«, höre ich mich sagen. »Dafür, dass Sie da waren. Wenn wir Sie nicht gehabt hätten, wären die meisten von uns gar nicht hier angekommen.«

Dr. Goerdeler ist auf einmal sehr damit beschäftigt, weitere Kisten aus dem Regal zu nehmen und deren Inhalt zu inspizieren. »Wenn ich euch nicht gehabt hätte, wäre ich auch nicht mehr da«, brummt er endlich und wirkt froh, als ich die Tür hinter mir schließe.

Im Foyer sehe ich Mr Best, den Vorsitzenden des Komitees, das gegründet worden ist, um sich um unsere Belange zu kümmern. Gemeinsam mit der Komiteesekretärin, Frau Gudzent, hängt er die Tagesordnung für die heutige Vollversammlung ans Schwarze Brett. In schauderhaftem Englisch erkläre ich Mr Best, wie froh ich bin, dass er jetzt unser *Chief* und nicht mehr unser *Enemy* ist, überhaupt: dass so viele Nationen, die eben noch Krieg gegeneinander geführt haben, sich unter diesem Dach so gut vertragen.

Er strahlt übers ganze Gesicht. »Well, it is entirely my pleasure, dear! As Chancellor Schuschnigg says: We are a small *Völkerbund* now, aren't we?«

Mit einer Verbeugung verspricht er, meinen Dank auch an die übrigen Komiteemitglieder Oberst Bonin, Prälat Neuhäusler, Fregattenkapitän Liedig, den französischen Prinzen von Bourbon und den ungarischen Gesandten Nikolaus von Horthy weiterzugeben.

Nanni, Ina und Tante Sofie treffe ich in der Wäscherei, wo sie sich bemühen, nicht nur die Bett- und Tischwäsche des Hotels, sondern auch die armseligen Kleiderbündel zu reinigen, die die ehemaligen Gefangenen zum Waschen abgegeben haben. Das Schleudern der riesigen Waschtrommel übertönend, schreie ich die erstaunte Tante Sofie mit der Mitteilung an, wie sehr mich ihre Haltung und Würde noch in den allerschrecklichsten Momenten inspiriert hat. Nanni erkläre ich zur freundlichsten, hilfsbereitesten Person, die ich je kennengelernt habe, Ina zu einer der tapfersten, und als ich zu meinem letzten Satz anhebe, rollt die Maschine endlich aus: »Onkel Georg, Onkel Eckhardt und Onkel Yps wären begeistert, wenn sie uns sehen könnten. Deutsche, von Deutschen befreit!«

»Sie sehen uns!« Ich sinke von Umarmung zu Umarmung. »Wir werden gesehen, darauf kannst du dich verlassen.«

Fey hat Pause vom Kartoffelschälen, sitzt in ihrem Zimmer am Fenster und blickt über den See. Es ist klirrend kalt, das *Braies* ist ein Sommerhotel, das die Besitzerin eigens für uns geöffnet hat, und nur die Gemeinschaftszimmer am Ende jedes Stockwerks können geheizt werden. Nanni nennt unseres das »Sippenzimmer«.

Als ich klopfe und eintrete, habe ich das Gefühl, Fey aus einem tiefen Traum zu wecken.

»Wir sind so nahe an meinem Zuhause«, sagt sie leise. »Warum mache ich mich nicht einfach auf den Weg? Gestern dachte ich, ich sei wohl einfach zu müde, aber in Wahrheit bringe ich es nicht übers Herz, euch schon zu verlassen. Ist das nicht verrückt?«

»Überhaupt nicht.« Ich lehne mich ihr gegenüber ans Fensterbrett. »Du hast jetzt zwei Familien, das ist alles.«

»Kein Grund zum Heulen, oder?«, meint sie und putzt sich die Nase.

»Du kannst gleich weitermachen!«, entgegne ich zu ihrer Erheiterung. »Aber vorher, Signora Pirzio-Biroli, bedanke ich mich für deinen Mut und dein Lachen und dafür, wie du andere immer wieder mitreißen kannst, wenn sie schon verzweifeln.«

»Fritzi Bredemer«, schluchzt Fey, »es ist mir ein Vergnügen, mit dir zusammen gefangen gewesen zu sein!«

Ballast abgeworfen, Klexchen? Mein Gewicht fühlt sich anders an, als ich es ein weiteres Stockwerk hinauftrage.

Onkel Teddy finde ich mit Captain Churchill und Staff Sergeant Cushing beim Reinigen des Hausflurs. Ich bezweifle, dass eine Pfütze zwischen Wischmopp und Putzeimer ein angemessener Ort ist, um ein Familienoberhaupt für seine Weisheit und Güte zu rühmen, aber gerade in misslichen Lagen hätten sich diese ja bewiesen, erkläre ich meinem Onkel, und da er zudem immer derjenige mit den richtigen Worten gewesen sei, könne er sich bestimmt auch jetzt denken, was ich ihm sagen wolle.

»What did she say? What did she say?«, rätseln die Engländer, während es Onkel Teddy zum ersten Mal die Sprache verschlägt und er mich nur stumm in den Arm nimmt.

In der Kleiderstube treffen immer noch Spenden der Niederdorfer ein, aber auch aus Wehrmachtsuniformen, Decken oder Vorhängen kann man das Notwendigste nähen. Als ich eintrete, sind Mutter und Fräulein Gisevius damit beschäftigt, haltbare – und mit Sicherheit wetterfeste – Herrenhosen aus einem Zelt herzustellen.

»Was ist mit deiner Hand?«, fragt Mutter sofort.

»Kleines Experiment mit Wasser, Dr. Goerdeler hat es sich schon angesehen. Ist es nicht fantastisch, dass wir in den Lagern in fast jeder Situation jemanden unter uns hatten, der helfen konnte oder Rat wusste?«

»Im Rückblick erscheint nicht alles nur schlimm, nicht wahr?«, meint sie nachdenklich. »Wir hätten es schlechter machen können.«

»Danke, dass du immer für mich da warst«, platze ich heraus. »Es tut mir leid, dass man das umgekehrt nicht so sagen kann, aber ich werde mich bessern. Wo du hingehst, will ich hingehen, und so weiter, du weißt schon. Von mir aus auch Lautlitz. Ich bin so froh, dass wir einander noch haben!«

»Dann gibt es nichts, was wir nicht schaffen können, Fritzi«, sagt meine Mutter leise.

Ich finde ihn natürlich beim Holzhacken – an praktischen Tätigkeiten, erklärte Max, als wir uns für die Arbeit einteilen ließen, sei es das Einzige, was er mittlerweile mit einer gewissen Zuverlässigkeit beherrsche. Als ich um die Ecke biege, ist er gerade dabei, ein neues Pflaster in seine Handfläche zu kleben.

Lexis liebster Schatz. Ich hebe meinen Verband hoch und grinse.

Schlimm?, lese ich ihm von den Augen ab.

Ja, und bei dir?

Er lächelt. Es ist so einfach. In wenigen Schritten bin ich bei ihm. Suche nicht mehr nach Worten, die es nicht gibt. Finde den Zauberspruch.

»Auftrag von Lexi«, flüstere ich.

Jetzt können die Amerikaner kommen.

Achtzehn

Zum Entzünden einer Geburtstagskerze mag das verlassene Gleisbett der Deutschen Reichsbahn ein ungewöhnlicher Ort sein, aber genau hier befinden wir uns am 21. Juni 1945 um elf Uhr zwanzig: dem Tag und der Stunde, in der ich fünfzehn werde. Irgendwo zwischen Sigmaringen und Lautlitz, viele Kilometer schon entfernt von München, wo wir in der Vorwoche aufgebrochen sind, und zwei Tage nur von meinem nächsten Jubiläum – der Flucht aus Oschgau. *On the road,* wie die Amerikaner sagen. Überhaupt habe ich eine Menge wichtiger amerikanischer Begriffe gelernt in den letzten sechs Wochen. *Field kitchen. Personal documents. Displaced persons.*

Die Kerze hat Mutter aus dem Hotel in Capri mitgehen lassen, Streichhölzer und Zigaretten haben wir gesammelt, wo immer sie verteilt wurden (Amerikaner sind sehr großzügig). Wir sind ein wandelnder Tauschladen, meint Ina.

»Viel Glück und viel Segen«, singen sie für mich – ein wenig heiser, denn die Sonne brennt von einem wolkenlosen Himmel und der letzte Schatten liegt etliche Kilometer zurück. Zu dumm, wenn man von Hügeln und Wäldern umgeben ist, die Bahngleise, an denen wir uns orientieren, aber meist durch die Wiesen führen. Oder durch Tunnel! Ins Schwarze hinein, die Füße im Nichts und die Hände an der Wand, bis man nach endlosen, herzklopfenden Minuten einen winzigen Lichtfleck entdeckt.

In den ersten Tagen sind wir auf der Landstraße geblieben und ließen uns von Fuhrwerken und einigen wenigen Autos mitnehmen, die vorbeikamen; seit Sigmaringen laufen wir die Bahnstrecke entlang und können Lautlitz nun nicht mehr verfehlen. In den kleinen Orten, an denen die Bahn hielt, als sie noch fuhr, können wir einkaufen und finden um den Preis von Zigaretten und *Chewing gum* auch ein Nachtlager.

Fünfzehn!, denke ich. Ein Meter sechsundfünfzig (die Amerikaner haben mich gemessen und gewogen), achtunddreißig Kilo (vielleicht sind es jetzt schon ein paar mehr), drei Katastrophen (Fabian, Piotr, Lexi), zwei Befreiungen (Deutsche Wehrmacht, 85. Division der 5. US Army). Und noch etwa acht Kilometer zu laufen bis zu dem Augenblick, den wir seit über zehn Monaten herbeisehnen und fürchten!

»Almut«, sagt Ina mit einem Mal, »lass uns erst nach Ebingen gehen. Ich kann nicht nach Lautlitz, ohne zu wissen, ob die Kinder noch leben.«

»Das machen wir«, antwortet Mutter sanft. »Ich wollte es auch schon vorschlagen«, behauptet sie, was nicht stimmen kann, denn seit wir unterwegs sind, steht ihr das Wort *Lautlitz* praktisch auf die Stirn geschrieben. Aber Ina scheint sich gleich etwas besser zu fühlen.

Natürlich haben wir während der sechs Wochen, in denen die Amerikaner uns erst in Capri, dann in einem *Camp* in Frankreich festhielten, versucht, etwas über den Rest der Familie herauszufinden oder ein Lebenszeichen von uns selbst zu senden. Doch zwecklos, die Post- und Telefonverbindungen in Deutschland sind vollständig zusammengebrochen. Von dem Heim, in dem Lexi die Kinder aufgespürt hatte, wissen wir nur, dass es jetzt in der »sowjetisch besetzten Zone«

liegt – was immer das heißt. Ich habe bisher nur so viel verstanden, als dass man in Deutschland nicht mehr überallhin darf. Selbst für Lautlitz mussten wir einen Passierschein beantragen.

Wie wir sind jetzt viele unterwegs: Flüchtlinge aus dem Osten, Heimkehrer in zerrissener Uniform, Gestrandete. In unserer letzten Herberge trafen wir einen Soldaten, der soeben erfahren hatte, dass seine ganze Familie tot und ihre Wohnung ausgebombt war.

»Ich hab's eigentlich schon gewusst«, sagte er. »Seit einem halben Jahr kam keine Post mehr.«

Als wir am Morgen von unserem Strohlager aufstanden, war er bereits weg. Unterwegs nur, weil er nicht mehr weiß wohin.

»Hast du einen Geburtstagswunsch?«, fragt Mutter und hält mir die Kerze zum Ausblasen hin.

Ihre Augen bitten, Inas auch. »Ich habe mehrere Wünsche«, bekenne ich. »Aber keinen einzigen, für den ich eine Kerze *aus*blasen möchte.«

Richtige Antwort! Beide lächeln.

In Ebingen wehen französische Fahnen und an den Straßenschildern hängen Wegweiser zum *Quartier general* und zur *Gendarmerie*. Die französischen Soldaten sind älter und blicken härter und misstrauischer als die Amerikaner, die uns, nachdem sie am frühen Morgen des 3. Mai am Pragser Wildsee eingetroffen waren, mit ihrer Gelassenheit überwältigt hatten. Es fiel kein einziges lautes Wort. Gelassen entwaffneten sie unsere eigentlichen Befreier, Hauptmann von Alvensleben und seine Kompanie, und führten sie in die Gefangenschaft. Gelassen bauten sie anschließend ein Volleyballnetz, eine Feldküche und eine mobile Badeanstalt in zwei großen Zelten auf und verschenkten Handtücher.

Die französischen Soldaten sehen aus, als käme ihnen bei unserem Anblick anderes in den Sinn: Hitlers Triumphzug durch Paris vielleicht, oder brennende Dörfer in der Normandie. Alle paar Schritte will jemand den Passierschein sehen. Die Ebinger huschen mit gesenkten Köpfen vorbei und scheinen es eilig zu haben, von der Straße zu kommen.

Direkt in der Stadtmitte klafft, was der Bombenangriff im letzten Sommer vom Marktplatz und den umliegenden Häusern übrig gelassen hat. Ich sehe mich auf der Wiese im Schlossgarten liegen und in der Zeitung davon lesen. Der Morgen, an dem Lexi nach Berlin zurückgeflogen war. Der Morgen, an dem sie mir ihr Versprechen gegeben hatte …

Verdammt, denke ich. Wir sind noch nicht einmal in Lautlitz und schon geht es los!

Ich weiß, dass das Herz ein Muskel ist und nicht brechen kann. Aber etwas bricht, sobald ich an meine Erinnerungen rühre; bricht und strahlt aus in Arme und Beine, bis ich mich kaum noch bewegen kann. Alles tut weh.

»Frau Gräfin!«, schreit plötzlich jemand.

Eine ältere Frau lässt alle Vorsicht vor den Soldaten fahren. Mit ihrer Einkaufstasche rennt sie über die Straße auf uns zu.

»Frau Bangel!« Ina wird blass. »Zu Ihnen wollte ich gerade!«

Die Frau scheint schon zu wissen, warum. »Alles in Ordnung!«, ruft sie, noch bevor sie uns erreicht hat. »Sie sind zurück! Alle sieben Kleinen und Gräfin Nelly!«

»Alle sieben Kleinen«, wiederholt Ina und Mutter kann sie

gerade noch auffangen, bevor ihre Beine nachgeben. »Alle *sieben* Kleinen?«

Zu dritt sitzen wir auf der Straße, Ina und Mutter liegen sich in den Armen. »Gräfin Josefine hat sie geholt«, erzählt Frau Bangel und heult vor Freude gleich mit. »Sie und die Kinder der Hofackers und Goerdelers, in einem alten Bus von den Franzosen. Drei Tage später wären die Russen da gewesen!«

Ich glaube, die letzten Kilometer müssen wir geflogen sein.

Das Haus von Onkel Yps am Ortseingang, mit wucherndem Rasen und verwilderten Beeten. Die Dorfstraße mit den Fahnen der Besatzer, die Abzweigung zum Wanderweg, das Gasthaus. Onkel Yps war an dem Tag hierhergekommen, um die Nachrichten zu hören, da es im Schloss keinen Volksempfänger gab …

Die Hände, die sich uns entgegenstrecken. Die seligen Gesichter. Die Schritte derer, die zusammenlaufen.

Die Riesenschritte, mit denen Guntram und Konstantin, Eckhardt, Leopold, Carolin und Marie über die Wiese springen! Jemand muss vorausgeeilt sein, um Bescheid zu geben, denn als wir durchs Schlossportal treten, rennen sie uns schon entgegen.

Ina, die mit ihren Kindern im Gras rollt. Omama, und Tante Josi im wehenden Ordenskleid. Wie konnte ich nur daran zweifeln, dass dies der Ort ist? Noch bevor ich in ihre offenen Arme laufe, weiß ich, dass jede Sekunde der letzten zehn Monate den Moment schon geatmet hat.

Überstanden … überlebt … zu Hause.

Durch die Vorhänge am offenen Fenster geht kaum merklich ein Wehen. Draußen herrscht Stille, als hielte alles, was lebt, die Luft an. Die Sonne berührt schon die Hügel und wirft einen langen Schatten, in den sich die ersten Dächer des Dorfes schmiegen; die Westseite des Schlosses liegt in einem letzten Streifen Licht …

Nein, mein altes Zimmer kann ich nicht mehr haben. Die oberen Stockwerke sind noch von den Familien mittlerweile verhafteter Gestapo-Männer bewohnt, die sich weigern, das Haus zu verlassen. »Ich kann sie nicht hinauswerfen«, sagt Omama, »es sind doch Kinder dabei, und insgesamt haben sie sich anständig betragen in dieser schlimmen Zeit.«

Das ganze Dorf hat Omama verteidigt, als es in den letzten Kriegstagen hieß, sie solle noch »fortgebracht« werden. Einige zapften die Telefonleitung an, um entsprechende Anordnungen der Gestapo abzufangen, andere bewachten nachts zusammen mit französischen Kriegsgefangenen das Schloss. Kriegsgefangene waren es auch, die den Franzosen entgegen gingen und diese dazu bewegten, Lautlitz bei ihrem Vormarsch zu umgehen.

Aber in den Wäldern tobten bis zuletzt erbitterte Kämpfe und wer im Dorf die weiße Fahne hisste, wurde erschossen. »Paul Schneeberger, Siegfried Toblach, Walter Krems.« Omama wird noch in der Erinnerung ganz blass. »Ich habe sie gottlob nicht gesehen, aber ihre Leichen sollen tagelang zur Abschreckung auf dem Marktplatz gehangen haben.«

Als die Franzosen den Ort übernahmen, wurde ein Lazarett eingerichtet, wehte eine Rotkreuzfahne auf dem Schlossdach und empfing Omama den Kommandanten in ihrem Ankleidezimmer zwischen Toilettentisch und Kleiderschrank. Als weitere, grimmiger gestimmte Truppenteile nachrückten, suchten fast siebenhundert Menschen im Keller des Schlosses Schutz vor Plünderungen und Gewalt.

»Und dann kehrte Ruhe ein und ich fing wieder an, auf euch zu warten«, sagt Omama und in ihr Lächeln stiehlt sich für Augenblicke eine so tiefe Traurigkeit, dass Nelly aufsteht und auf die Terrasse geht.

Wir sitzen im Esszimmer, das Omama schon zurückerhalten hat, und die ganze Zeit, während wir Tee tranken und erzählten, habe ich vermieden, Nelly anzusehen.

Dabei muss mir niemand etwas erklären. Ich weiß, wie man sich fühlt, wenn die Gefahr vorüber ist und man wieder zum Denken kommt. Ich weiß so gut, wie Nelly sich fühlen muss, dass ich am liebsten aufspringen und hinter ihr herrennen würde.

Aber um was zu sagen …? Ich weiß doch auch, dass man weder Lust noch Kraft hat, mit jemandem zu reden.

»Lasst sie einfach in Ruhe!«, flüstert Tante Josi uns zu. »Sie kommt gleich zurück.«

Markus ist lange vor uns allen zu Hause angekommen. Er und die anderen vier, die auf den Fußmarsch von Dachau gezwungen worden waren, fanden sich eines Morgens ohne ihre Wachen wieder, die selbst das Weite gesucht hatten! In Geppingen traf Markus glücklich auf Onkel Jasper, Tante Helma und Tante Josi, bevor diese Ende Mai zurück nach Lautlitz durfte.

»Josi hat mir von Lexi erzählt«, sagt Omama still. »Ich habe zwei Söhne, eine Schwiegertochter und meinen Bruder verloren, aber weinen muss ich nun um Max. Alle anderen sind bei Gott …«

Ich sitze wie erstarrt. Wir haben von Max noch nicht gesprochen, denke ich, sie weiß es ja noch gar nicht!

Ich sehe, wie Mutter mir einen Blick zuwirft: *Lass mich das machen …*

Und auf einmal halte ich es nicht mehr aus, allen guten Vorsätzen zum Trotz. Jetzt sind wir schon zwei auf der Terrasse.

»Ach«, murmelt Nelly, in eine Qualmwolke gehüllt, »das Geburtstagskind!«

In Wirklichkeit, vermuteten wir, ging es nicht um Erholung, auch wenn sie uns das glauben machen wollten. Die Amerikaner schickten uns nach Capri, weil sie überprüfen wollten, wen sie eigentlich befreit hatten. Keiner von uns war mehr im Besitz von Papieren, also durfte auch niemand nach Hause.

Es war ein beeindruckender Konvoi. Vierzig amerikanische Limousinen und Jeeps, am Anfang und Ende der Kolonne ein bewaffneter Panzerwagen, bewegten sich langsam den Berg hinab, während Flugzeuge über uns kreisten. Zum Abschied von Prags war der Frühling ausgebrochen, Schmelzwasser rieselte von den Bergen und kleine Bäche schwollen zu Flüssen an und stürzten ins Tal. Wir fuhren südwärts, tiefer ins Land hinein, und welche Ortschaft wir auch durchquerten, es hingen italienische Fahnen an den Häusern und standen lachende, palavernde Menschen auf den Straßen. Ganz Italien befand sich im Glücksrausch. Zwei Tage zuvor war mit der Unterzeichnung der deutschen Kapitulationserklärung das Kriegsende endlich auch offiziell besiegelt worden.

Die amerikanischen Soldaten ließen sich von der allgemeinen Begeisterung anstecken, obwohl für ihr Land der Krieg im

Pazifik weiterging. Eifrig liefen sie, bevor sie uns an die offiziellen Stellen in Neapel übergaben, mit Notizbüchern von einem zum anderen und sammelten Autogramme. »Are you a countess?« – »Are you a prince?«

Im Hotel in Verona erwartete uns am späten Abend ein fürstliches Mahl aus Brathuhn und Spargel, zum Nachtisch Eis. Überhaupt schien die Freiheit in den ersten Tagen hauptsächlich aus Essen zu bestehen: *Pancakes*, Speck, Rühreier und süßer weißer Toast, Orangenmarmelade, Fleisch, das in eingefrorenen Portionen direkt aus Amerika kam, Zigaretten, Kaugummi und alle Arten von zuckrigem Obst in Dosen.

»Die mussten den Krieg ja gewinnen«, meinte ich. »Bei der Verpflegung!«

»Psst! Bist du still!«, zischte Mutter entsetzt, während man um uns herum in unterdrücktes Kichern ausbrach. Dabei hatte ich doch nur die Überlegenheit einer Nation rühmen wollen, die solche Schätze zu bieten hat! Eine Überlegenheit, die in jeder Geste uns gegenüber auf freundliche, selbstverständliche Weise zum Ausdruck kam.

Am nächsten Morgen flogen sie uns nach Neapel und schon am Flughafen stürzte sich die internationale Presse auf uns. Wir kannten dies bereits aus Prags, wo die Fotografen am Tag nach der Ankunft der Amerikaner eingefallen waren. Schuschnigg von vorn und von der Seite, Schuschnigg mit Frau, Schuschnigg mit Kind; Niemöller mit und ohne Bibel; Prinz Leopold von Bayern, wie er sitzt, steht, denkt, redet. Andere Kulisse, dieselben Bilder. Unterdessen verteilten Ladys des *Red Cross*, die wie Filmstars aussahen, Kulturbeutel mit Waschlappen, Zahnbürste, Zahnpasta und Seife, und sie taten dies nicht ahnend, dass sie das Luxuriöseste verschenkten, das man je bekommen hatte. (Es dauerte Tage, bis ich es übers Herz brachte, die duftende Seife anzubrechen.)

Und schlagartig, von einer Sekunde auf die andere, war es vorbei mit *unserem kleinen Völkerbund.*

»German?«, fragte ein Posten, der uns jählings in den Weg trat, als es hinaus zu den Bussen gehen sollte. »Please wait over there.«

Der eine oder andere mitfühlende Blick traf uns noch aus der großen Gruppe der Befreiten, in der wir uns bis eben so vertraut bewegt hatten. Aber es war nicht zu übersehen, dass wir auch für die Engländer, Franzosen und Ungarn, die nun an uns vorbei und zum Hotel gefahren wurden, mit einem Mal wieder *Germans* geworden waren – und selbstverständlich anders zu behandeln als die Nationen, die sich zu den Siegern des Krieges zählen durften.

Mit starrem Lächeln winkten wir den anderen Good-bye. Als wir später im Hotel eintrafen, waren unsere bisherigen Gefährten im einen Stockwerk untergebracht, wir Deutschen im anderen, und im Treppenhaus standen Posten mit Maschinenpistolen, um jeden Kontakt zwischen uns zu unterbinden.

Wir sahen die anderen nicht wieder. Tags darauf ging es für die *Germans* auf die Fähre nach Capri, wo unzählige Befragungen auf die Erwachsenen warteten und es eine ganze Woche dauerte, bis sie einem Teil von uns gestatteten, das Hotel mit seinen vergitterten Fenstern zu verlassen. Wir durften durch die Stadt spazieren, die wir schon sehnsüchtig aus unseren Zimmern beguckt und beschnuppert hatten, am Strand sitzen, im Sand liegen …

… und zusehen, wie sie unseren anderen Teil – Oberst Bonin, den Prinzen von Hessen und sämtliche Berufsoffiziere –

verhafteten und abführten. Kaum den Lagern der Nazis entronnen, waren sie nun Gefangene der Alliierten.

Das Hochgefühl, *Frieden* zu erleben, mochte sich danach kaum noch einstellen. Waren wir befreit … oder besiegt? Weder das eine noch das andere passte, und eines Morgens wachte ich mit der Entdeckung auf, dass ich mich auf die Uferpromenade nicht mehr freuen konnte und kaum weniger dringend nach Deutschland zurückwollte als Ina und Tante Ilselotte. Deren Verzweiflung wuchs von Tag zu Tag. Anstatt nach ihren Kindern suchen zu können, befanden sie sich auf einer Insel im Meer – abgeschnitten von allen Möglichkeiten, etwas zu unternehmen.

Wenigstens für Fey nahm die lange Zeit des Wartens ein Ende. Ihr Mann Detalmo holte sie persönlich in Capri ab und ließ es sich nicht nehmen, unsere ganze Familie zu einem großen Abendessen einzuladen. Immer wieder musste ich die beiden ansehen. Sie wirkten so unglaublich jung! Nach zwei Wochen Sonne und reichlichem Essen war Fey fast wieder so hübsch wie an dem Tag, als sie in Reinerz zu uns gestoßen war, und nur die scheuen, nach Vertrautem suchenden Blicke, die sie ihrem Ehemann während des Essens zuwarf, ließen ahnen, dass ihr in der Zwischenzeit etwas Ungeheuerliches zugestoßen war.

Etwas, das wir – und nicht er – mit ihr geteilt hatten. Julius und ich begleiteten die beiden am nächsten Morgen zur Fähre. Als sie einstiegen, war Fey noch sehr gefasst, doch kaum schmetterte das Boot sein alles durchdringendes Aufbruchssignal, brach sie in Tränen aus und konnte nicht aufhören zu weinen. Rasch drehten wir uns um, beinahe rannten wir davon, damit sie uns nicht mehr sehen musste.

Max machte einen sehr langen Spaziergang, nachdem Fey abgereist war. Bis zum Abend sahen wir ihn nicht wieder, und auch wenn er bei seiner Rückkehr versuchte, sich nichts anmerken zu lassen, spürte ich doch, wie deutlich es ihm nach ihrem Abschied wieder vor Augen stand: Ihm war nichts geblieben.

Die Amerikaner führten uns, solange unsere Identität nicht zur Zufriedenheit geklärt war, als *displaced persons*. Wenn es irgendeinen unter uns gab, auf den dieser Begriff in seiner bittersten Bedeutung zutraf, so war es mein Onkel Max.

Und wenn es irgendeinen gibt, an dem ich denselben müden, verschlossenen Gesichtsausdruck wiedererkenne, so ist es meine Tante Nelly, als sie auf der Terrasse steht, eine Zigarette an der nächsten anzündet und mit schleppender Stimme zu mir sagt: *Geburtstagskind*.

Viel ist es nicht, das ich über Nelly weiß, und sie macht nicht den Eindruck, als wolle sie mehr erzählen. Einzelhaft in Ravensbrück, Frauengefängnis, die Geburt von Cornelia in einem Entbindungsheim in Frankfurt an der Oder und mehrere Monate Krankenhaus in Potsdam berichtete sie uns wie in Stichworten. Als die Alliierten näher rückten, war auch Nelly mit ihrem Baby fortgekommen. Das Ziel sollte Schönberg sein, um zum Rest der Familie zu stoßen, doch gemeinsam mit ihrem Bewacher, einem Feldgendarmen, war sie nur bis Hof gekommen. Die Zwecklosigkeit ihrer Reise – meist zu Fuß auf verstopften Landstraßen – hatte auch dem guten Mann zunehmend gedämmert, sodass Nelly schließlich kurzerhand vorgeschlagen hatte, ihm seine Pflichterfüllung schriftlich zu bescheinigen und ihrer Wege zu gehen. Der Gendarm willigte ein, Nelly schlug sich durch nach Schloss Guttenberg, wo sie mit Cornelia das Kriegsende erlebte. Erst Anfang Juni ergab sich eine Fahrgelegenheit nach Lautlitz, und ein Wiedersehen mit ihren vier älteren Kindern nach fast einem Jahr der Trennung.

»Schau nicht so mitfühlend«, sagt Nelly und mir verschlägt es kurz die Sprache.

»Ich hab doch gar nichts gesagt!«, verteidige ich mich.

»Dein Gesicht«, bemerkt Nelly und zieht an ihrer Zigarette.

»So sehe ich nun mal aus.« Ich laufe rot an. »Im Übrigen habe ich eben gar nicht an dich gedacht, sondern an Max.«

Nelly hebt die Brauen. »Stell dir mal vor!«, lege ich nach und das Wunder geschieht. Ein Anflug echter Heiterkeit huscht über Nellys Gesicht. »Der Arme«, sagt sie eine Spur weicher. »Was wird er jetzt mit sich anfangen?«

Nun schaue ich sie doch von der Seite an, und halte ihrem Blick stand, als sie es merkt. »Und? Was siehst du?«, will sie leicht gereizt wissen.

»Dass du viel allein warst. Dass es dir zu laut und zu voll ist hier.«

»Lieber Gott, Fritzi«, entfährt es ihr und sie schaut als Erste weg.

Ich lehne mich über das Terrassengeländer. Nelly steht neben mir und raucht. Wenn sie weggehen möchte, wäre jetzt der Augenblick.

Sie bleibt. »Ganz allein war ich nicht«, spricht sie nach einer langen Pause weiter. »Lexi hat mir Kleider und Lebensmittel gebracht, Briefe von meiner Mutter und den Kindern, Fotos von ihrem Weihnachtsfest im Heim … verdammt schlechte allerdings für eine Ingenieurin, wirklich, es war fast nichts zu erkennen! Fotografieren konnte sie nicht. Aber wenn ich sie brauchte, oder *jemanden* brauchte, war sie da. Radelte abends von Gatow mit dem Fahrrad hinüber und saß selbst bei Fliegeralarm stundenlang mit mir im Dunkeln. Erzählte von euch oder ihrer Arbeit, machte Pläne. Im Rückblick kommt es mir vor, als wäre sie viel öfter bei mir gewesen, als sie tatsächlich gewesen sein kann … es ist schwer zu erklären.«

»Nein, überhaupt nicht«, antworte ich sofort. »Es geht mir ganz genauso.«

»Ihr habt euch geschrieben! Ja, ich erinnere mich. Sie hat es erzählt.«

Nelly sieht mich aufmerksam an. »Es ist so ungerecht«, platze ich heraus und erkenne kaum meine Stimme, so viel Wut liegt auf einmal darin. »Ausgerechnet Lexi, die geholfen hat, unser Leben zu retten!«

Nelly atmet tief ein und nickt. Einmal. Zweimal. Und plötzlich ist es weder seltsam noch unbehaglich, mit dieser veränderten Nelly auf der Terrasse zu stehen.

»Fritzi, Schätzchen«, sagt sie, »wenn du etwas älter wärest, würde ich dir jetzt eine Zigarette anbieten.«

»Und Max in Kriegsgefangenschaft. Verdammt, verdammt, verdammt!«

»Wenn Georg und Eckhardt überlebt hätten«, erwidert Nelly ohne Überraschung, »wären sie genau dort.«

»Selbst wenn der Anschlag geglückt wäre, hätte Deutschland kapituliert und wären die Offiziere in Gefangenschaft geraten«, sagt Max. »Ich gehe also auch für meine Brüder. Nimm's nicht so schwer, Fritzi. Ich wüsste sowieso nicht wohin.«

»Nach Lautlitz! Das ist doch dein Zuhause!«

»Lautlitz?«, fragt er zurück. »Wo mich jeder Baum, jeder Stein an meine Frau und meine Brüder erinnert? Für mich gibt es nur noch einen Grund, nach Lautlitz zu gehen. Ich will und ich werde Lexi nach Hause bringen. Aber bleiben werde ich sicher nicht.«

Seit sie uns von Capri nach Paris geflogen haben, kann ich meinen Albträumen einen weiteren hinzufügen. Im offenen Lastwagen stehen wir am Fuße des Montmartre inmitten einer sich schnell versammelnden Menschenmenge, Steine fliegen, Flüche und Schreie gellen ins Ohr. Frauen ziehen sich am Wagen hoch und spucken uns an. *»Les boches! Les boches!«*

Ich fühle Hände nach mir greifen, habe keinen Zweifel, dass sie mich jeden Augenblick vom Lastwagen zerren und zerreißen werden. Keine Ahnung, ob wirklich jemand an mir gezogen hat, aber jede Nacht blicke ich von Neuem in die hasserfüllten Gesichter. Eine Stunde ließen die amerikanischen Posten uns dort stehen, ohne einzuschreiten. Hinterher hörten wir, es sei ein Missverständnis gewesen, man habe der Kommandantur in Paris gefangene Gestapo-Familien angekündigt.

Wer hätte das tun sollen und warum? Ich vermute, es war schlicht von Deutschen die Rede gewesen, und für die, die uns in Empfang nahmen, war *deutsch* und *Gestapo* dasselbe.

Und nun dies. Hilflos sehe ich zu, wie Max sein Bündel schnürt, und es kommt mir vor, als sei die Stunde auf dem Lastwagen nichts als die Ouvertüre zu einer neuerlichen Wendung zum Bösen gewesen.

Am Vormittag haben wir erfahren, dass er nicht mit uns nach München weiterfliegt, sondern gemeinsam mit Fritz

Thyssen, Hjalmar Schacht, Fabian von Schlabrendorff und anderen zu weiteren Verhören nach Frankfurt gebracht wird. Ausgerechnet Max, ein Feind Hitlers von Anfang an, gilt als »belastet mit nationalsozialistischer Vergangenheit«. Kriegsteilnehmer, verheiratet gewesen mit einer Ingenieurin im Dienst der Rüstungsindustrie, und seine Brüder, heißt es, hätten zwar ein Attentat auf Hitler verübt – doch zuvor aktiv am Angriffskrieg mitgewirkt.

»Erwarten Sie von einem Menschen, dass er derselbe bleibt, der er immer war?«, hielt Max seinem Vernehmer entgegen. »Das wäre völlig unhistorisch!«

»Aber die Feinheiten deutscher Geschichte haben keinen Platz im Protokoll. Die Amerikaner haben Heimweh und wollen nach Hause«, erkennt er mit mehr Verständnis als irgendeiner von uns. »Sie sind in einen Krieg hineingezogen worden, mit dem sie nichts zu tun hatten, und wollen klare, einfache Antworten.«

Seit Innsbruck hatte ich gemerkt, dass Max sich aufzurappeln versuchte. Als man ihn am Flughafen Orly von uns trennt und abführt, spüre ich, wie restlos gleichgültig ihm von Neuem wird, was nun geschieht.

Der Flug nach München ist unruhig, als wäre der Himmel erschüttert von der Vielzahl verzweifelter Stoßgebete, die von einer aufgewühlten Erde zu ihm steigen.

»Du kannst von einem Menschen, dem das Rückgrat gebrochen wurde, nicht erwarten, dass er je wieder aufrecht geht«, sagt Nelly schlicht.

Vielleicht hält sie sich deshalb so gerade, und ist so hart und streng geworden. Damit es ihr nie passiert.

Neunzehn

Ein im Sturm geknickter Baum, ein zerstörtes Vogelnest … in Lautlitz finde ich vieles zu meinem Trost. Eine verwitterte Brücke, ein verbrannter Strauch, und auch hier fehlt ein Stück, und hier, und hier, und es wächst bereits Gras darüber und meine Schritte rascheln im Laub vom vergangenen Jahr. Die Erde nimmt auf und schafft neu; was ich verloren glaubte, ist in Wahrheit vielleicht schon ein Teil von mir, und auch der Mut, der langsam, ganz langsam zurückkehrt, nicht allein mein eigener.

Am Eingang zum Wanderweg hängt ein Schild, das auf Deutsch und Französisch vor herumliegender Munition warnt. Mutter würde verrückt, wenn sie wüsste, dass ich trotzdem auf den Berg steige – und wie oft ich schon hier war! Wenn auf dem Weg etwas vergraben wäre, hätte es mich längst erwischt.

»Mutter und ich sind in den Turm gezogen … Mutter Kuhn ist in Dachau befreit worden und mit ihrem Mann in Geppingen … Tante Helma hat geschrieben, sie komme vorläufig nicht …«

Es ist Mitte Juli, ich sitze auf meinem Baumstumpf, die Beine angezogen und die Arme darum geschlungen, und halte mich an die Abmachung.

»Gestern ist das Kindermädchen zurückgekommen. Bernadette. Wir können sie nicht bezahlen, aber sie will trotzdem bleiben … Mutter hat eine Nähmaschine geliehen und arbeitet für die Franzosen. Sie sind nett zu uns, weil sie wissen, was Widerstand bedeutet … so nennt man Onkel Georg jetzt nämlich: *Widerstandskämpfer*.«

»Heute habe ich Max geschrieben. Er ist in einem Lager bei Frankfurt. Ob er wohl antwortet? Die Geppinger haben eine Kiste Obst und Gemüse aus ihrem Garten geschickt, in unserem wächst ja noch nichts, weil die Gestapo ihn beschlagnahmt, aber nichts angebaut hatte … Nelly und ihre Kinder ziehen ins Forstwartshaus, Nelly geht der Trubel im Schloss auf die Nerven …«

»Langsam muss ich anfangen, an die Schule zu denken, aber passende Schulen sind weit und ich müsste ins Internat … Will ich das? Werde ich es machen?«

Es ist Ende Juli und heiß, nicht der kleinste Windhauch ist zu spüren. Letztes Jahr um diese Zeit war es genauso.

Natürlich machst du's, Klexchen.

Dabei habe ich anfangs nur Stimmen gehört, die nicht zu mir redeten.

Du solltest übrig bleiben, Lexi.

Ich hab's nicht geschafft, Yps.

Wäre am liebsten auf der Stelle umgekehrt und hätte mich davongeschlichen. Aber ich konnte mir vorstellen, was Lexi dazu gesagt hätte.

Wozu weglaufen? Du kommst ja doch zurück!

»Nelly hat zum ersten Mal gefragt, wie ihre Mutter gestorben ist. Finden werden wir Tante Adele wohl nie, Danzig ist Sperrgebiet … aber wir vermuten ohnehin, dass sie verbrannt wurde.«

»Eine schreckliche Nachricht heute! Baron zu Guttenberg,

Tante Sofies Bruder, ist tot. Sie haben ihn und andere in den letzten Kriegstagen aus der Zelle geholt und einfach erschossen … arme Tante Sofie … aber Vaters Name war nicht darunter …«

Es ist Mitte August und auf Japan sind amerikanische Bomben von solcher Zerstörungskraft gefallen, dass der Krieg im Pazifik augenblicklich beendet war. Auch die Russen behaupten, solche Bomben zu bauen. Russen und Amerikaner drohen einander jetzt ganz offen.

»Es wird doch nicht wieder Krieg geben? Fey und Detalmo suchen immer noch nach ihren Söhnen, mit Steckbriefen und übers Rote Kreuz, und sie haben uns Plakate zum Aufhängen geschickt, falls die Kinder nach Deutschland entführt und adoptiert wurden. Fey hat Angst, dass die beiden sich an ihren richtigen Namen nicht mehr erinnern, klein, wie sie sind …«

»Post von Julius! Bei Kuhns hat sich jemand gemeldet, der Nannis Verlobten letztes Jahr in einem Gefängnis des NKWD, des sowjetischen Volks-Kommissariats, gesehen haben will … hoffentlich nur ein Gerücht. Mutter überlegt, sich nach Berlin durchzuschlagen, um etwas über Vater in Erfahrung zu bringen …«

»Stell dir vor, jetzt schreibt uns die Pattke! Sie bittet um eine Bescheinigung, dass sie sich nichts zuschulden hat kommen lassen … sie, als Aufseherin in Stutthof! Nelly hat auch eine Anfrage von jemandem bekommen, aber gar nicht erst geantwortet.«

Es ist Ende August und ich renne so schnell den Berg hinauf, dass ich mehr japse als spreche: »Ein Brief von Vater! Er ist unterwegs! Ich habe Angst!«

Die Franzosen haben einen Wagen geschickt, um meinen Vater abzuholen. Unsere übergangslose Verwandlung von Verrätern zu Befreiten, von Befreiten zu Besiegten, von Besiegten zu Angehörigen von Widerstandskämpfern geht mir ein wenig zu glatt, um der Sache schon zu trauen, aber der Respekt, mit dem der französische Offizier meinen Vater zum Abschied grüßt, wird wenigstens eine schöne Erinnerung werden.

Was ist in Mutter gefahren? Mich schubst sie vor, ihn als Erste zu begrüßen! Dabei zittert sie am ganzen Körper und die kleinen Mädchen haben Blumensträuße in der Hand und vor Aufregung rote Wangen; ganz genau haben sie, glaube ich, nicht verstanden, wer da eigentlich zurückkehrt.

Die kratzige Wange fühlt sich an wie die von Max, also immerhin ein wenig vertraut. Vater sagt ganz erstarrt: »Mein Gott, ist das Fritzi?«

Schon auf dem Weg in den Garten, wo unter der Blutbuche der Kaffeetisch gedeckt ist, bin ich so erschöpft von allem, was ich gleichzeitig fühle oder auch nicht, dass ich mich am liebsten zusammenrollen und erst einmal darüber schlafen würde.

Vater hat ein Gefängnisgesicht und Gefängnisschultern, einen Gefängnisgang mit kleinen Schritten. Aber wenn ich die Augen schließe ... seine Stimme ist wie früher.

»Ich habe deinen langen Brief bekommen, Fritzi«, sagt die Stimme. »Ich danke dir.«

»Gern geschehen«, murmele ich und sehe mich in Stutthof und Buchenwald, frierend, hungrig und schreibend, und meine Seiten durch Lexis und Harald Poelchaus Hände gehen und den Mann erreichen, der mir gegenübersitzt.

»Ich habe den Brief noch«, sagt Vater. »Vielleicht möchtest du ihn zurück. Man vergisst so schnell.«

Er schiebt den dicken, zerknitterten Umschlag über den Tisch. Zögernd ziehe ich ihn zu mir heran und spüre das Gewicht vieler Seiten.

Schlau! Stellt den Kontakt her durch meinen eigenen Brief! Mein Vater, der Mann, der immer und auf alles eine Antwort hatte. Hätte man eine Waage zwischen uns gestellt, die das Erkennen misst, neigte sie sich jetzt schon ein kleines Stück zu ihm hin.

Und wären wir in einem geschlossenen Raum, würde die Nervosität Wände sprengen. Mein Vater, der einzige der Männer, der zurückkehrt und Antworten geben könnte ... die Frauen, die keine Frage zu stellen wagen! In quälender Ausführlichkeit dreht sich das Gespräch um die raffinierten Umwege, auf denen Tante Josi den Zucker für die Apfeltorte besorgt hat.

»Was hast du eigentlich gemacht?«, unterbreche ich.

Entsetztes Schweigen. *Bravo, Klexchen!* Mutter wird komplett aufgehört haben zu atmen.

»Ich meine: was genau?«, wiederhole ich entschlossen.

Vater sieht mich ruhig an. »Ich hatte als Quartiermeister Zugang zu Sprengstoff.«

»Aber ich dachte, Nannis Verlobter hätte den besorgt?

»Hat er. Ich habe, wenn man so will, einen früheren Anschlagsplan ausgerüstet, der im Nachhinein noch aufflog. Dass ich am Leben geblieben bin, verdankt sich wohl einzig der Tatsache, dass der zuständige Richter, Roland Freisler, im Februar bei einem Bombenangriff umgekommen ist. Meine Verhandlung wurde mehrmals verschoben und kam schließlich nicht mehr zustande.«

»Du meinst, es hat mehrere Anschläge gegeben?«

»Es hat etliche Versuche gegeben, Fritzi. Angefangen bei einem tapferen Mann namens Georg Elser, dem es vor sechs Jahren fast gelungen wäre, die Katastrophe noch vor ihrem Ausbruch zu verhindern. Leider hat Hitler eine Viertelstunde zu früh seine Rede im Bürgerbräukeller beendet. Georg Elser, ein einfacher Mann aus dem Volk, hat lange vor uns allen erkannt, dass man etwas unternehmen muss.« Vater bewegt sich unbehaglich auf seinem Stuhl. »Ich wünschte, ich könnte sagen, uns sei nicht bewusst gewesen, dass man im Falle unseres Scheiterns die Familien zur Rechenschaft ziehen würde, aber es wäre nicht die Wahrheit. Wir haben gehofft, das ist alles.«

»Niemand macht euch einen Vorwurf, Hans!«, erklärt Omama. »Die Familie steht hinter dem, was ihr getan habt.«

»Vorbehaltlos«, bekräftigt Ina.

»Wir brauchen nicht einmal darüber zu reden«, fällt Nelly ein.

Mutter kann nur noch nicken. »Willst du reden, Fritzi?«, fragt Vater.

Willst du reden. Ich höre, was er eigentlich fragt: Verstehst du, warum ich einen Weg verlassen musste, auf den ich dich schon geschickt hatte?

»Ich will reden«, antworte ich. »Aber es ist eine hässliche Geschichte und ich könnte verstehen, wenn niemand von euch sie hören möchte.«

Natürlich sind alle geblieben. Nur Bernadette hat von Ina einen Wink bekommen, den Korb mit den Springseilen und Bällen zu holen. Die Kinder rannten ihr sogleich hinterher, froh, nicht länger still sitzen zu müssen.

Antonia und Fritzi. Fritzi und Antonia. Mit welcher von

uns hatte es angefangen? Nur dass wir Piotr gewarnt hatten, steht fest. Zwei Mal: Wir haben deine Vorratsecke entdeckt. Hör auf damit, sonst müssen wir es melden!

Er wird nicht geglaubt haben, dass wir es tun. Nahm hier eine Kartoffel, da eine Zwiebel, dort eine Scheibe Brot – so wenig von jedem, dass die Bäuerin nichts merkte, obwohl sie abends die Weckgläser und Eier zählte. Er wusste, dass wir sein kleines Vorratslager hinter den Hafersäcken inspizierten, eine Holzkiste, damit die Mäuse sich nicht durchnagten.

Eine geklaute Holzkiste aus dem Stall, stellte Antonia fest. Auch das noch.

Wir merkten, dass Piotr nicht aufhören würde. Ich habe Hunger, sagte er nur. Für die viele Arbeit, die ich mache, müsste ich viel mehr zu essen bekommen!

Wir ärgerten uns, dass er unsere Warnungen nicht zur Kenntnis nahm. Er, der Fremdarbeiter – wir, die deutschen Mädel. Er hatte keinerlei Respekt vor uns!

Wenn ich es nicht melde, wird Antonia es tun, dachte ich. Wie stehe ich dann da?

Piotr leugnete nicht einmal, als wir den Bauern zu der Stelle führten. Ja, ist meins, sagte er trotzig und sah uns nicht an.

Aber angezeigt hat ihn nicht der Bauer, sondern dessen Frau. In den Brunnen geworfen hat ihn nicht der Bauer, sondern die Nachbarschaft. Mit Schaufeln und Mistgabeln auf seine Hände eingehackt, damit er aufhörte, sich an die Kurbel zu klammern, über seine schrillen, entsetzten Schreie gespottet. Ihn mit einem Haken aus dem Wasser gezogen, als er schon halb ertrunken war. Der Brunnen wurde ja noch gebraucht, für die Tiere.

Jetzt reicht es, es ist gut!, rief der Bauer, als sie anfingen, auf

Piotr einzutreten. Aber niemand achtete auf ihn. Alles geschah jetzt schweigend, ohne einen Laut. Es war der Moment, in dem Antonia den Versuch machte wegzulaufen.

Das schaut ihr euch an, ihr zwei!, stieß der Bauer hervor. Ihr schaut euch das an!

Die Abdrücke seiner Hand waren noch an meinem Arm, als ich in Berlin ankam.

Piotr war bewusstlos, als sie ihn zu den Eichen schleppten, aber sie kippten ihm so lange Wasser ins Gesicht, bis er wieder zu sich kam. Einen Bewusstlosen zu hängen, ergibt wohl keinen Sinn.

Und es waren Leute, die wir kannten, Leute, mit denen wir auf dem Heuwagen gestanden, Kartoffeln gelesen und beim Maifest gelacht hatten.

Und der Bauer dachte dasselbe über uns, schon am Abend konnte ich das sehen: Es waren Mädchen, die ich kannte.

Ihr habt nichts falsch gemacht, Fritzi! Falsch ist nur, wie du darüber denkst!

Ellen war stolz. Zwei ihrer Jungmädel! An den Lagernachmittagen hob sie uns hervor, indem sie alle Fragen nun zuerst an uns richtete, wie Musterschülerinnen, auf die sie sich verlassen konnte. Dass sie mich nach dem vierzehnten Geburtstag an den BDM würde abgeben müssen, tat ihr jetzt schon leid – Antonia war zu ihrer Freude ein paar Monate jünger.

Auf dem Hof änderte sich nichts. Der Bauer traute sich nicht, etwas gegen uns zu sagen, und Romek hatte schon vorher nicht mit uns gesprochen, da er kein Deutsch verstand. Zehn Tage später kam ein neuer Pole, Romek zwo, aber seinen richtigen Namen erfuhr ich nicht mehr. Romek zwo ging uns verständlicherweise aus dem Weg.

»Und deinem nächsten Brief lag Geld zu meinem Geburtstag bei«, sage ich zu Mutter. »Es reichte für eine Fahrkarte nach Berlin.«

Es ist still. Wie schnell diese Geschichte erzählt ist! Als hätte ich jedes Wort in Gedanken schon hundertmal bewegt und ausgesprochen, und auch der Rest ist keine Überraschung. Die betroffenen Gesichter. Mutters mühsam unterdrückte Tränen. Omamas plötzlicher, heftiger Ausbruch: »Wie ich hasse, was dieser Hitler aus uns gemacht hat!«

Aus *uns*, ruft sie, die Liebe. Denn sie sind mir ja zugetan, sie sind meine Familie und sie sagen, womit zu rechnen war: *Du bist nicht schuld, du konntest es doch nicht wissen!*

Nichts, was ich mir selbst nicht wieder und wieder einzureden versucht habe. Aber schützt das Fehlen einer Absicht vor Schuld? Macht das Aussprechen einer Schuld sie wieder gut? Muss dem Aussprechen nicht eine Tat folgen?

Wenn sie ehrlich wären, würden sie etwas anderes zu mir sagen als: *Arme Fritzi, du konntest es nicht wissen.* Aber hätte ich die ganze Wahrheit erzählt, wenn ich erwartet hätte, dass sie ehrlich sind?

Für den Augenblick, das muss ich gestehen, ist Trost das Einzige, was ich ertragen kann. Doch dass es nicht dabei bleiben darf, ist gewiss.

»Mit dieser Geschichte«, erkläre ich meinem Vater, »habe ich ausdrücken wollen, dass ich keine Fragen mehr habe. Ich weiß, was es war, dem ihr ein Ende bereiten wolltet, und ich bin sehr dankbar, dass ihr es versucht habt.«

Um eine ehrliche Antwort zu bekommen, brauche ich nur auf einen Berg zu steigen.

Zwanzig

Wundert es dich, dass wir, seit er tot ist, nicht ein einziges Mal über Hitler gesprochen haben? In Wahrheit habe ich nicht das Geringste empfunden, als die Nachricht kam, dass er im Bunker der Reichskanzlei Selbstmord begangen habe. Sein Tod war wie eine Fußnote an dem Tag, an dem ich Julius dein Geheimnis anvertraute, dem Tag, an dem wir in der Kapelle am See eine wunderschöne Abendandacht feierten zu Ehren der verstorbenen Prinzessin Mafalda. Wie schnell an Bedeutung verliert, was eben noch Mittelpunkt der Welt war! Hitlers Tod kam so spät, dass es schon wichtigere Dinge gab. Es war der Tag, an dem ich angefangen habe, mich befreien zu lassen.

Wie deine letzten Tage ausgesehen haben … das versuche ich mir seither oft vorzustellen, denn immer wieder fügen Briefe und Berichte dem, was wir schon wissen, etwas Kleines oder Größeres hinzu. Nelly hattest du einen Fluchtort beschrieben, den du für uns nahe Buchenwald gefunden hattest. Und dann bei deiner Rückkehr vom Flug mit Onkel Jasper der Blick in das menschenleere Lager!

Dass es dich selbst in höchste Gefahr bringen würde, weiter nach uns zu suchen, musst du gewusst haben. Hattest zwei Tage zuvor schon den Storch verloren bei einer Notlandung, die Ersatzmaschine ging bei einem Angriff auf Nohra zu Bruch, kaum dass du zum Stützpunkt zurückgekehrt warst, um uns wieder einmal hinterherzutelefonieren.

Aber aufgeben? Nicht alles versucht zu haben? Es gab eine weitere Ersatzmaschine für den Weg bis Pilsen, und am dortigen Fliegerhorst stand die langsame, unbewaffnete Bücker einer Flugschule, in der es nichts mehr zu schulen gab.

Max fuhr, nachdem er Mitte September aus der Gefangenschaft entlassen worden war, als Erstes nach Strasskirchen. Redete mit Leuten aus dem Dorf, die dich aus der abgeschossenen Maschine gezogen hatten und mit denen du sogar noch einige Worte gewechselt hattest. Bekam deine persönlichen Dinge ausgehändigt: Eine Sekretärin des Fliegerhorsts Straubing hatte sich geweigert, sie an die Gestapo abzuliefern.

Ich hatte gehofft, Max würde länger bleiben, nachdem er dich nach Hause gebracht hatte, aber er reiste gleich weiter an den Bodensee zu seinen Dichterfreunden. »Wüsste ich nicht eine neue Schönheit und Erfüllung darin, dem Andenken der Unsrigen zu dienen«, sagte er, »müsste ich mein Leben als zerstört betrachten.« Sein Gedicht an dich hat er uns schon geschickt. Erst musste ich weinen, dann merkte ich, wie tröstlich es gleichzeitig ist. Nun arbeitet er an einem größeren Werk über die Tat seiner Brüder.

Fey und Detalmo haben erst im November ihre Kinder gefunden. Der Jüngste konnte sich nicht mehr an sie erinnern. Nanni und die Kuhns warten und warten auf Nachricht über Joachim, aber wenn er wirklich in einem NKWD-Gefängnis ist, sieht es schlecht aus.

Vater ist zurück aus Berlin. An seiner früheren Arbeitsstelle sucht man händeringend Mitarbeiter, aber ihn betrachtet man als Verräter. Er will es jetzt in der französischen Zone versuchen. Derweil leben wir von dem wenigen, das Mutter an der Nähmaschine verdient, denn auch Nelly und Ina stehen ohne jeden Pfennig da. Die Witwe Roland Freislers, des Richters, der nach dem Anschlag auf Hitler Hunderte zum Tode verurteilt hatte, erhält eine großzügige Pension – die Witwen der Verurteilten erhalten nichts. Geppingen und Walcheren helfen, wo sie können, und zahlen auch mein Schulgeld.

Es muss deprimierend sein in Berlin, ein Trümmerleben. Unser Haus steht nicht mehr, wie erwartet; allerdings ist es nicht durch eine Bombe zerstört worden. Olesia muss nach Mutters Verhaftung noch monatelang unentdeckt im Keller gehaust haben. Die Nachbarn merkten wohl, dass Lebensmittel fehlten, aber verdächtigten Frau Koch und beschatteten diese heimlich, bis jemand (die Bechtolf wollte nicht sagen, wer) zufällig Olesia ertappte und unter Schlägen auf die Straße warf. In der nächsten Nacht, als es keinen Fliegerangriff gab und die Hausbewohner in ihren Wohnungen schliefen, kam sie zurück und setzte den Keller in Brand.

Olesia, dieses ängstliche Nervenbündel! Was aus ihr geworden ist, weiß niemand. Als die Russen in Berlin einrückten, machten sie einen Unterschied zwischen ehemaligen Kriegsgefangenen, die als Kameraden behandelt wurden, und Fremdarbeitern, die in ihren Augen Vaterlandsverrat begangen hatten, indem sie für die Deutschen arbeiteten. Ich fürchte, dass Olesia es nicht zurück nach Kiew geschafft hat.

Bis auf Frau Koch, die in Panik aus dem zweiten Stock sprang, als das Treppenhaus brannte, sind alle in unserem Haus mit dem Leben davongekommen. Die Bechtolf haust immer noch in den Trümmern. Der kleine Jörg-Alfred, der es endlich geschafft hatte, sich von seiner Mutter loszureißen
und in einem Schrank zu verstecken, soll in einem Waisenhaus sein.

Was wäre geschehen, wenn der Anschlag geglückt wäre? Vielleicht hätte es einen Bürgerkrieg gegeben, meint Vater, denn ein großer Teil des Volkes stand ebenso fest zu Hitler, wie der andere Teil ihn ablehnte. Im Internat gibt es etliche, die nichts mit mir zu tun haben wollen, seit sie wissen, zu welcher Familie ich gehöre. Andere laden mich übers Wochenende nach Hause ein und stellen mich Eltern vor, die mich mit Wohlwollen überschütten. Ob man je wieder ein normales Leben führt?

Was meine Selbstanzeige betrifft, habe ich es gemacht, wie wir besprochen haben. Bei der Rückkehr vom Weihnachtsfest in Geppingen fand ich gestern Nachmittag diesen Brief. Hör dir das an:

»Sehr geehrtes Fräulein Bredemer, nach eingehender Überlegung haben wir beschlossen, Ihrer Anzeige nicht nachzugehen. Es wäre so gut wie unmöglich, in der heutigen sowjetischen Zone an die notwendigen Informationen zu gelangen und Zeugen für das Geschehen zu finden, das Sie schildern. Das Dorf Oschgau ist unseres Wissens nicht mehr existent, die Bewohner im Zuge des Vormarschs der Roten Armee geflohen oder ums Leben gekommen.

So schmerzlich und aufwühlend Ihnen die beschriebenen Ereignisse scheinen, so wenig ungewöhnlich sind sie leider im Lichte dessen, was unser Volk in den vergangenen sechs Jahren sowohl ausgelöst als auch selbst erlitten hat. Es ist anzunehmen, dass die Beteiligten Ihrer Geschichte ihr Schuldigwerden, soweit man im Einzelfall davon sprechen kann, bereits gebüßt haben durch Verlust ihrer Heimat oder ihres eigenen Lebens. Bitte ermöglichen Sie sich selbst und denen, denen es vergönnt war zu überleben, Seelenfrieden auch im

Blick darauf, dass in unserem Volke jeder Einzelne gebraucht wird für einen Wiederaufbau und Neubeginn. Hochachtungsvoll (unleserliche Unterschrift), Kommissariat der französischen Besatzungszone, Baden-Baden«

Wenig ungewöhnlich! Seelenfrieden! Warum sagen sie nicht gleich: Was interessiert uns ein polnischer Fremdarbeiter, wir haben genug mit uns selbst zu tun! Ich schätze, ich werde es weiter versuchen müssen. Irgendwann werden meine Briefe schon jemanden erreichen, der sich für Piotr interessiert.

Morgen geht's zurück ins Internat. Ich bin gerne da. Was du natürlich weißt, denn es ist ja nicht so, als ob ich dich hierließe …! Die Grüße von dir habe ich auch bekommen.

Ja, da staunst du! Am ersten Weihnachtstag hat Tante Josi mich zu einer Bekannten mitgenommen, einer Journalistin aus Berlin, die im letzten Kriegswinter nach Geppingen geflüchtet und dort hängen geblieben ist. Endlich lernte ich eine der namenlosen Helferinnen kennen, die uns über Harald Poelchau im Gefängnis versorgt hatten! Sie heißt Ursula Kardorff, war eine gute Freundin von Fritzi Schulenburg, der nach dem 20. Juli hingerichtet wurde, und freute sich, jemanden mit dem gleichen Vornamen zu treffen.

»Übrigens kannte ich deine Tante Lexi«, sagte sie plötzlich. »Wir haben uns einige Male in Berlin getroffen und Sachen für unsere Schützlinge getauscht; einmal nahm sie ein Paket für meine Freundin Reinhild Hardenberg mit und bekam eine Jacke für eine gewisse Ina. Lexi war absolut erstaunlich. Es gab nichts, was sie unversucht gelassen hätte, um *ihren Gefangenen*, wie sie euch liebevoll nannte, das Leben zu erleichtern. Habt ihr eigentlich je ein Weihnachtsbäumchen bekommen?«

Mir verschlug es die Sprache. Obwohl ich es damals doch gleich gewusst hatte!

»Eine verrückte Idee: einen Weihnachtsbaum in ein KZ im Osten zu fliegen, ohne überhaupt eine Besuchserlaubnis zu haben. Einen Baum abzugeben und wieder nach Hause zu fliegen!« Ursula Kardorff lachte, es klang traurig. »Entschuldige, das war eine sehr dumme Bemerkung. Deine Tante war alles andere als verrückt. Aber diesen schiefen kleinen Weihnachtsbaum habt ihr nie bekommen, nicht wahr?«

Demnächst wird dein Name in eine Erinnerungstafel gemeißelt, soll neben den Namen von Onkel Georg und Onkel Eckhardt stehen und die entsprechenden Lebensdaten auch mit dabei. Lebensdaten! Ich glaube, euer Leben ist noch lange nicht zu Ende erzählt. Dafür habt ihr viel zu viele Spuren hinterlassen.

Ich bin gespannt, welche du noch ausgelegt hast, Lexi. Aber eins darfst du mir glauben: Ich bin nicht mehr leicht zu überraschen!

Nachwort

Rund vierzig Anschlagspläne und erfolglose Attentatsversuche auf das Leben Adolf Hitlers hatte es bereits gegeben, als am 20. Juli 1944 im Führerhauptquartier »Wolfsschanze« in Rastenburg/Ostpreußen die Bombe explodierte, die Oberst Claus Schenk Graf von Stauffenberg während einer Lagebesprechung unter einem Kartentisch deponiert hatte. Er selbst war zu diesem Zeitpunkt auf dem Rückweg nach Berlin, um die nächste Phase der »Operation Walküre« einzuleiten, an deren Ende die Übernahme der Regierung stehen sollte.

Hitlers Überleben auch dieses Anschlags verurteilte einen Plan zum Scheitern, den Gegner aus allen Bereichen und Schichten der Gesellschaft über Jahre hinweg gemeinsam entworfen hatten. Militärangehörige, Gewerkschafter, Politiker, Diplomaten, Geistliche ... von der großen Zahl der Beteiligten soll Hitler, der das Attentat gern einer »kleinen Clique gewissenloser Offiziere« zugeschrieben hätte, erschüttert gewesen sein.

Über den Sinn des Anschlags zu einem Zeitpunkt, da der Krieg als verloren erkannt und die bedingungslose Kapitulation Deutschlands von den Alliierten bereits beschlossen war, ist viel diskutiert worden. Als sicher gilt, dass die Attentäter, entsetzt und beschämt über das Ausmaß der deutschen Kriegsverbrechen, »um der Ehre willen« nicht anders konnten als diesen Verbrechen Einhalt zu gebieten – und wenn es ihr eigenes Leben kostete. Ein Aufstand des Gewissens, dessen Würdigung etliche Jahre auf sich warten ließ: Noch Jahrzehnte nach Kriegsende galten die Attentäter des 20. Juli vielen Deutschen als Verräter, während ihr Mut und ihre Opferbereitschaft heutzutage recht selbstverständlich als Beweis dafür herangezogen werden, dass es damals auch »gute Deutsche« gegeben habe.

Im letzten Jahr des Zweiten Weltkriegs kamen mehr Menschen ums Leben als in allen vorausgegangenen Kriegsjahren zusammen. Ein geglückter Anschlag auf Hitler wäre also keinesfalls zu spät gekommen.

Der Name Graf Stauffenberg und das Datum des 20. Juli 1944 haben in der deutschen Geschichte inzwischen ihren festen Platz. Der »Epilog« ist weniger bekannt: die Rache des Regimes nicht nur an Hunderten Beteiligten und Mitwissern, sondern auch an deren Angehörigen. Die Sippenhaft betraf das zehn Tage alte Baby, das der Familie Hansen entrissen wurde, ebenso wie das 84-jährige Familienoberhaupt der Stauffenbergs. Für zahlreiche Familien des Widerstands bedeutete der missglückte Anschlag auf den »Führer« eine lange Odyssee durch Gefängnisse und Konzentrationslager.

»Der Zusammenhalt der Familie war eine große Hilfe in dieser Zeit«, erinnert sich Otto-Philipp Graf Stauffenberg, der damals 17-jährige Neffe des Attentäters. »Die ganze Familie stand einmütig hinter der Tat meines Onkels, voller Stolz auf ihn, der sie gewagt hatte. Es hat in all diesen Monaten, auch nicht in den schwersten Stunden, bei uns auch nur den leisesten Vorwurf gegeben, dass wir durch das Attentat in diese Lage gekommen waren. Ich glaube, es gab nicht einmal den leisesten Gedanken daran.«

Heute berichtet Graf Stauffenberg als Zeitzeuge in Schulen und Bildungsstätten vom »20. Juli und seinen Folgen«, und sein Vortrag über das persönliche Erleben war es, der den Anstoß zu diesem Roman gab. Auf Wunsch der Beteiligten wird der Name Stauffenberg jedoch nicht genannt, um das fiktive Element deutlich zu machen, das jeder Dramatisierung anhaftet, selbst wenn sich diese entlang tatsächlicher Ereignisse bewegt und die handelnden Personen möglichst authentisch zu schildern versucht.

Erzählt wird aus dem Blickwinkel der 14-jährigen Philippa, genannt Fritzi, deren eigene, frei erfundene Biografie in eine wahre Geschichte mündet. Mit Ausnahme von Fritzi und ihren Eltern steckt hinter jedem Mitglied der Familie von Lautlitz eine reale Person, deren Name aus der Stammtafel am Ende des Buches hervorgeht. Claus Graf Stauffenberg (»Georg von Lautlitz«) tritt ebenso wie sein an der Verschwörung beteiligter Bruder Berthold (»Onkel Eckhardt«) nur indirekt auf; sie sind bereits Erinnerung. Sehr gegenwärtig sind zum Zeitpunkt der Geschehnisse hingegen Nikolaus Graf von Üxküll-Gyllenband (»Onkel Yps«), seine Frau Ida (»Tante Helma«) und seine Schwester Alexandrine (»Tante Josi«). Die Namen der übrigen Sippenhäftlinge sowie der SS-Kommandanten wurden nicht verändert.

Die Erzählung folgt verschiedenen Quellen. Gesamtdarstellungen über den 20. Juli wurden ebenso herangezogen wie Biografien einzelner Beteiligter, wobei vor allem eine Darstellung für den Roman handlungsweisend ist: die Biografie der Flugkapitänin und Wissenschaftlerin Melitta Gräfin Stauffenberg (»Tante Lexi«). Wie Claus und Berthold von Stauffenberg kooperierte sie als deutsche Patriotin zunächst mit den nationalsozialistischen Machthabern, fand sich aber alsbald in der kaum erträglichen Situation, durch ihre eigene Tätigkeit ein verbrecherisches Regime zu unterstützen. Derselbe Zwiespalt, der die Brüder Stauffenberg so belastete und schließlich zum Handeln bewegte, spiegelt sich auch in der Biografie ihrer Schwägerin, die beinahe selbst zu einer Akteurin des Attentats geworden wäre. Deshalb, aber auch wegen ihres mutigen, aufopfernden Einsatzes für die inhaftierten Familienmitglieder, der sie noch in den letzten Kriegstagen das Leben kostete, kommt ihr die Rolle einer Schlüsselfigur des »Einundzwanzigsten Juli« zu. Wenn man überhaupt davon sprechen kann, dass aus dieser Geschichte von Tapferkeit, Solidarität und familiärem Zusammenhalt eine einzelne Person hervorsticht, so ist dies Melitta von Stauffenberg.

Mein aufrichtiger Dank gebührt Otto-Philipp Graf Stauffenberg und seiner Schwester Marie-Gabriele, die nicht nur ihre Erlaubnis zu diesem Projekt gegeben, sondern das Entstehen des Buches begleitet, das Manuskript gelesen und korrigiert haben. Auf die Vortragsunterlagen Graf Stauffenbergs durfte ich ebenso zurückgreifen wie auf das Tagebuch, das Gräfin Stauffenberg während der Sippenhaft geführt hat. Danke aber auch für Ihre Bereitschaft, als »Julius« und »Nanni« zu Romanfiguren zu werden, was nicht nur Mut, sondern eine gehörige Portion Humor erfordert!

Nie hätte der Roman entstehen können ohne die Fürsprache, die Vermittlung und das Organisationstalent Anna-Donata Freiin von Lerchenfelds. Danke für Ihr Mit-Lesen, Mit-Denken und Mit-Freuen – und dafür, dass Sie so spürbar an das Gelingen dieses Vorhabens geglaubt haben!

Ein besonderer Dank auch den »Ravensburgern« für die

mannigfache Unterstützung und den Enthusiasmus, der meinen Vorhaben zuteil wird – und meiner wunderbaren Lektorin Petra Deistler-Kaufmann, ohne die das Schreiben ein ziemlich einsames Geschäft wäre.

Berlin, im Juli 2008
Anne C. Voorhoeve

Namensverzeichnis

ALVENSLEBEN, WICHARD VON (1902–1982), befreite als Hauptmann der Wehrmacht im April 1945 rund 140 Sippenhäftlinge aus der Gewalt der SS und des SD. Nach dem Krieg Betreuung von Flüchtlingen im Auftrag des Diakonischen Werks.

BLUM, LÉON (1872–1950), Jurist, Schriftsteller und Politiker, 1936 erster sozialistischer Premierminister Frankreichs. 1940 von der Vichy-Regierung verhaftet, interniert und 1943 an die deutsche Besatzungsmacht ausgeliefert. 1946/47 französischer Ministerpräsident.

BONHOEFFER, DIETRICH (1906–1945), evangelischer Theologe, Leiter des illegalen Predigerseminars der Bekennenden Kirche in Finkenwalde, ab 1938 im Widerstand. Rede- und Schreibverbot ab 1941, verhaftet 1943, hingerichtet am 8. April 1945 im KZ Flossenbürg.

BONIN, BOGISLAW VON (1908–1980), Offizier im Generalstab, im Januar 1945 wegen Verweigerung eines Führerbefehls verhaftet und in den KZ Flossenbürg und Dachau interniert. Nach Entlassung aus amerikanischer Kriegsgefangenschaft als Publizist tätig.

Braun, Eva (1912–1945), Geliebte Adolf Hitlers. Heirat am 29. April 1945, gemeinsamer Selbstmord am 30. April im „Führerbunker" unter der Berliner Reichskanzlei.

Garibaldi, Sante (1885–1946), Enkel des italienischen Freiheitskämpfers Giuseppe Garibaldi, Mitglied des antifaschistischen Widerstands in Frankreich, von den Deutschen 1943 wegen Spionage verhaftet. Posthum wurde ihm das Ritterkreuz der Ehrenlegion verliehen, die höchste Auszeichnung Frankreichs.

Gisevius, Hans Bernd (1904–1974), deutscher Diplomat, Gestapobeamter, seit 1938 Kontakt zum militärischen Widerstand. Nach dem 20. Juli gelang ihm die Flucht in die Schweiz. 1946 trat er bei den Nürnberger Prozessen gegen die Hauptkriegsverbrecher als Zeuge der Anklage auf.

Goebbels, Joseph (1897–1945), als Reichspropagandaminister zuständig für die Gleichschaltung der Massenmedien und des Kulturlebens in Deutschland. Einer der Hauptverantwortlichen des Holocaust, Hauptagitator für den „totalen Krieg", Erfinder des „Führermythos". Selbstmord am 1. Mai 1945 im Bunker der Reichskanzlei gemeinsam mit seiner Frau Magda, nachdem sie zuvor ihre fünf Kinder vergiftet hatten.

Göring, Hermann (1893–1946), Reichstagspräsident, Oberbefehlshaber der Luftwaffe, als Generalfeldmarschall ranghöchster Offizier der Nazis. Beteiligt an der Gründung der Gestapo, der Einrichtung der ersten Konzentrationslager und der sogenannten „Endlösung der Judenfrage". Zum Tode verurteilt im Nürnberger Prozess, beging er in seiner Zelle Selbstmord.

Goerdeler, Carl Friedrich (1884–1945), deutsch-nationaler Politiker, Leipziger Oberbürgermeister, trat 1937 aus Protest gegen das nationalsozialistische Regime von seinem Amt zurück. Als einer der Köpfe des Widerstandes im August 1944 denunziert und am 2. Februar 1945 in Berlin-Plötzensee hingerichtet.

Guttenberg, Karl-Ludwig Freiherr von und zu (1902–1945), verlieh in seiner Zeitschrift „Weiße Blätter" der Opposition gegen den Nationalsozialismus eine wichtige Stimme und hatte Kontakt zu verschiedenen Widerstandskreisen. Nach dem 20. Juli im Berliner Gefängnis Lehrter Straße inhaftiert, in der Nacht zum 24. April 1945 von der Gestapo erschossen.

Haeften, Hans Bernd von (1905–1944), Jurist, Mitglied der Bekennenden Kirche und des bürgerlich-zivilen Widerstandes (Kreisauer Kreis). Am 15. August 1944 in Berlin-Plötzensee hingerichtet. Älterer Bruder Werner von Haeftens.

Haeften, Werner von (1908–1944), Adjutant Claus Schenk von Stauffenbergs, war an der Planung und Durchführung des Attentats auf Adolf Hitler maßgeblich beteiligt. An der Seite Stauffenbergs in der Nacht zum 21. Juli 1944 im Hof des Kriegsministeriums (Bendlerblock) erschossen.

Halder, Franz (1884–1972), Chef des Generalstabs des Heeres, beteiligt an der Planung des Polenfeldzugs, des Westfeldzugs und des Russlandfeldzugs, wegen einer Auseinandersetzung mit Hitler 1942 seines Postens enthoben. 1944 Verhaftung und Internierung nach der Aufdeckung von Verschwörungsplänen aus der Vorkriegszeit.

Hammerstein-Equord, Kurt von (1878–1943), Generaloberst und früher Gegner der Nationalsozialisten, 1943 an Krebs gestorben. Seine Söhne Kunrat und Ludwig waren am Staatsstreich beteiligt und tauchten nach dem 20. Juli unter.

Hansen, Georg Alexander (1904–1944), Oberst im Generalstab und als Chef der militärischen Abwehr (Geheimdienst) am Attentat vom 20. Juli beteiligt. Am 8. September 1944 in Berlin-Plötzensee hingerichtet.

Hardenberg, Carl Hans (1891–1958), Schlossherr auf Neuhardenberg/Brandenburg, gab aus Protest gegen die Nationalsozialisten 1933 alle Ämter auf und hatte früh Kontakt zu Widerstandskreisen. Nach dem 20. Juli gemeinsam mit seiner Tochter Reinhild (Verlobte Werner von Haeftens) verhaftet und im KZ Sachsenhausen interniert, entging er dem Todesurteil durch den Einmarsch der Roten Armee.

Hassell, Ulrich von (1891–1944), deutscher Diplomat, bis 1938 Botschafter in Rom, eine der Hauptfiguren des Staatsstreichs und als Außenminister der neuen Regierung vorgesehen. Er vermittelte Kontakte zwischen verschiedenen Widerstandsgruppen und bemühte sich vergeblich um Unterstützung der Westalliierten. Am 8. September 1944 in Berlin-Plötzensee hingerichtet.

Himmler, Heinrich (1900–1945), Reichsführer SS und Reichsinnenminister. Ihm unterstand der gesamte Polizeiapparat einschließlich der Gestapo. Organisator der Konzentrationslager und des Massenmordes an Juden, Sinti, Roma und Homosexuellen. Nach seiner Festnahme durch die Briten beging er am 23. Mai 1945 Selbstmord.

Hitler, Adolf (1889–1945), deutscher Diktator österreichischer Herkunft, Führer der Nationalsozialistischen Deutschen Arbeiterpartei (NSDAP), 1933 zum Reichskanzler ernannt. Durch Notverordnungen, Ermächtigungsgesetze und einen wachsenden Terrorapparat gelang ihm die Schaffung eines totalitären Einparteienstaates. Zu den Säulen seiner Macht gehörte die Rassenideologie, die „Deutschblütigen" ein Überlegenheitsbewusstsein verlieh und die brutale Vernichtung „rassisch Minderwertiger" einschloss. Entfesselte den Zweiten Weltkrieg mit über 50 Millionen Toten. Selbstmord am 30. April 1945 im Bunker der Berliner Reichskanzlei.

Hoepner, Erich (1886–1944), Generaloberst der Wehrmacht, 1942 wegen eines Rückzugsbefehls an der russischen Front unehrenhaft aus der Armee entlassen. Seit 1943 im Widerstand, nach dem geplanten Umsturz als „Oberbefehlshaber im Heimatkriegsgebiet" vorgesehen. Am 8. August 1944 in Berlin-Plötzensee hingerichtet.

Hofacker, Caesar von (1896–1944), Stabsoffizier bei General Stülpnagel, dem Militäroberbefehlshaber in Frankreich, wichtigster Akteur des zunächst erfolgreichen, dann verratenen Staatsstreichs vom 20. Juli in Paris. Am 26. Juli verhaftet, am 20. Dezember 1944 in Berlin-Plötzensee hingerichtet.

Kaltenbrunner, Ernst (1903–1946), österreichischer SS- und Polizeiführer, ab 1943 Chef der Sicherheitspolizei und des SD sowie des Reichssicherheitshauptamtes (Gestapo-Zentrale). Maßgeblich beteiligt an der Vernichtung der europäischen Juden. Bei den Nürnberger Prozessen zum Tode verurteilt und am 16. Oktober 1946 hingerichtet.

Kardorff, Ursula von (1911–1988), bis 1945 Feuilleton-Redakteurin bei der Deutschen Allgemeinen Zeitung in Berlin, Nazi-Gegnerin mit engen Kontakten zu führenden Mitgliedern des Widerstandes. Ab 1950 Redakteurin der Süddeutschen Zeitung.

Kuhn, Joachim (1913–1994), Major im Generalstab, Freund Claus Graf Stauffenbergs und mit dessen Cousine Marie-Gabriele verlobt. Beschaffte den Sprengstoff für mehrere Attentatsversuche, entzog sich der Gefangennahme durch Flucht hinter die russische Front. In Moskau als Kriegsverbrecher verurteilt, 1956 als gebrochener Mann aus der Gefangenschaft entlassen.

Lindemann, Fritz (1894–1944), General der Artillerie beim Oberkommando des Heeres, gehörte zum engsten Kreis der

Verschwörer des 20. Juli. Er starb am 22. September 1944 im Polizeigefängnis an den Folgen von Schussverletzungen, die er bei seiner Verhaftung erlitten hatte.

Loringhoven, Wessel Freytag von (1899–1944), Oberst im Generalstab der deutschen Wehrmacht, half bei der Beschaffung von Sprengstoff für das Attentat vom 20. Juli. Unmittelbar vor seiner Verhaftung durch die Gestapo beging er am 26. Juli 1944 Selbstmord.

Moltke, Helmut James von (1907–1945), Jurist und Verwalter des Familienbesitzes Gut Kreisau, Kopf der bürgerlich-zivilen Widerstandsgruppe, die von den Nazis später als Kreisauer Kreis bezeichnet wurde. Verhaftet im Januar 1944, wegen Hochverrats zum Tode verurteilt, am 23. Januar 1945 in Berlin-Plötzensee hingerichtet.

Neuhäusler, Johannes (1888–1973), katholischer Theologe, erhielt 1933 den Auftrag, Übergriffe des nationalsozialistischen Regimes auf die katholische Kirche zu überwachen. Schon früh im Visier der Gestapo, wurde er 1941 verhaftet und bis zum Kriegsende in den KZ Sachsenhausen und Dachau interniert. 1947 Ernennung zum Weihbischof.

Niemöller, Martin (1892–1984), evangelischer Theologe und anfangs überzeugtes Mitglied der NSDAP, gründete 1933 aus Protest gegen den Ausschluss jüdischer Christen vom kirchlichen Leben den Pfarrernotbund, einen Vorläufer der Bekennenden Kirche. Ignorierte das ihm von den Nazis auferlegte Redeverbot. Ab 1937 Internierung in den KZ

Sachsenhausen und Dachau, nach Kriegsende radikaler Pazifist.

Payne-Best, Sigismund (1885–1978), Offizier des britischen Geheimdienstes, Spion in den Niederlanden, geriet 1939 in der Absicht, Kontakt zum deutschen Widerstand herzustellen, in eine Falle des SD. Nach Deutschland entführt und in den KZ Sachsenhausen und Dachau interniert. Seine Memoiren wurden nach dem Krieg zum Bestseller.

Piguet, Gabriel (1887–1952), Bischof von Clermont, versteckte während der deutschen Besatzung Frankreichs zahlreiche Juden und Partisanen in katholischen Einrichtungen. 1943 verhaftet und im KZ Dachau interniert. 1951 erhielt er das Ritterkreuz der Ehrenlegion und 2001 posthum vom Staat Israel die Auszeichnung „Gerechter unter den Völkern".

Plettenberg, Kurt Freiherr von (1891–1945), Generalbevollmächtigter des vormaligen Preußischen Königshauses, gehörte zum Freundeskreis führender Widerstandskämpfer und war an den Umsturzvorbereitungen beteiligt. Am 10. März stürzte er sich auf dem Weg zum Gestapo-Verhör aus dem Fenster, um nicht unter Folter Namen preiszugeben.

Harald Poelchau (1903–1972), Mitglied der Bekennenden Kirche und des Kreisauer Kreises, war ab 1933 Gefängnispfarrer in Berlin. Als Seelsorger betreute er Tausende inhaftierte Regimegegner, begleitete über 200 Menschen zu ihrer Hinrichtung und schmuggelte Briefe und Botschaften an deren Angehörige. Gemeinsam mit seiner Frau Dorothee und anderen Helfern organisierte er praktische Hilfe für untergetauchte Juden. Seine Zugehörigkeit zum Widerstand blieb unentdeckt. Nach dem Krieg lehnte er das Angebot einer Professur ab und war weiterhin als Gefängnisseelsorger tätig.

Schacht, Hjalmar (1877–1970), Reichsbankpräsident und Reichswirtschaftsminister, eine der Führungspersönlichkeiten des NS-Regimes. 1943 aus seinen Ämtern entlassen, wegen loser Kontakte zu Widerstandskreisen inhaftiert. Als einer der Hauptangeklagten im Nürnberger Prozess 1946 von den Alliierten freigesprochen.

Schlabrendorff, Fabian von (1907–1980), Jurist, als Adjutant Henning von Tresckows an mehreren Attentatsversuchen beteiligt und nach dem 20. Juli vor Gericht gestellt. Ein Bombenangriff, bei dem Volksgerichtshofspräsident Roland Freisler getötet wurde, rettete Schlabrendorff das Leben. 1967–1975 Richter am Bundesverfassungsgericht.

Schulenburg, Fritz-Dietlof von (1902–1944), bis 1939 stellvertretender Polizeipräsident Berlins, wurde durch seine Erlebnisse an der Front zum Regimegegner. Er gewann zahlreiche Mitverschwörer für den Widerstand, darunter Claus von Stauffenberg, und war maßgeblich beteiligt am Staatsstreich vom 20. Juli. Am 10. August 1944 in Berlin-Plötzensee hingerichtet.

Schuschnigg, Kurt (1897–1977), österreichischer Bundeskanzler, wurde 1938 nach dem Anschluss Österreichs ans

Deutsche Reich unter Hausarrest gestellt und ab 1939 in den KZ Dachau und Flossenbürg inhaftiert. 1941 begleiteten ihn seine Ehefrau und zwei Kinder in das KZ Sachsenhausen, wo sie als Familie Hafterleichterungen erhielten. 1948 zeitweilige Übersiedlung in die USA und Professur an der University of St. Louis.

Stauffenberg, Alexander Schenk von (1905–1964), Dichter und Althistoriker, Professor für Alte Geschichte an der Universität Würzburg, 1942 Einberufung an die Ostfront und Kriegsdienst als Leutnant der Artillerie. In Folge des Attentats vom 20. Juli verlor er seine beiden Brüder und seine Frau Melitta. 1948 Berufung auf den althistorischen Lehrstuhl der Ludwig-Maximilians-Universität München.

Stauffenberg, Berthold Schenk von (1905–1944), Jurist, ab 1939 Völkerrechtsberater bei der Seekriegsleitung und Marineoberstabsrichter, stand seit Mitte der 30-er Jahre in Opposition zu den Nationalsozialisten und war an den Vorbereitungen des Staatsstreichs vom 20. Juli unmittelbar beteiligt. Am 10. August 1944 in Berlin-Plötzensee hingerichtet.

Stauffenberg, Claus Schenk von (1907–1944), Oberst im Generalstab, sympathisierte als Berufsoffizier zunächst mit den Nationalsozialisten, wurde ab 1942 jedoch zur treibenden Kraft des Widerstandes und verschiedener Attentatsversuche auf Adolf Hitler. Nach dem gescheiterten Staatsstreich in der Nacht zum 21. Juli 1944 standrechtlich erschossen.

Stauffenberg, Melitta Schenk von (1903–1945), Diplom-Ingenieurin, Ehefrau Alexander von Stauffenbergs, unter ihrem Mädchennamen Melitta Schiller eine der bekanntesten deutschen Fliegerinnen. 1939 als Ingenieur-Flugzeugführerin zur Luftwaffe kommandiert, erhielt sie hohe Auszeichnungen und wurde als einziges Mitglied der Familie Stauffenberg wegen Kriegswichtigkeit aus der Sippenhaft entlassen. Am 8. April 1945 während eines Hilfsflugs für ihre Familie von einem amerikanischen Jagdflieger abgeschossen.

Thyssen, Fritz (1873–1951), Großindustrieller, Finanzier der Nazis, ab 1933 Reichstagsabgeordneter der NSDAP, überwarf sich mit Hitler nach Meinungsverschiedenheiten über dessen Kriegspläne. 1940 im Exil in Frankreich verhaftet und gemeinsam mit seiner Frau Amelie in den KZ Sachsenhausen, Buchenwald und Dachau inhaftiert. Nach Kriegsende von den Amerikanern interniert, 1948 freigelassen und nach Buenos Aires übergesiedelt.

Tresckow, Henning von (1901–1944), Generalmajor der deutschen Wehrmacht, ab 1941 als Reaktion auf deutsche Kriegsverbrechen im Widerstand. Der Organisator mehrerer Attentatsversuche wurde kurz vor dem 20. Juli an die Ostfront kommandiert und konnte am Staatsstreich nicht teilnehmen. Nach der Nachricht von dessen Scheitern tötete er sich am 21. Juli 1944 mit einer Granate.

Trott zu Solz, Adam von (1909–1944), Jurist und Diplomat im Auswärtigen Amt, gehörte zum Kreisauer Kreis und war Verbindungsmann zwischen militärischen und zivilen

Widerstandsgruppen. Er versuchte vergebens, die Unterstützung der Briten und Amerikaner zu gewinnen. Am 26. August 1944 in Berlin-Plötzensee hingerichtet.

Üxküll-Gyllenband, Nikolaus von (1877–1944), Offizier im Ersten Weltkrieg, Kaufmann, stand den Zielen der NSDAP anfangs positiv gegenüber und wurde 1933 Parteimitglied. 1939 versuchte er seine Neffen Claus und Berthold von Stauffenberg für den Widerstand zu gewinnen. 1941 in die Wehrmacht einberufen (1944 aus Altersgründen ausgeschieden), ab 1943 Mitwirkung an den Plänen für den Staatsstreich. Am 14. September 1944 in Berlin-Plötzensee hingerichtet.

Vermehren, Isa (1918–2009), Berliner Kabarettistin, Filmschauspielerin, während des Zweiten Weltkriegs in der Truppenbetreuung an der Front eingesetzt. Nach dem Überlaufen ihres Bruders zu den Briten geriet sie 1944 in Sippenhaft. Ab 1951 Ordensschwester und Schulleiterin, Autorin zahlreicher Bücher, bis 1995 Sprecherin des „Wort zum Sonntag".

Yorck von Wartenburg, Peter (1904–1944), Verwaltungsjurist, ab 1938 nicht mehr befördert wegen seiner Weigerung, der NSDAP beizutreten. Seit 1938 Mitglied in oppositionellen Gesprächskreisen, Gründungsmitglied des Kreisauer Kreises, nach dem Umsturz als Staatssekretär vorgesehen. Am 8. August 1944 in Berlin-Plötzensee hingerichtet.

Literatur

HANS BENTZIEN, Claus Schenk Graf von Stauffenberg. Der Täter und seine Zeit, Berlin 2004

GERHARD BRACKE, Melitta Gräfin Stauffenberg. Das Leben einer Fliegerin, München 1990

KARL CHRIST, Der andere Stauffenberg. Der Historiker und Dichter Alexander von Stauffenberg, München 2008

ELISABETH ZU GUTTENBERG, Beim Namen gerufen. Erinnerungen, München 2000

FEY VON HASSELL, Niemals sich beugen. Erinnerungen einer Sondergefangenen der SS, München 1990

PETER HOFFMANN, Claus Schenk Graf von Stauffenberg und seine Brüder, 3. Aufl., Stuttgart 1992

PETER HOFFMANN, Stauffenbergs Freund. Die tragische Geschichte des Widerstandskämpfers Joachim Kuhn, München 2007

URSULA VON KARDORFF, Berliner Aufzeichnungen 1942 bis 1945, Neuauflage München, 1992

Eva Madelung, Joachim Scholtyseck, Heldenkinder – Verräterkinder. Wenn die Eltern im Widerstand waren, München 2007

Dorothee von Meding, Mit dem Mut des Herzens. Die Frauen des 20. Juli, Berlin 1992

Hans-Günter Richardi, SS-Geiseln in der Alpenfestung. Die Verschleppung prominenter KZ-Häftlinge aus Deutschland nach Südtirol, Bozen 2005

Konstanze von Schulthess, Nina Schenk Gräfin von Stauffenberg. Ein Porträt, München und Zürich 2008

Gagi von Stauffenberg, Aufzeichnungen aus unserer Sippenhaft 20. Juli 1944–19. Juni 1945 (Privatdruck)

Otto-Philipp von Stauffenberg, Der 20. Juli und seine Folgen (Vortragsmanuskript)

Isa Vermehren, Reise durch den letzten Akt. Ravensbrück, Buchenwald, Dachau: eine Frau berichtet, Reinbek bei Hamburg 1979

Marion Yorck von Wartenburg, Die Stärke der Stille. Erzählung eines Lebens aus dem deutschen Widerstand, Köln 1984

Stammtafel der Grafen von Lautlitz (1944/45)

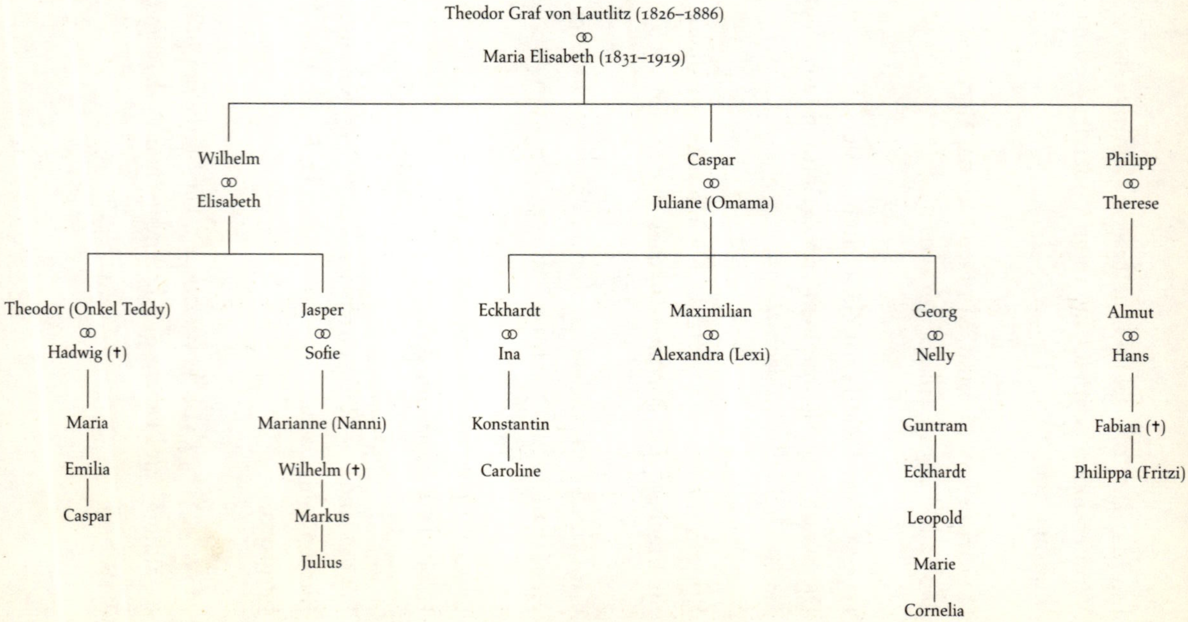

Stammtafel der Schenk Grafen von Stauffenberg (Auszug)

- Klemens Schenk Graf von Stauffenberg (1826–1886) ⚭ Leopoldine Gräfin von Oberndorff (1831–1919)
  - Berthold ⚭ Maria Freiin Groß von Trockau
    - Markwart ⚭ Olga Maria Boehl de Liagre
      - Delia Marie
        - Marie Agnes
          - Alexandra
            - Alfred
              - Klemens
    - Clemens ⚭ Elisabeth Freiin zu Guttenberg
      - Marie Gabriele (Gagi)
        - Karl Berthold
          - Markwart
            - Otto-Philipp
  - Alfred ⚭ Caroline Gräfin von Üxküll-Gyllenband
    - Berthold ⚭ Maria Classen (Mika)
      - Alfred
        - Elisabeth
    - Alexander ⚭ Melitta Schiller (Litta)
    - Claus ⚭ Nina Freiin von Lerchenfeld
      - Berthold
        - Heimeran
          - Franz-Ludwig
            - Valerie
              - Konstanze